JN043532

1日1話、つい読みたくなる
世界のミステリーと怪異366

監修／朝里 樹 Itsuki Asazato

徳間書店

はじめに

現代は、今までの歴史の中で人間が最もこの世界のことを知っている時代でしょう。

科学が発達し、夜は明るく照らされ、世界中の情報が簡単に手に入るようになりました。

その一方で、まだまだこの世界には様々な不思議なことやものが残されています。

例えば、存在していた痕跡や目撃情報があるにもかかわらず、その実在が確認されていない未確認動物、UMA。

人の形をしていながら、奇妙な能力や行動を見せる怪人。

今でも各地に伝説や記録を残すミステリアスな遺産。

現代に至ってもまだ解明されていない謎を残した古代文明。

死者が生前や死んだ直後の姿で現れる幽霊や、人が人に対し物理的ではない何かしらの力で害を与える呪い。

今も人類の手が届かない星々や、地球に降りてきた宇宙人などの宇宙の秘密や、人の手を介さない自然の神秘。

紐解かれていく歴史の中、未だ解明されずに残されたミステリー。

そして現代を舞台に語られる真偽不明の話、都市伝説。

このような不思議な話は時に人の興味を掻き立て、それを解明するために科学の発展を促したこともありました。そして21世紀を迎えた現代においても、これらの事象や存在にロマンを感じる人々は少なくないのではないでしょうか。

そしてこの本のタイトルを見て、手に取って下さった方であれば、これらの中でひとつくらいは興味を惹かれるものがあるのでは、と思います。

本書は、そういった世界の不思議を１年間の日数と同じ、合計366個紹介します。

その中にはすでに知っている話もあれば、全く聞いたこともない話も載せられているでしょう。そしてこの本をきっかけにより詳しく調べてみたい、と思うような話もきっとあるはずです。そんな世界の不思議を１日にひとつ、１年通して読んでいただければというのがこの本の趣旨です。ただもちろん、一気に読んでいただいても構いません。

いずれにせよ、この本があなたの生活に楽しみをひとつ増やすものになれば幸いです。

2021年6月　　朝里 樹

本書の見方

本書では世界に残る様々なミステリーを集め、
1日1つずつ、テーマに分けて紹介する。

ミステリーのジャンル。

ミステリーが伝わる地域。

本日のテーマ。

第2週 第5日目

NASAの隠蔽工作

種別 宇宙の不思議 地域 アメリカ合衆国

1976年7月25日、NASAのバイキング1号によって撮影された火星の人面岩。文明が築かれている証拠でもあるが、その後NASAによって破壊されたという。

アメリカは、火星古代文明の叡智を独り占めしている!?

1992年、アメリカは火星探査機マーズ・オブザーバーを打ち上げた。しかし、火星に接近したものの、周回軌道投入直前に通信途絶となり行方不明になったままだ。計画は失敗だったわけだが、実はこの火星探査機には別の役割があり、本来の目的は達成したのではないかという説がある。

その目的とは、火星の人面岩の破壊工作だ。

火星の人面岩とは巨大な人間の顔に見えるような物体で、1976年7月にNASAの火星探査機ヴァイキング1号がシドニア地区で撮影し、話題になったもの。アメリカは光と影の具合でたまたま顔のように見えるだけだと発表していたが、2001年に撮影された画像に映っていたのは、半壊した状態の人面岩だった。大気が希薄な火星で、これほど短期間で浸食が起こるとは考えづらく、隕石などが落下した気配もない。そして、2002年4月に撮影された赤外線写真によって、半壊した部分に熱エネルギーが存在していたことがわかり、人面岩が破壊されていた疑いが出てきたというわけだ。

人面岩については、古代火星文明の遺跡であり、その叡智が秘匿されているのではないかという説が根強くあった。アメリカは、これらの大発見を独占するために破壊したのではないか、といわれているわけだが、果たして真相は!?

019

世界に散らばる
ミステリーを解説する本文。

世界のミステリーに関連した当時の写真や
風刺画、イメージカット、想像図を掲載。

本日のテーマ

第1日目　ミステリアス遺産

ナチスの埋蔵金やロンギヌスの槍など、世界に残る謎の遺物にまつわる伝説や噂を掲載。諸説を挙げながら解説する。

第2日目　UMAと怪人

イエティ、チュパカブラ、ツチノコ……。世界中でその存在が噂される未確認生物（UMA）や、スレンダーマン、毒ガス怪人マッド・ガッサーなど現代が生み出した怪人、そして切り裂きジャックをはじめとする歴史上の怪人の正体に迫る。

第3日目　古代文明

マヤの天文知識の謎やマチュピチュ建設の目的など、古代人が遺した遺跡はいまだ解明されない不思議であふれている。そんなミステリアスな古代遺跡の謎とは……？

第4日目　幽霊・呪い

日本のみならず、洋の東西を問わず死者が人々の前に現れる現象が報告されている。人の執念のなせる業か、それとも目撃者の錯覚なのか……。第４日目は幽霊の噂や呪い・祟りの伝説に迫る。

第5日目　宇宙・自然の神秘

今なお新たな発見が続く宇宙。火星では古代文明の存在が指摘され、月や地球は空洞説が唱えられている。我々の暮らす地球においても不思議な自然現象は枚挙にいとまがない。第5日目はこうした自然と天体の謎に迫る。

第6日目　歴史のミステリー

歴史人物にまつわる謎や、歴史上の未解決事件などを紹介する。ジャンヌ・ダルク、ヒトラーなどの生存説やエリザベス女王にまつわるスキャンダルなど、歴史の見方が変わる第6日目。

第7日目　都市伝説と陰謀論

人体発火やディアトロフ峠事件などの不可解な事件、1ドル紙幣隠されたフリーメイソンの謎など、未解決事件の謎と世界を動かす力にとはいったい……!?――信じるか、信じないかはあなた次第。

※閏年にも対応するため、366日分の話を収録しています。7つのテーマを１週間サイクルで展開しているので、読み始めた日の曜日を第１日目として読み進めて下さい。

さぁ、
世界の不思議を巡る旅の
扉を開けましょう。

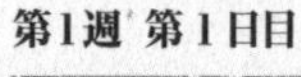

トリノの聖骸布（せいがいふ）

種別 ミステリー遺産
地域 イタリア共和国

キリストを包んだ布は本物なのか偽物なのか

処刑されたキリストの遺骸を包んだ布が“聖骸布”で、カトリック教徒の信仰のよりどころのひとつとなってきた。実のところ、ヨーロッパには聖骸布とされる布がいくつも伝わるが、イタリアのトリノの聖ヨハネ大聖堂に所蔵される聖骸布には、キリストの最期の姿が写し取られているという。

19世紀末、この縦4.4m、横1.9mの杉綾織の亜麻布を写真撮影したところ、身長180cmほどの、あごひげを生やした男性像が浮かび上がった。聖書の記述に沿った処刑の傷跡もあり、これこそが本物の聖骸布だと話題になった。

20世紀には科学的調査もなされ、布は亜麻の織物で、紀元前に中東で生産されたこと、ユダヤ地方の植物の花粉やエルサレムに多い土が付着していることなどから、本物だという説がますます有力になった。ところが1988年に炭素年代測定を行なった結果、布は1260～1390年の間に織られたもので、キリストの時代には存在していなかったという調査結果が発表されてしまう。

本物か偽物か、ほかにも多くの研究や調査がなされ、画家のレオナルド・ダ・ヴィンチが偽造したものだなどという説まで飛び出した。真贋論争は二転三転して決着がつかないまま。現在、聖骸布は大聖堂の保管庫に納められている。

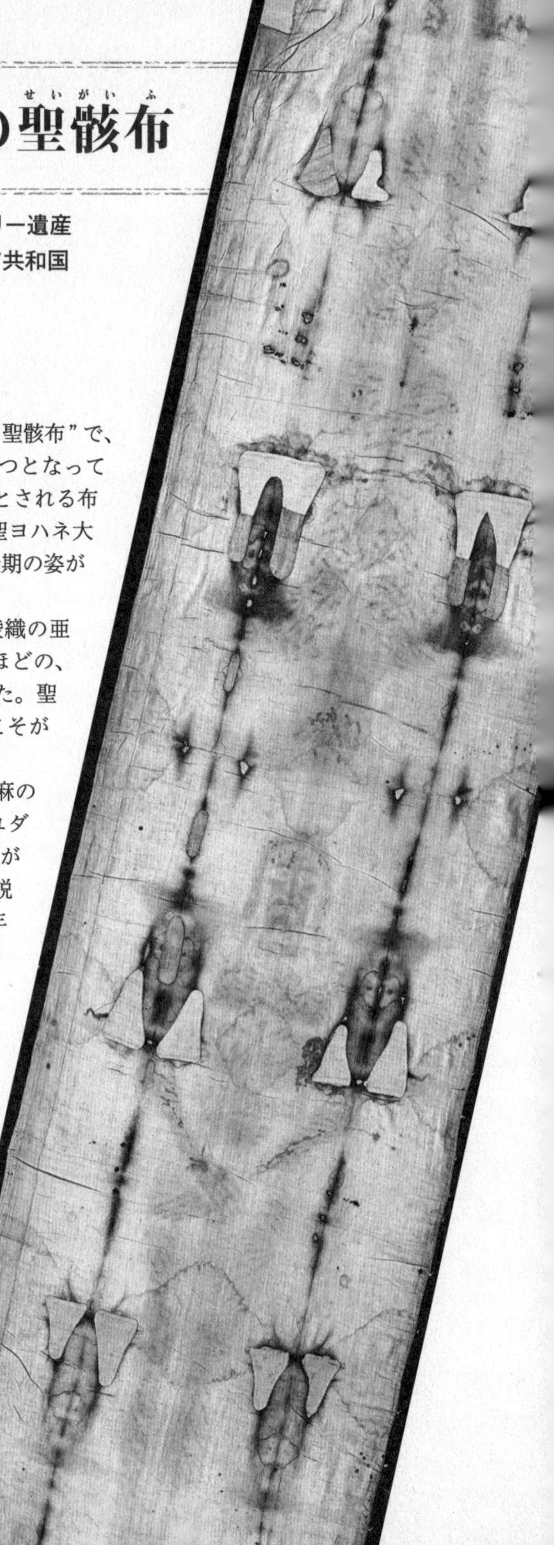

トリノの聖骸布は、縦4.4m、横1.9mの杉綾織の亜麻布で、キリストの姿が浮き上がっている。

イエティ

種別 UMA 地域 ネパール連邦民主共和国、インド

イエティは、その存在を暗示させる足跡を残しながら、いまだ我々の前に姿を見せてはくれない。

旧人類の生き残り？ ヒマラヤ奥地に住む巨大な雪男

世界各地の山奥や森の中には謎の巨人・雪男が住むと言い伝えられてきた。雪男は皆、推定身長2m以上。前身は毛で覆われ、足の大きさが30cm以上もあるという。

この雪男の代表的存在がヒマラヤ奥地に住むイエティだ。

1889年に巨大な足跡が発見されたのをきっかけに、ヒマラヤで目撃情報が相次ぎ、1990年には日本人登山家もイエティの足跡の撮影に成功した。場所はネパールのガネッシュ山群の渓谷。高度3650mの雪の上で、長さ30cm、幅27cmの足跡が2足歩行のように続いていたという。

このイエティの正体については諸説あるが、注目されるのは旧人類の生き残り説である。地球上でははるか昔、現生人類（ホモ・サピエンス）は、ネアンデルタール人（ホモ・ネアンデルタレンシス）など種類の異なる人類と共存していたが、そのひとつにイエティもいたというのだ。彼らは旧人類が次々と姿を消す中、山奥でひそかに生き延びてきた可能性もある。実は中国で報告された巨人「野人（やじん）」の毛髪を鑑定したところ、人の髪とほぼ同じものだと判明した。野人は現生人類に近い種族とみられており、イエティも我々と同じ人類の仲間なのかもしれない。

第1週 第3日目

ストーンヘンジの謎

種別 古代遺跡の謎 地域 イギリス

天文知識を駆使して建設されたストーンヘンジは、古代の天文台ともいわれたが、中心に置かれたブルーストーンの存在から、癒しの場であった可能性が高まっている。

 ストーンヘンジは古代の癒しの場所だった!?

イングランド南部、ソールズベリーの丘にあるストーンヘンジは、世界中で最も有名な先史時代（紀元前3000年紀後半）の環状列石だ。

ストーンヘンジを構成する石は、最大で50tにもおよぶ巨石で、サーセン石と呼ばれる砂岩の一種。しかもストーンヘンジから32kmも離れたマールボロダウンズから運ばれたものだという。さらにストーンヘンジの中心部に置かれている比較的小さな石「ブルーストーン」に至っては、240km以上離れた西ウェールズ地方のプレセリ丘陵一帯から運ばれてきたものだということがわかっている。

なぜそんな遠くからわざわざ石を運んできたのか。

その答えは長らく謎とされてきたが、最近の考古学的な調査で、ブルーストーンが「癒しの石」として、古代から崇められていたことが判明した。

加えてストーンヘンジ周辺には、外傷や奇形の痕跡がある多くの遺体が埋葬されていたこともわかっている。

そうしたことから、ストーンヘンジは石に病気や怪我を治す力があると信じた古代ブリテン島の住人たちが、癒しを求めて訪れる巡礼地だったと考えられている。

呪われた車

File No.004
本日のテーマ
幽霊・呪い

種別 呪い 地域 オーストリア共和国

世界に惨禍をもたらしたオープンカーのその後

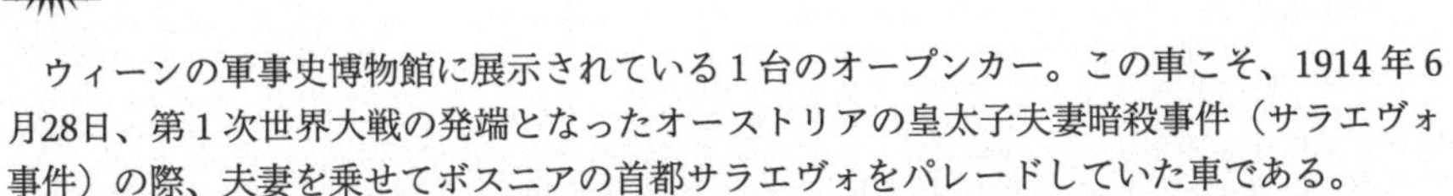

ウィーンの軍事史博物館に展示されている１台のオープンカー。この車こそ、1914年６月28日、第１次世界大戦の発端となったオーストリアの皇太子夫妻暗殺事件（サラエヴォ事件）の際、夫妻を乗せてボスニアの首都サラエヴォをパレードしていた車である。

この車、実はその後も悲劇の連鎖を生み続けている。事件後、オーストリアのポティオレク将軍の所有となったが、将軍はその後の戦闘で大敗を喫し、精神を病んでしまう。将軍から車を譲られた部下は、９日後に２人をひき殺して自らも事故死。次の所有者となったユーゴスラヴィアの新任知事は４か月間に４回も事故を起こし、ついに自分の腕を失った。

その次の所有者である医師は６か月後に車が横転してその下敷きとなって圧死し、医師の妻から車を譲られた宝石商は自殺を遂げた。次の犠牲者はスイスのレーサーで、彼もロードレースの途中に事故を起こして死亡。次の所有者となった農場主は車が暴走して犠牲となり、最後の所有者となった自動車整備工場の社長も４人の仲間を巻き込んで事故死した。

こうしてこの車は多くの命をあの世へと運び去ったのである。

戦争の犠牲となった2000万人もの怨念が、所有者に次々と災いをもたらしたのだろうか。

多くの命を奪った車はオーストリア政府によって修理され、軍事史博物館へ送られた。

第1週 第5日目

ナチス火星逃亡説

種別 宇宙の不思議　地域 ドイツ連邦共和国

もしかすると、火星にはすでにナチスが築いた都市があるのかもしれない。

 ヒトラーは宇宙船で火星に逃げていた!?

世界を第2次世界大戦へと引きずり込んだナチスの総統・ヒトラーは、1945年4月30日にベルリンの総統官邸の地下壕で自害し、遺体は部下によって燃やされたというのが定説だ。

しかし、ヒトラー生存説が根強くあり、ヒトラーは幹部や科学者たちとUFOで逃亡したのだという説がまことしやかに囁かれてきた。あまりにも荒唐無稽な説に思えるが、実は近年、本当にナチスのメンバーが宇宙に逃げていた可能性が高まっている。NASAが火星に送り込んだ探査機が火星の地表を撮影した画像に、ナチスが活動していた痕跡とおもしき物体が映っていたのだ。

その証拠の数々を紹介すると、2013年夏にはナチスのヘルメットに酷似した物体が撮影され、2014年4月28日には、ブーツを履いたナチスの軍服姿の人物らしいモノ、さらに2014年7月12日と8月31日には、ナチスのハーケンクロイツとそっくりの円と十字系構造が刻まれた物体が撮影されるといった具合だ。

ナチスの技術力は1930年代から突出しており、空飛ぶ円盤型の宇宙船が製造され、全長139mもの巨大な葉巻型母船も開発されていたといわれている。ヴェルナー・フォンブラウンをはじめ、ドイツの科学者が、戦後米ソでミサイル開発や宇宙開発に欠かせない存在となったのも、有名な事実である。

NASAによる探査が進む火星において、彼らは虎視眈々と復権の機会を狙っているのかもしれない。

モーツァルトの死

種別 死にまつわる謎 地域 オーストリア共和国

《魔笛》に秘められたモーツァルトの死のミステリー

《アイネ・クライネ・ナハトムジーク》や《フィガロの結婚》など、生涯に600曲以上作曲した、ウィーン古典派を代表する天才音楽家ヴォルフガング・アマデウス・モーツァルト。彼は代表的なオペラのひとつとなる《魔笛》を作曲するが、その初演から2か月後、35歳の若さで不可解な死を遂げている。

あまりに突然の死だったため、間もなくモーツァルトはこの《魔笛》にある秘密を込めたせいで暗殺されたのではないかという噂が流れ始めた。

その秘密とはフリーメイソンの秘儀。フリーメイソンはイギリスで結成された秘密結社で、モーツァルトも28歳の時にフリーメイソンの慈善ロッジ（ウィーン）に入会している。

フリーメイソンに捧げた曲も多数作曲しているのだが、《魔笛》に至っては、フリーメイソンが神聖な数字とする3という数字が数多く登場する。さらに、「この神聖な堂に何を求めるか」という問いに「愛と徳がもっているもの」と答える場面はフリーメイソンの入会儀式とよく似ているという。

しかし、フリーメイソンでは自らが会員であることを含めて、活動の内容を外部に語ってはならないという規則が設けられていた。

こうしたことから、フリーメイソンの入会儀式を表わしたものであり、外に漏らしてはいけない儀式を作品中に組み込んだことに怒ったフリーメイソンが、モーツァルトを毒殺したのではないかといわれているのだ。

不可解な死を遂げた
18世紀の天才音楽家モーツァルト。

ケネディ大統領暗殺

種別 陰謀　地域 アメリカ合衆国

いまだ囁かれるもうひとりの犯人

アメリカの第35代大統領ジョン・F・ケネディは1963年11月22日、テキサス州のダラスをパレード中、首と頭部を銃撃されて暗殺された。容疑者として現場後方のTSBDビルにいたオズワルドという男が浮上し逮捕されたが、その2日後、オズワルドは警察署に突入したジャック・ルビーという男に射殺されてしまう。このルビーも何も語らず数年後に病死したため、事件の真相は闇の中に消えてしまったのである。

この一連の不可解な流れに、アメリカ国民がケネディ暗殺の背後に黒い陰謀が渦巻いていると考えたのも当然だろう。実際奇妙な点もいくつかあった。

ケネディの後ろ上方から発射された2発の銃弾のうち、1発はケネディの首を貫通して、前の座席にいたコナリー州知事の右肩に当たり、胸の下から出てさらに右の手首を貫通。左の太ももに命中しているのである。

つまり1発の銃弾が奇妙な弾道を描いてふたりの体に7か所もの穴を開けたことになる。

しかもケネディの遺体の検死報告では「狙撃場所は不明」とある。銃弾の角度などから特定できるはずだが、あえて特定していないのだ。それは何か不都合な真実を隠蔽(いんぺい)しようとしているとしか考えられない。

真実を知る手掛かりは、2039年に開示予定の調査資料を待つしかない状況である。

ケネディ大統領暗殺の実行犯とされたリー・ハーヴェイ・オズワルド殺害の瞬間。ダラス警察の地下駐車場で、郡刑務所へ移送される車に乗る直前の出来事であった。

ジョージア・ガイドストーン

種別 ミステリー遺産　地域 アメリカ合衆国

ジョージア・ガイドストーンは、5枚の分厚い石板が最上部の1枚を支える構造。高さは6m近く、総重量は110tにもおよぶ。円柱やそこに開けられた穴からは北極星や太陽の運行を捉えることもでき、“アメリカのストーンヘンジ”と呼ばれる。

 理想社会への指針か、それとも秘密結社の陰謀か？

アメリカのジョージア州北西部、巨大な花崗岩の石板を組み上げて築かれた石碑が、ジョージア・ガイドストーンである。ただし、これは古代遺跡ではない。現代において、謎の人物が何らかの目的のために建てたものなのだ。

1979年、地元の石材建造業者のもとに見知らぬ上品な人物がやって来て、R・C・クリスチャンと名乗ると、この石碑の建造を依頼した。計画は細部に至るまで具体的なものだったが、あまりに荒唐無稽な話であるため、業者はこの話を真に受けなかった。しかし、地元の銀行の頭取が、この人物に十分な資金があると保証したため工事が行なわれ、翌年には完成して除幕式が行なわれた。だがそこに依頼主は姿を見せなかった。

石板には、自然と共存すること、人類が結束することなど、10の戒めが8つの言語で刻まれている。また最上部の1枚には、エジプトやギリシャの古代語で「これを理性の時代へのガイドストーンとしよう」とある。ガイドストーンに記されているのは新しい理想だと賞賛する人々もいるが、何かの陰謀を表明していると考える人々もいる。それは、戒めの第1項にある「人口は5億人以下を維持すること」との文言が、それ以外の人間を不要としているとも解釈できるからである。

バサジュアン

種別 UMA
地域 スペイン王国

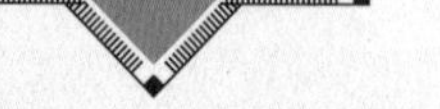

人に文明を教える ピレネー山脈に住む森の精霊

スペイン北部のカタロニア地方では、バサジュアンと呼ばれる獣人が生息しているとまことしやかに噂されてきた。

このバサジュアンはバスク人の神話にも登場するほど古くから知られた存在で、獣人といっても人に危害を加えるわけではない。それどころかピレネー山脈の洞窟を転々としながら家畜を守ったり、人間に小麦の製法や製鉄を教えたりする、森の精霊として崇められてきた存在である。

しかし現代に至るまで語り継がれてきたにもかかわらず、その生態や正体についてはようとしてつかめなかった。

ところが近年、バサジュアンと思しき獣人との遭遇が相次ぎ、その実在が明るみになりつつある。最初の目撃情報は1968年。バルセロナ郊外で高速道路を横断したという。

そして1993年、洞窟探検隊がピレネー山脈の山中で体長1.5mほどの獣人に遭遇。全身体毛に覆われたその獣人は、直立2足歩行で移動し、猫のうめき声のような音を出したという。その数か月後には2人の学者が山中を身軽に駆け回る獣人を目撃した。

さらに2013年にはバサジュアンが岩山を上る姿が写真に収められている。イエティやビッグフットのような獣人の実在が証明される日がいよいよ近づいているようだ。

パサジュアンはピレネー山脈の奥地に生息するといわれ、近年、目撃証言が相次いでいる。

イスラエル10支族の行方と日本

File No.010 本日のテーマ 古代文明

種別 消えた民族の謎　地域 イスラエル国

アッシリアに滅ぼされて連行された イスラエルの人々はどこへ消えたのか？

「消えたイスラエル10支族」という言葉をご存じだろうか。現在のユダヤ人は、もともと祖とされるヤコブの子たちに始まるルベン、シメオン、ユダ、ダン、ナフタリ、ガド、アシェル、イサカル、ゼブルン、ベニヤミン、エフライム、マナセの12の支族から成り立っており、紀元前1000年頃にダビデ王が統一した古代イスラエル王国も12の支族で構成されていた。だが、やがて10支族の北王国イスラエルと、2支族の南王国ユダに分裂。北王国は紀元前721年にアッシリア王国に侵略されて滅亡し、10の支族がアッシリア人によって連れ去られてしまったのだ。

彼らの行方はようとして知れなかったが、20世紀に入って末裔らしき人々が判明してきた。イラク・クルディスタン地方の民族や、アフガニスタンやパキスタンなどに分布するパシュトゥン人（パタン人）、インド・パキスタン国境のカシミール族、インドとミャンマー国境地域のメナシェ族、ミャンマー北東部のカレン族、中国のチャン・ミン族などである。つまり、10支族は東へ東へと進み、シルクロード近辺に定着していたのである。

さらに、10支族は日本人と関係あるのではないかと指摘する人もいる。日本の神社の構造や、日本語のひらがなやカタカナとヘブライ語に類似性が見られることなど、日本にはシルクロード近辺の子孫と同じ風習がいくつも見られるというのだ。これが日ユ同祖論と呼ばれるもの。東へ進んだ10支族は、やがて日本へたどり着いた可能性があり、日本人は古代イスラエル人の血を受け継いでいるかもしれないのである。

兄たちによってエジプトへ売られるヨセフ。彼らヤコブの子供たちの多くが、イスラエル12支族の祖となった。

ウィンチェスター・ミステリー・ハウス

種別 呪い　地域 アメリカ合衆国

呪いを恐れ増築を重ねた奇妙な家

アメリカ・カリフォルニア州のサンノゼは、IT産業の中心となっているシリコンバレーの中心都市である。

この地に「ウィンチェスター・ミステリー・ハウス」という古い屋敷がある。建設者はサラ・ウィンチェスターという女性で、彼女の夫は新型ライフル銃のビジネスで莫大な財産を手に入れた人物であった。

順風満帆な人生であったが、この後ふたりの間に生まれた娘は生後1か月で死亡。夫も結核で病死してしまう。膨大な遺産を手に入れたサラであったが、ある時、霊媒師に「ウィンチェスター家は銃によって命を落とした人々の恨みにより呪われている。西海岸に豪華で美しい家を建て、昼も夜も建設を続けなさい。そうしなければ呪いによってあなたは死ぬ」と警告されたのだ。

サラはさっそく西海岸の小さな家に移り住むと、屋敷に大工や職人を住まわせ、24時間体制で増築を続けた。

こうして増築に増築を重ねること40年。その結果、なんと160もの部屋が繋がった巨大なつぎはぎの邸宅が誕生したのである。暖炉47個、階段40個、バスルーム13個、さらには多くの台所や居間といったありさまで、ドアを開くと壁だったり、階段を上ると天井だったりと、非常に奇妙な構造になっている。ただし、この複雑な構造はサラが霊の眼から逃れるためのトリックだったともいわれる。建設を続ける中で、彼女は霊の言葉が聞こえるようになっていたのである。

サラは1922年に82歳でこの世を去り、ようやく増築は止まったが、奇妙な家は今も健在。内部をひと巡りするツアーが催されている。

カリフォルニア州のサンノゼに立つ
ウィンチェスター・ミステリー・ハウス。

NASAの隠蔽工作

種別 宇宙の不思議 地域 アメリカ合衆国

1976年7月25日、NASAのバイキング1号によって撮影された火星の人面岩。文明が築かれている証拠でもあるが、その後NASAによって破壊されたという。

アメリカは、火星古代文明の叡智を独り占めしている!?

1992年、アメリカは火星探査機マーズ・オブザーバーを打ち上げた。しかし、火星に接近したものの、周回軌道投入直前に通信途絶となり行方不明になったままだ。計画は失敗だったわけだが、実はこの火星探査機には別の役割があり、本来の目的は達成したのではないかという説がある。

その目的とは、火星の人面岩の破壊工作だ。

火星の人面岩とは巨大な人間の顔に見えるような物体で、1976年7月にNASAの火星探査機ヴァイキング1号がシドニア地区で撮影し、話題になったもの。アメリカは光と影の具合でたまたま顔のように見えるだけだと発表していたが、2001年に撮影された画像に映っていたのは、半壊した状態の人面岩だった。大気が希薄な火星で、これほど短期間で浸食が起こるとは考えづらく、隕石などが落下した気配もない。そして、2002年4月に撮影された赤外線写真によって、半壊した部分に熱エネルギーが存在していたことがわかり、人面岩が破壊されていた疑いが出てきたというわけだ。

人面岩については、古代火星文明の遺跡であり、その叡智が秘匿されているのではないかという説が根強くあった。アメリカは、これらの大発見を独占するために破壊したのではないか、といわれているわけだが、果たして真相は!?

ナポレオン影武者説

種別 死にまつわる謎　地域 フランス共和国

ナポレオンは島を脱出し、影武者とすり替わっていた!?

ワーテルローでの敗戦後、セントヘレナ島へ流されたフランス皇帝ナポレオンが、1821年に同地でひっそりと没したことはよく知られている。

ところがナポレオンは影武者とすり替わり、島を脱出したという可能性を指摘する説がある。

話はナポレオンの影武者を務めていたフランソワ・E・ロボが、1818年に故郷から姿を消したことから始まる。その直後、イタリアのヴェローナに、レパールと名乗るナポレオンと瓜二つのフランス人が現われ宝石の店を開くが、5年後の1823年に、番頭のペトルッチに「3か月以内に帰ってこなければこれをフランス王に」と書類を託して出かけ、2度と戻らなかった。

そのペトルッチがのちに「私の主人はナポレオン・ボナパルドでした」と証言したのである。

実はナポレオンは幽閉生活の後半、粗野なふるまいや昔の記憶の喪失などが見られ、人格が変わったという。ナポレオンが影武者とすり替わっていたのだとすれば納得がいく。

では本物のナポレオンはどうしたのか。

レパールがヴェローナから姿を消した頃、ウィーンのシェーンブルン宮殿でナポレオンの息子が高熱を出していた。9月4日の深夜、その宮殿に侵入を試みた者が衛兵によって射殺されている。その人物こそナポレオンだったのかもしれない。

セントヘレナ島へ流されたナポレオン。
同地で生涯を終えたのは、果たして本人だったのか？

謎の飛行船

File No.014
本日のテーマ
都市伝説と陰謀論

種別 都市伝説　地域 アメリカ合衆国

UFOだったのか？ 19世紀に一世を風靡した飛行船事件の謎

アメリカでは1896年11月から約半年、カリフォルニアやシカゴなどで飛行船の目撃報告が多発したことがある。

報告をまとめると、その飛行船は軽くて細く、可動式のヘッドライトのほかにいくつかのライトがついていたという。翼か帆のようなものも備わっていた、4つのライトがついていたという目撃例もあった。

さらに話に尾ひれがつき、これはUFOで異星人との遭遇を示すものではないかという話まで現われたが、半年ほどするといつの間にか飛行船の目撃情報はぴたりと消えた。

この伝説で何より奇妙なのは、この当時はまだアメリカに飛行船が存在していなかったことである。

飛行船は1852年にフランスのアンリ・ジファールによって試験飛行が成功したのを嚆矢に、ドイツでも1891年にツェッペリン伯爵が開発に乗り出して1900年に飛行に成功することとなるが、1896年の段階でアメリカではまだ飛行船は開発されていないし、外国の飛行船がやってきたこともなかった。

そのため謎の発明家がテスト飛行をしているとも、流れ星や惑星を見間違えたともいわれた。しかし今日では謎の発明家がいた説は否定されている。捏造説もあるが、何より何万もの人が目撃している。そこには私たちの知らない真実が隠されているのかもしれない。

アメリカ各地に出現したといわれる謎の飛行船。

第３週 第１日目

龍安寺の石庭

種別 ミステリー遺産　地域 日本

「石庭」の名で有名な龍安寺方丈庭園。石組みの意味のほか、作庭者もはっきりしていない謎の庭園である。

石庭の石の並びは星の配置に倣ったものか？

長方形の狭い空間に白砂を敷き詰め、その上に大小15の石が配された龍安寺方丈庭園は、「石庭」の呼び名で名高い。

石の配置については、何らかの法則があるのか、何かを表現しているのかなどと、早くから多くの識者が考えてきた。

解釈として有名なのが、母虎が子虎に川の渡り方を教える場面とする「虎の子渡し説」、５群に分かれた石の並びから吉祥を表わす「七五三説」などである。

一方、作家の明石散人氏らは、その著書『宇宙の庭‐龍安寺石庭の謎』で、石の配置は星座のカシオペア座をなぞっているのではないか、という説を立てている。

カシオペア座は北極星の近くに浮かぶ星座で、５つの明るい星がWの形に並んでいてよく目立つため、古くから北極星を見つける手がかりとされてきた。そして龍安寺の15個の石も、固まりごとに5つに分けて上部から見ると、Wの形に見えるのだ。

龍安寺の作庭者は誰なのかも、いつ造られたのかも、はっきりしない。謎多き庭園は今日も多くの観光客を迎えている。

ビッグフット

File No.016
本日のテーマ
UMAと怪人

種別 UMA 地域 アメリカ合衆国

山中を駆け巡る北米の雪男

ヒマラヤの雪男がイエティなら、北米大陸に生息する雪男として有名なのがビッグフットだ。約30cm、大きいもので50cm近い巨大な足跡を残すことからこの名前が付けられた。

このビッグフットは1810年代からアメリカやカナダ各地で目撃されており、多くの情報が寄せられている。それらを総合すると、体長は2m以上で全身を毛に覆われた獣人。なかには100kgを超える巨大な個体もおり、これだけの体格ながらきわめて俊敏に動き、3m以上のジャンプもできるという。

さらにはビッグフットに誘拐されたという人物や、UFOと一緒にビックフットを見たという人物も現われている。

その正体については太古に絶滅した大型猿人類のギガントピテクス、新種の猿など様々な意見が挙げられている。しかし数多くの目撃情報があるにもかかわらず捕獲されたこともなければ、その死体が見つかったこともない。

1967年10月、カリフォルニア州・ブラフ・クリークにおいて8mmフィルムで撮影されたビッグフット。ただしこのビデオはフェイクである可能性が指摘されている。(写真：TopFoto／アフロ)

第3週 第3日目

マチュ・ピチュの建設目的

種別 古代遺跡の謎 地域 ペルー共和国

マチュ・ピチュの全景。インカ帝国の生き残りの人々が籠った都市ビルカバンバと思われていたが、天体観測施設という説が有力になっている。

要塞か、それとも天体観測施設か―。謎に満ちた建設目的

ペルー南部、南米アンデス山脈の標高2430mの高地に忽然と現われるのが、空中都市マチュ・ピチュ。麓から見えない場所にあったため、400年もの間誰にも気づかれず、1911年、アメリカ人考古学者ハイラム・ビンガムによって眠りから覚めた遺跡である。

マチュ・ピチュの面積は5㎢ほど。約半分が山の斜面を利用した段々畑で、遺跡中央には大きな広場があり、この広場を囲むようにして北に750人ほどが暮らしたとみられる居住区、南に最重要区画が配置され、「大塔」「霊廟」「三つの窓の神殿」「コンドルの神殿」などの名称が付けられた施設が点在する。

しかし、こうした名称が必ずしも建物の機能を正しく示しているとは限らない。なぜなら、マチュ・ピチュが、どのような目的をもって建設されたものなのか、今も答えが出ていないからだ。当初マチュ・ピチュは、スペインに滅ぼされたインカ帝国が最後の抵抗を試みるために築いた要塞都市ビルカバンバと見られていた。しかしそうした防衛的機能を持つ施設はほとんど存在しない。一方近年の研究で、要所に太陽を観察する機能を持つ施設が配されていることが判明し、天体観測施設だった可能性が高くなっている。

ミラマーレ城

File No.018 本日のテーマ 幽霊・呪い

種別 呪い 地域 イタリア共和国

住む人に悲劇が訪れる呪われた城

ミラマーレ城は、オーストリアの皇帝フランツ・ヨーゼフ1世の弟フェルディナント・マクシミリアンが建築を命じ、1860年に完成した美しい白亜の城である。だが一方でミラマーレは、美しい姿からは到底想像できない呪われた城としても知られている。

建設者のマクシミリアンは、その後、フランスのナポレオン3世に担ぎ出される形でメキシコ傀儡(かいらい)政権の皇帝となったが、反乱軍に敗れて失脚。ナポレオン3世にも見捨てられて1867年に現地で銃殺された。その後、ミラマーレ城はハプスブルク家の保養所となったが、特にこの城をお気に入りで十数回も訪問していたフランツ・ヨーゼフ1世の皇后エリザベートは、1898年にジュネーヴのレマン湖畔で殺害された。

1914年春にミラマーレ城で過ごした時の皇太子フランツ・フェルディナント大公は、同年6月にサラエヴォ事件で凶弾に倒れ、この事件をきっかけに第1次世界大戦が勃発する。大戦後に所有者となったサヴァイア＝アオスタ家の第3代アメデーオ・ディ・サヴォイア＝アオスタ公爵も、第2次世界大戦中にイギリス軍の捕虜となり、収容所でマラリアに罹患して1942年にこの世を去るといった始末である。

マクシリミリアンの執念の成せる業か、不思議なジンクスは何者が引き起こしたのだろうか？

イタリア北東部トリエステ近郊にある城館「ミラマーレ」。

ツングースカ大爆発

種別 宇宙の不思議　地域 ロシア連邦

ツングースカ大爆発の現場写真。クーリック探検隊によって1927年に撮影されたもので、一方向になぎ倒された樹木から、強烈な力が反対方向よりかかったことがわかる。

大爆発の原因となったのは？

1908年6月30日、シベリアのツングースカの大森林の上空で大爆発が起こり、M5.0の地震に匹敵する衝撃波が起きた。これにより面積2100㎢にもわたる広大な森林が破壊されたのである。幸い犠牲者は出なかったものの、この爆発の原因は、100年以上を経た今もはっきりしていない。目撃者の証言によると、空に青白い光の柱が現われた数分後、閃光が走り、大砲のような轟音が響き渡ったという。その直後、数千万本の木々をなぎ倒す衝撃波とそれを焼き尽くす熱風が吹き荒れたとみられる。

当初は小惑星の落下などが原因として推測されたが、調査を行なっても、落下跡と思しき巨大なクレーターは発見されなかった。そこでにわかに有力視されたのが、小惑星の空中爆発説である。小惑星が地球の表面に達する前に爆発し、被害をもたらしたというわけだ。

その一方で、UFOに絡めた説も登場している。しかも、日本と深い結びつきのある説まである。それは、約4000年前の縄文時代中期に青森県津軽地方を中心に栄えた亀ヶ岡（かめがおか）文化を築いたとされる亀岡人の末裔が、地球帰還に失敗して起こった爆発だったとする説だ。亀岡人は、遮光器土偶の人間離れした姿からうかがえるように、異星人と交流があったと推測されている。地球の危機を察知して宇宙船で脱走したものの、故郷へ戻る途中だったという。

安倍晴明

File No.020
本日のテーマ
歴史のミステリー

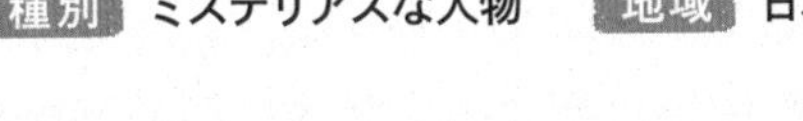
種別 ミステリアスな人物　地域 日本

怨霊や鬼を陰陽の術で封じ込め、都を守った陰陽師

平安京は怨霊が跋扈するおどろおどろしい一面を持つ都だった。この都に現われる目に見えない魑魅魍魎に神秘の力で挑んだのが陰陽師の安倍晴明である。彼が使った陰陽道とは古代中国の陰陽五行説を基本に、天文・暦数・占術などを行なう術で、日本でも陰陽寮という役所が設けられていた。

小説や漫画など創作物にも登場する安倍晴明。果たしてどのような人物だったのか？

安倍晴明は母が狐だったともいわれ、神秘的な力を受け継いだ彼は陰陽師となって式神・護法という鬼神を使役しながら、不思議な術を駆使して怨霊を退治したという。公卿の姫君をさらった者たちの正体が、凶悪な大江山の酒呑童子であることも術で暴いている。

また、当時病気や難産は物の怪の祟りによるものと考えられていた。お産がうまくいかない女性のために晴明が穢れを祓い清めると、女性は無事女の子を出産したという逸話も伝わる。

こうした活躍により安倍晴明は一条天皇や時の権力者・藤原道長からの信頼も厚く、天皇が病気になった時にも占いを行なって病を祓い、天皇を守っている。平安京は、安倍晴明の不思議な力でもって怨霊や鬼から守られていたのである。

疫病神退治をする安倍晴明（『泣不動縁起』より）。彼は平安の都に災いをもたらす魑魅魍魎から都を守った人物である。

有楽町線

種別 都市伝説 地域 日本

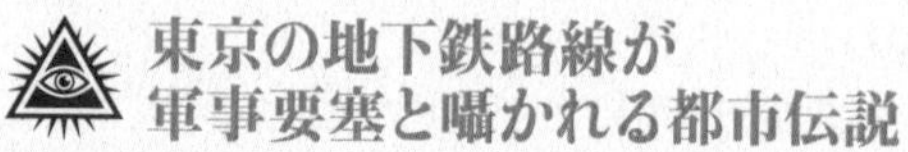

東京の地下鉄路線が軍事要塞と囁かれる都市伝説

縦横無尽に走る東京の地下鉄路線のひとつ、東京メトロ有楽町線には、ある都市伝説が囁かれている。「和光市」「平和台」「市ヶ谷」「永田町」「桜田門」「新木場」……これらの駅周辺にある施設を思い浮かべてほしい。そう、これらの駅周辺には自衛隊関連、あるいは警察の施設が置かれているのである。

和光市には朝霞駐屯地、平和台には練馬駐屯地、市ヶ谷には陸上自衛隊があり、防衛省も移転してきた。永田町には国会議事堂など政府関連の施設、「桜田門」には警視庁、「新木場」には警視庁のヘリポートが置かれている。つまり指揮系統から実戦部隊までこの路線上に勢揃いしているのだ。

そう、有楽町線には軍事と警察施設が一堂に会しており、軍事利用のために作られた路線ではないかと推測されるのだ。

これだけではない。なんと東京メトロ南北線の王子神谷駅近くの地下深くには巨大な核シェルターが設けられ、入り口が永田町駅にあるという噂もある。市ヶ谷駅についても、戦車を通すために階段幅とホームが広く設計されているという。

大勢の人が利用する有楽町線であるが、実は軍事要塞としての顔を隠しているのかもしれない。

有楽町線は首都圏の主要軍事施設を地下でつないで走っている。

タッシリ・ナジェール

File No.022
本日のテーマ
ミステリアス遺産

種別 ミステリー遺産 地域 アルジェリア民主人民共和国

サハラ砂漠の真ん中に宇宙人が降り立ったのか?

アルジェリア南部、2000m級の山々が連なるタッシリ・ナジェールでは、およそ1万年前から2000年前頃までという、気の遠くなるような長きにわたって描き続けられた岩絵群を見ることができる。

その数は1万5000点を超え、ここに暮らし、あるいは行き来した人々が入れ替わり立ち替わり描いたものである。

現在のタッシリ・ナジェールは、サハラ砂漠のほぼ真ん中の荒涼たる地だが、岩絵には人間だけではなくゾウやカバ、キリン、ウシ、ヒツジ、ウマなどの動物が描かれている。

タッシリ・ナジェールの名称は、"水のある台地"という意味を持つ。かつてここは緑豊かな地で、多くの動物が暮らし、岩絵にもその様子が描かれていたが、時代が下るにつれ、乾燥して砂漠化し、描かれる動物はラクダだけになってしまった。

しかし、気候変動ではどうしても説明のつかないのが、"白い巨人"と呼ばれる不思議な絵である。その身長は3mもあり、両耳にアンテナのようなものが立って、広げた両腕の内側にこぶ、あるいは装置のようなものが突き出ている。全身は白く、くっきりした輪郭線で囲まれ、まるで宇宙服を着ているかのようなのだ。現地の民族が崇めた神とも考えられるが、ではその民族はどこに行ったのか、答えは何も見つかっていない。

"白い巨人"と呼ばれるタッシリ・ナジェールの岩絵。その姿は明らかに人間と異なっている。

フラットウッズ・モンスター

種別 UMA　地域 アメリカ合衆国

宇宙からやってきた!? 毒ガスを発した光る怪物

1952年9月12日夜に現われたフラットウッズ・モンスターの想像図。
(写真：TopFoto／アフロ)

1952年9月12日夜、アメリカ・ウエストバージニア州で不思議なガスを放つ怪物が目撃された。

丘に何かが落下したのを目撃した、同地に住む少年とその母ら7人が現場に駆けつけたところ、そこには身の丈3mはあろうかという巨大な物体が立っていた。スペードのエースのような頭部に赤い顔で、オレンジ色の目からは怪しい光を放ち、緑の襞(ひだ)付の衣服をまとうという何とも奇怪な姿をしており、いきなりシューという音を出すや、少年らに向け刺激臭のする白いガスを発してきたという。

7人が恐怖のあまり家に逃げ込んだところ、怪物体は追ってくることはなく、通報を受けた記者が現場に到着すると、すでにその姿を消していた。だが、この一件の後、7人はのどが腫れ上がるなどの症状に悩まされた。それはマスタードガスを吸った際に出る症状に似ていたという。

この毒ガスモンスターの出現にアメリカ中が一時騒然となり、大勢の野次馬が現地に殺到する騒ぎとなった。

事件現場の地名から怪物体は「フラットウッズ・モンスター」と名付けられた。落下したという状況から、UFOとの関係も指摘されたが、痕跡も残さず消えてしまったため、その正体は不明。ガスはいったい何だったのか、謎のまま残された。

アナサジ族の行方

種別 消えた民族の謎　地域 アメリカ合衆国

アナサジ族が築いたメサ・ヴェルデの住居群。すぐれた住居建築を残しながら、アナサジ族は忽然と消えてしまった。

緑豊かな土地を捨て、なぜ断崖に住居を築いたのか？

アメリカのコロラド州南西部、標高2600mの台地に広がる「メサ・ヴェルデ」は、険しい峡谷が無数に刻まれ、むき出しの砂岩の高い壁が続く土地である。

19世紀末、このメサ・ヴェルデで不思議な廃墟が発見された。険しい断崖をくりぬいて作られた住居群で、住居が集まった集落の数は600以上にもおよぶ。それぞれの集落の内部は部屋ごとに整然と区画されていて、最も大きな集合住宅クリフ・パレスには住居部分が220室もあり、中には現代の4階建ての建物に相当する高さの住居まである。

この住居に住んでいたのは先住民のアナサジ族だ。彼らは1世紀頃から付近の台地上に竪穴式住居を建てて定住していた農耕民族で、9世紀頃には日干しレンガで区画された住居を築くようになっていた。農地もその住居の近くにあった。ところが、12世紀頃、彼らはわざわざ農地から離れた険しい渓谷に降りて岩窟を切り開き、移り住んだのである。

その理由について、快適さを求めたとか、何らかの脅威から身を守るためなどと推測されているが、周辺で戦闘が行なわれた形跡もなく、また驚異となる動物も存在しないため、今もわかっていない。しかも13世紀末には、相当な労力を払って築いたであろう住居を捨て、メサ・ヴェルデの土地から忽然と消えてしまっている。この背景にも一体何があったのか、やはり解明されていない。

法隆寺の怨霊封じ

種別 呪い 地域 日本

法隆寺は聖徳太子の怨念を鎮めるために再建された!?

世界最古の木造建築である法隆寺は、607年に推古天皇と聖徳太子によって創建された。太子建立の法隆寺は670年に火災で焼失するも和銅年間（708年～714年）に再建され、今では世界遺産にも登録されて日本有数の古刹となっている。

ただ、この法隆寺、寺としてはあまりに不可思議な点が多い。

まず、焼失後の再建者がはっきりしていない。ほかにも、中門の中央に柱があって、まるで人の出入りを拒んでいるかのように思えることや、釈迦の骨（仏舎利）を安置するはずの五重塔の舎利器の中に肝心の仏舎利が納められていない点などが挙げられる。

こうした不可解な点から梅原猛氏が唱えたのが、法隆寺は聖徳太子の怨念を封じるために藤原氏が再建した寺だとする仮説である。

聖徳太子の没後、その子山背大兄王は、蘇我氏やほかの皇子たちによって自害に追いやられており、その後蘇我氏を倒した藤原氏の祖・中臣鎌足らも、当時それに反対した形跡がない。

だが、奈良時代に入ると、藤原不比等の4人の息子たちが天然痘にかかって短期間に全員この世を去ったことで、藤原氏は聖徳太子の怨霊の祟りではないかと恐れ、太子の怨霊を鎮めるために法隆寺を再建した、というわけだ。

中門の柱も太子一族の怨霊を封じ込めるためのものであり、五重塔も太子一族の墓標であったのかもしれない。聖徳太子が創建した法隆寺が、その怨霊を鎮めるために再建されたとすれば、その印象は大きく変わってくる。

法隆寺夢殿は聖徳太子が建てた斑鳩宮跡の上に位置するという。

アポロ計画の疑惑

種別 宇宙の不思議　地域 アメリカ合衆国

月面着陸後の1969年7月、月面に立てた星条旗に敬礼するオルドリン飛行士。星条旗がはためいているように見えるのは、ポールを入れていたからだという。

 アポロが着陸した月面には驚くべき光景が広がっていた!?

1969年7月、アメリカのアポロ11号が月面着陸を果たした。人類が初めて月に降り立った歴史的瞬間であり、その様子はNASAが配信した画像によって世界中に届けられた。

しかし、この偉業が実は捏造だったという説がある。月面着陸時の映像に不自然な点が多いからだ。たとえば、大気がなく風が吹くはずがないのに星条旗がはためいていること、地球以外の星が宇宙空間に全く映っていないこと、宇宙飛行士を正面から撮影した写真に照明の光が反射しているように見えること、月面に着陸船の逆噴射痕がないことなどなど――。ここから、事前にスタジオで撮影した偽映像だったのではないか、というのだ。

しかし、アポロ11号の軌跡は世界中の天文台が追っていたことや、地球にはない鉱物「月の石」など、数々の証拠があることから、アポロ11号が月に行ったことは疑いようがない。だが、それだとしても映像に疑問は残るのだ。

『ムー認定　最新禁断の異次元事件』によると、実は、月面には驚くべき世界が広がっていたため、アメリカは真実の画像を流せなかったのだという、NASAの関係者によるリーク情報がある。月面には巨大な宇宙船やドーム、城、基地、古代都市などがあったというのである。

NASAは、アポロ計画関連の資料や月面映像などの多くを紛失したと発表しているが、このような偉業の資料をあっさり紛失することなどあり得るのだろうか……。月には驚くべき秘密が隠されているのかもしれない。

エリザベス女王のスキャンダル

種別 スキャンダル　地域 イギリス

ヴァージン・クイーンに隠し子がいた？

16世紀のイングランドに君臨したエリザベス１世は、「国家と結婚した」と宣言し、生涯独身を貫いて「ヴァージン・クイーン」と呼ばれた女王である。女王は独身であることを活かしてスペインやフランスなどとも巧みに渡り合う。そしてイングランドはスペイン無敵艦隊を破って大国へと飛躍したのである。

そんな偉大な女王にはある疑惑が囁かれている。隠し子がいたのではないかというのである。

実は1587年、スペイン軍に捕らえられたエドワード・ダドリーという人物が「自分はロバート・ダドリーと女王との間に生まれた子だ」という、とんでもない告白をしたのだ。

ダドリーの父ロバートは長年、エリザベス女王の愛人だったため、あり得ない話ではない。

しかも1561年に女王は病のため床に臥せっていたのだが、この時水腫で腹がかなり膨らんでいたという。

これは女王の妊娠・出産を偽る工作だった可能性もある。エドワードの爆弾発言をイングランドは助かりたいためのウソと否定したが、真実は闇の中である。

『テューダー・ローズの紋様とオコジョの毛皮で飾った即位衣を纏うエリザベス１世』。ヴァージン・クイーンとして君臨したエリザベス１世に子がいたとすれば、それは英国史を変えるスキャンダルとなる。

地震兵器

種別 都市伝説　地域 世界

我々の生活は地震兵器によってコントロールされているのだろうか？

「18」のサインが暗示する恐怖の兵器とは？

地震といえば自然の力で起きる自然災害である。ところがソ連が開発した地震兵器を使って、人為的に起こされた地震があるという都市伝説が囁かれている。この兵器は、19世紀後半から20世紀前半に活躍したニコラ・テスラという科学者が開発したもの。一説によれば核以上の威力を持つ新兵器を地中で爆発させて大地震を発生させるという。

しかもこの人為的な地震にはある共通項が存在していた。それは18という数字である。たとえば、1994年のロサンゼルスと、1995年の阪神淡路大震災はともに1月17日に起こっており、1＋17は18。2005年に発生したパキスタン大震災は10月8日。つまり10＋8＝18である。また、2010年の中国青海省大震災も4月14日で、4＋14＝18となる。

ではなぜこういった兵器を使って地震を発生させるのか。それは情勢を政府の都合良い方向に持っていくためだという。パキスタン大震災の際には、アメリカのハリケーン災害の対策失敗から国民の目をそらすため、阪神淡路大震災はアメリカが日本の社会党内閣をつぶすために仕掛けたともいわれている。

世界の大国が思いのままに操る地震兵器。その真相が明かされる日は来るのだろうか。

第5週 第1日目

『いかさま師』贋作説

種別 ミステリー遺産
地域 アメリカ合衆国・フランス共和国

宮廷画家の代表作につきまとう真贋論争

17世紀のフランスにおいて、ルイ13世の宮廷画家としても活躍したのがジョルジュ・ド・ラ・トゥールである。没後はその名も作品も忘れ去られていたが、20世紀中頃になって発見。再評価され、ロウソクの光の中に浮かぶ人物を特徴とした画風から、「夜の画家」と呼ばれている。ラ・トゥールの代表作とされるのが、『いかさま師』である。カード遊びに興じる男女の様子を描いた作品で、右端の若い男がほかの3人のカモにされ、金を巻き上げられようとしており、当時の風俗が巧みに描かれている。

しかしこの絵には、早くから贋作説がついて回っている。ラ・トゥールの他の作品は聖書を題材としたものが多く、明暗のコントラストと人物の静謐な表情が見る者の心を打つのだが、この絵はすべてが明るい画面の中に表現されている。また、よく見ると構図はバランスが悪く、色彩もラ・トゥールにしては華美にすぎる。画面の右上にあるサインも、古文書に残るラ・トゥール本人のサインよりも、息子のサインに近いという。

ラ・トゥールには『女占い師』という、やはりいかがわしい人物を主題とした作品があるが、これにも贋作説がつきまとう。現存するラ・トゥールの作品は数少なく、そのうち代表格とされる2作がよりによって贋作かもしれないのだ。

メトロポリタン版

ルーヴル版

ルーヴル美術館とメトロポリタン美術館に1作ずつ残るラ・トゥールの『いかさま師』は、燭光に浮かび上がる人々を描く彼の作風とは異なる特徴を示す。

下水溝の白いワニ

種別 UMA　地域 アメリカ合衆国

下水道にはとんでもないモンスターが潜んでいる!?

映画の題材にもなったアメリカの下水道に潜む白いワニ

1980年に、下水溝に捨てられたワニが、研究所から投棄された成長ホルモン実験用の動物を食べて巨大化し、体長10mを超えるモンスターと化して大暴れする『アリゲーター』というアメリカ映画が話題となった。

しかもこれはまったくのフィクションではなく、ニューヨークの下水道に潜むとされる「下水溝の白いワニ」の都市伝説を題材にした作品なのだ。

大都会ニューヨークの下水溝には、トイレなどに捨てられたペットのワニが流れ着き、生き延びているという。日に当たらないため、このワニのウロコは真っ白。目は見えなくなったものの、流れてきた薬品などを取り入れたためか、ありえない大きさに成長している。人間がうかつに近づこうものなら、あっという間にその餌食となってしまうだろう。しかも1匹だけなく同じように捨てられたワニたちが群れをなして棲みついているという噂も絶えない。

しかも恐ろしいことに、ニューヨークの地下にワニが棲みついていたというのはあり得ない話ではない。1935年にはニューヨークの下水溝にいたワニがレスキュー隊に射殺されるという事件が起こっている。今も暗い地下にワニが人知れず潜んでいても不思議ではないのだ。

第5週 第3日目

モヘンジョ・ダロと核戦争

種別 古代遺跡の謎　地域 パキスタン・イスラム共和国

モヘンジョ・ダロの遺跡。核爆発によって生じる高温で焼かれた跡が発見されたという。

古代の核戦争の痕跡を残す都市遺跡

紀元前2300年頃〜紀元前1800年頃、インダス川流域で栄えたのがインダス文明である。この文明を代表する遺跡がパキスタン南部にあるモヘンジョ・ダロで、上下水道システムや沐浴場、碁盤の目状に整えられた街路や排水システムなど、計画に基づいた高度な都市設計がされていたことがわかる。

このモヘンジョ・ダロについての最大の謎が、滅亡の原因だ。大洪水説、土地の乾燥化による放棄説など諸説あるのだが、最もインパクトある説としてまことしやかに囁かれているのが、核戦争説である。一見荒唐無稽な説に思えるが、モヘンジョ・ダロで発見された遺骨群の一部から、通常の50倍もの放射能が検出されたことや、砂やレンガが2000度以上の高熱を浴びて溶解した後に冷えてガラス状になったと考えられる物体が遺跡から発見されていると聞けば、一概にトンデモ説とは言えなくなってくる。しかも、モヘンジョ・ダロで発見された遺骨群は埋葬されることなく横たわったままだったのである。

さらに古代インドの英雄叙事詩『マハーバーラタ』には、アグネアの武器に関する記述がある。これは、強い光と熱を発して一瞬にして多くの人を殺傷し、建物を破壊する武器だという。もしかすると、モヘンジョ・ダロの人々の記憶が、『マハーバーラタ』の武器を創作させたのかもしれない。

巫蠱（ふこ）

種別 呪術 地域 中華人民共和国

 昆虫類や爬虫類を使って相手を呪う中国の呪術

「巫蠱」は中国に伝わる、虫を使った呪術である。

秦漢以降の中国で西南の少数民族などを中心に流行したといわれる呪術で、ムカデや毒蛇、ガマガエル、ウジムシ、トカゲ、シラミ、クモなどの昆虫類や爬虫類などを使って行なわれる。

こうした毒を持つ昆虫や爬虫類を集めてひとつの容器の中に入れ、お互いに食い殺させ、最後に残った１匹を取り出し、危害を加えたい相手の食事に入れるというものだ。

ただし具体的な方法ははっきりしておらず、ほかにも魚や猫、犬、羊や草、布などを使う場合や、木の人形を土中に埋めて相手を呪う方法も伝えられているから、相手を呪うこと自体が「巫蠱」とされたのかもしれない。

前漢の武帝の時代には、この巫蠱を巡る陰謀「巫蠱の乱」が起こっている。

ある少数民族の女性は、漢族の男性と結婚したのち、相手の愛情をつなぎとめるためにこの呪術を用いたという。妻だけが解毒できる毒を夫に盛り、夫が長期間家を空けると効力を発揮するよう細工する。解毒できるのは妻に限られるので、夫は必ず妻のもとに戻らなければならないというわけだ。

月の空洞論

種別 宇宙の不思議　地域 月

月は人工の天体か!?
月の表面に地底に続く大穴があった!?

青白く光る月は、とても神秘的に見える。いや、見えるだけでなく、実際に月は謎の多い神秘的な存在なのだ。地球の衛星だといわれるが、それにしては距離が遠いし、地球から月の裏側が見えないことも偶然としてはできすぎている。月が誕生した経緯についても、地球が冷える前に分裂した「親子説」、一緒に誕生したとする「兄弟説」、他所からやって来て、地球の引力に捕まったとする「捕獲説」、地球が誕生して間もない時期に火星サイズの天体がぶつかり、その衝撃でマントルが飛び出して月になったという「ジャイアント・インパクト説」など諸説あるが、今もってはっきりしていないのだ。

月の内部構造についても大きな謎が残っている。アポロ12号が不要になった着陸機を落下させて衝撃による振動を計測したところ、なんと1時間にもわたって振動のピークが計測されたのだ。地球の場合、地震が起きてもピークがそう長くは続かない。月の振動の長さは、中が空洞だとすれば説明がつくのである。

月は異星人による人工の天体だという噂もあり、月の表面には、地底に通じる謎の大穴がある可能性が指摘されている。その中には一体どんな世界が広がっているのだろうか。

月にはその内部が空洞になっているという説が囁かれている。

シェイクスピアの正体

種別 ミステリアスな人物　地域 イギリス

執筆者はゴーストライターだった!?

ウイリアム・シェイクスピアは16世紀、『ロミオとジュリエット』『ハムレット』などの作品を執筆したイングランドの天才劇作家である。しかし一方で彼は謎に満ちた人物でもあった。

何より奇妙なのは平民の家に生まれ、高等教育を受けていない彼が、作品に国内外の歴史や宮廷社会のことを詳しく書いていることだ。しかも作品には医学や法学、文学などの専門的な知識が盛り込まれている。彼はどこでこうした知識を得たのだろうか。

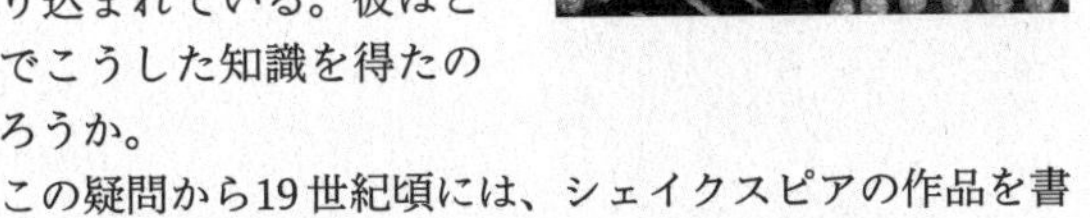

この疑問から19世紀頃には、シェイクスピアの作品を書いたのは別の人物であり、彼はゴーストライターだったのではないかという説が浮上した。シェイクスピアは身分が高く名前を表に出せない人物の隠れ蓑に使われたというのである。

では本当に書いたのは誰なのか。その正体について多くの説がある中、最有力候補とされるのが学者で政治家のフランシス・ベーコンである。彼は教養豊かなうえ、彼の蔵書とシェイクスピアの戯曲に共通点があるのが根拠のひとつだ。

そのほかにもエリザベス1世の宮内長官をつとめ、上流社会の内側をよく知るインテリのエドワード・ド・ヴィアー、詩人のクリストファー・マーロウ、同じくベン・ジョンソンなども有力候補とされている。

シェイクスピアの正体とされる人々。クリストファー・マーロウ（右上）、フランシス・ベーコン（右下）、エドワード・ド・ヴィアー（左上）、ベン・ジョンソン（左下）。

第5週 第7日目

HAARP

種別 都市伝説 地域 アメリカ合衆国

地震兵器の主要な施設とも噂されるアメリカのHAARP。

 地球の環境をコントロールする気象兵器なのか？

アラスカの荒野に150本ものアンテナが整然と立ち並ぶ様子は、宇宙と交信しているかのようだ。この「HAARP」は、アメリカの空軍、陸軍、アラスカ大学ほか多くの大学や研究所が共同で行なっている研究「高周波活性オーロラ調査プログラム」の施設で、その略称が「HAARP」なのである。

1980年代から建設が始まり、地球の電離層に高周波の電磁波を照射して、地球と宇宙で発生する自然現象を観測してきた。高周波の電磁波が環境に与える影響が懸念される一方、一部では、敵に通信障害を起こさせる目的があるのではないか、あるいは電磁波照射を利用して地球環境をコントロールする気象兵器ではないか、地殻変動によって地震を発生させる装置ではないか、などという陰謀論も囁かれてきた。

「HAARP」側は、この研究はすべてが記録・公開されており、研究結果は学会誌に発表していると説明し、陰謀論を否定している。

2014年、HAARPの施設は老朽化したため閉鎖するとアメリカ空軍が発表し、研究はアラスカ大学が、施設は民間が受け継ぐこととなった。

デリーの錆びない鉄柱

種別 ミステリー遺産　**地域** インド

ハイテク技術を駆使したかのような1500年前の鉄柱

インドのデリー郊外にあるインド最古のミナレット、クトゥブ・ミナールの近くには、高さ6.9mほどの鉄柱が立っている。上部に装飾を施し、表面にサンスクリット語の碑文を刻んであるこの柱は、クトゥブ・ミナールよりはるかに古い1500年以上も昔に立てられて信仰の対象となってきた。だが不思議なことに、立てられてからずっと屋外で風雨にさらされていたというのに、全く錆びていないのだ。

通常なら、鉄には赤錆が出て、やがて腐食してぼろぼろになってしまう。ステンレスのような合金や純度100%の純鉄ならば錆びないが、そうした鉄を製錬する技術が確立したのは20世紀のことなのである。

錆びない理由としては、インドで産する鉄鉱石がリンを多く含んでおり、これが鉄と結合して錆びに強いリン酸鉄となって表面を覆っていること、また柱の表面が、現代のカーボンナノチューブと同様の構造になっていることなどが考えられる。もしそうならば、あまりに確率の低い偶然である。

デリーの錆びない鉄柱。多くの偶然が重なって出来上がったと推測されるが、錆びない理由ははっきりしていない。

小人

種別 異種族　地域 イラン・イスラム共和国

イランで発見された小人ミイラと謎の集落遺跡

2005年8月、イランのグディスにあるシャーダ遺跡から身長わずか25.4cmという小さなミイラが発見された。法医学検査を行なったところ、奇妙なことにこのミイラは新生児より小さい体であるにもかかわらず、年齢は16歳前後の若者だと判明したのだ。

このミイラが発見されたシャーダ遺跡はササン朝ペルシア時代の遺跡で、5000年前に繁栄した「ドワーフ（小人）の都市」とも呼ばれる。

奇妙な構造となっていて、残された遺構は入り口をはじめ、通路、かまどや棚などに人が生活していた痕跡が残されているが、驚くほどにミニチュアサイズなのだ。高さ80cmほどの入り口、狭く低い通路など、それはまさに小人でないと暮らせない大きさである。実際に遺跡を見た作家が『ガリバー旅行記』に出てくるリリパット人が住んだ町を思わせると言っている。同地は小人たちの住処であり、見つかった小さなミイラこそ、小人たちだったのかもしれない。

実はこれ以外にも、イラン国内では2013年に別の遺跡から体長7cmという超小型のミイラが発見されており、古代イランに小人族が存在していた可能性が囁かれている。

伝説上の存在であった小人の存在がついに証明されたのか！？

パレンケのレリーフ

File No.038 本日のテーマ 古代文明

種別 古代遺跡の謎　地域 メキシコ合衆国

マヤ人は宇宙飛行士だった!?
レリーフに刻まれたパカル王の乗り物の謎

パレンケは、1773年に発見されたマヤ文明古典期の都市遺跡で、6～8世紀に最盛期を迎えたと考えられている。遺跡には約500の建造物が点在しているが、遺跡の南西にあって9層から成る高さ23mの「碑文の神殿」と呼ばれるピラミッドは謎に満ちている。

まず、碑文の神殿からは巨大な石棺が発見され、身長180cmの男性の遺体が納められていた。遺体の顔には翡翠（ひすい）の仮面がかぶせられ、全身は赤く染めあげられるなど、特別な人物であることがうかがえる。碑文の神殿は615年に12歳で王位についた11代パカル王の治世中に建設が始まっているので、遺体はパカル王であるはずなのだが、パカル王の死亡年齢が80歳であるのに対し、遺体の主は頑強な壮年男性のものだったのだ。

さらに、石棺のふたに彫られたレリーフには、マヤの神聖文字やマヤ人の間で神聖とされるケツァルという鳥などが描かれているのだが、注目すべきは中央に描かれた人物だ。前かがみになったその人物の手は、何かハンドルのようなものを握っているように見え、周囲には細いチューブのようなものが描かれているのである。その姿はまるで近未来を舞台としたアニメに登場するバイクのような乗り物にも見える。

石棺発見当時は米ソが宇宙探査競争を展開していた時期であり、宇宙船のようにも見えると唱える者が現われ、ここから、マヤ人＝宇宙飛行士説まで登場するに至った。もしかすると、碑文のピラミッドの被葬者はマヤ人に高度な天文知識を授けた存在だったのかもしれない。

パカル王のものと思しき石棺に刻まれていたレリーフの拓本。
描かれた人間は何かに乗っているように見える。

ユタ

種別 呪術 地域 日本

奄美大島で活躍する神に選ばれたシャーマン

鹿児島県の奄美諸島には、「ユタ」という名前の呪術師がいて、今も活躍している。

ユタは、神秘的な霊能力でトランス状態となって神と直接交流して真意を聞き、病気の治療や占い、死霊の口寄せなどを行なう。

奄美大島では、人の死後19日、29日、49日などに「マブリワアシ」という独特の行事が行なわれている。死者の霊を降ろし、親族に言い残したことなどを尋ねるもので、ここでもユタは欠かせない存在である。この行事では、ススキが使われるのが一般的で、奄美大島ではススキに神秘的な力があると信じられているという。

ではユタがどのようにして選ばれるのかというと、それは神の意志。選ばれた者には、病苦や不眠、頭痛などに悩まされる巫病（ふびょう）（カンブリともいう）という病気が出て、精神のバランスを崩してしまうが、現役のユタがこれを発見して、新たなユタを育成するための成巫式（せいふしき）を行なう。これがうまくいけば巫病は回復するか病状が安定し、新たなユタが誕生するというわけだ。

1955年頃に撮影された祈祷活動をするユタ。鹿児島県の奄美諸島では欠かせない存在となっている。

ロズウェル事件

種別 UFO 地域 アメリカ合衆国

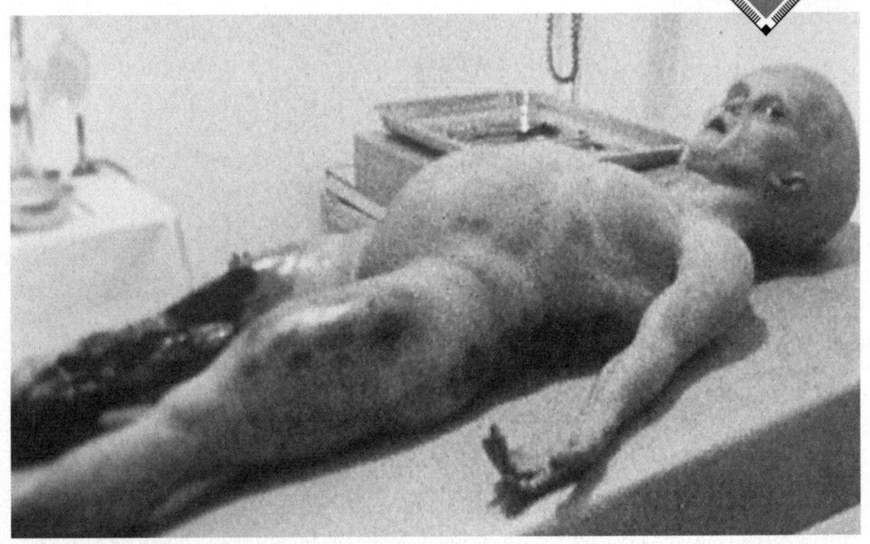

ロズウェル事件で収容された宇宙人の遺体とされる写真。（写真：アフロ）

 墜落したUFOの研究で現代科学が実現!?

1947年7月4日、アメリカ・ニューメキシコ州ロズウェルの上空に銀色の物体が現われ、砂漠に墜落するという事件が起きた。墜落した物体の残骸は米軍の諜報部隊によって回収されたという。そして、7月8日には、アメリカの地方紙「ロズウェル・デイリー・レコード」に、「ロズウェルで空飛ぶ円盤を捕獲」という見出しで、軍の公式発表が掲載されたのだ。この記事は、世界中に一大センセーションを巻き起こした。

ところが、その後、軍は記事を撤回し、捕獲したのは気象観測気球だったと発表したのである。

しかし、軍の発表には不審な点がある。多くの住民が飛来した物体の姿や、「気球ではない何か」を軍が回収している姿を目撃しているからだ。その時、宇宙人の死体のようなものも運び出されたという話もある。さらに、アメリカ政府が刊行する空軍調査報告書に、ロズウェル事件のことが一切触れられていないのもおかしい。

アメリカ政府が飛来物の墜落を隠しているのは、実際のUFOの残骸を回収し、極秘のプロジェクトを発足させたからではないかとする説がある。アメリカ政府が、宇宙人のテクノロジーを研究し、実用化させるために、事実を隠蔽したというわけだ。真相は明らかではないが、このUFOの研究は、レーザーや加速粒子ビーム兵器、「ステルス」技術搭載の戦闘機などの開発として実を結んだともいわれている。

ヴィクトリア女王のスキャンダル

種別 スキャンダル　地域 イギリス

大英帝国全盛期に君臨した女王が生涯隠し通したスキャンダルとは？

19世紀、大英帝国のシンボルとして「君臨すれども統治せず」という立憲君主制のスタイルで君臨したのがヴィクトリア女王である。理想的な君主、妻、母として国民の崇敬を集めた女王だが、約60年の治世の中でスキャンダラスな疑惑をふりまいたことがある。

それは1861年、最愛の夫アルバート公を亡くした女王が約1年間、悲しみに暮れ、公式行事にも顔を出さなくなり引きこもりがちになっていた時のことである。

実はこの間に、女王が馬の世話係のジョン・ブラウンと秘密結婚していたのではないかというのだ。女王はハイランド訛(なま)りを隠さず飾らない人柄のジョンをいたく気に入り、いつも身近に置いていたという。

女王とブラウンがあまりにも仲睦まじいため、人々は女王を「ブラウン夫人」と呼んでその仲を怪しむほどだった。このふたりの関係は、女王の死後、約80年経った1979年に意外な展開を迎える。スコットランド美術館長がふたりは極秘裏に結婚し、隠し子もいたとする説を発表したのだ。さらに別の歴史家がジョンの結婚証明書を見つけたが、それを知ったエリザベス女王が燃やしたと伝えられる。その燃やした紙の中に真実が秘められていたのかもしれない。

ヴィクトリア女王と馬の世話係のジョン・ブラウン。

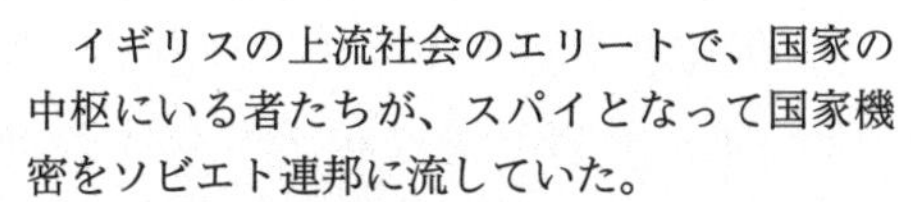

ケンブリッジ・ファイブ

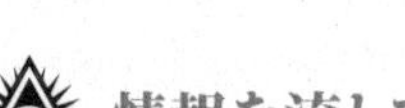

種別 陰謀　地域 イギリス

情報を流していた第5の男は誰だったのか？

イギリスの上流社会のエリートで、国家の中枢にいる者たちが、スパイとなって国家機密をソビエト連邦に流していた。

しかもそれは東西社会が激しく対立していた冷戦時代のことで、世に大きな衝撃を与えた。暗号名から少なくとも5人のスパイがいることが明るみとなり、スパイと疑われた5人が皆、名門ケンブリッジ大学の出身だったため、「ケンブリッジ・ファイブ」と呼ばれた。

スパイの存在が明らかになったのは1961年のことで、この時5人のうち2人は発覚を悟ってすでにソ連に亡命していた。3人目のキム・フィルビーに至っては、あろうことかイギリス情報局秘密情報部MI6の対ソ連セクションのトップにいた経歴の持ち主で、厳重な監視下に置かれたが、その後ソ連に亡命した。4人目は王室美術顧問のアンソニー・ブラントで、王室との関わりが深かったためか、スパイ行為をしていたことは長らく公表されなかった。

問題は、5人目が誰なのかである。最も疑われたジョン・ケアンクロスは、外務省や国連に勤務し、第2次世界大戦中は暗号の分析官をしていた人物である。だがその候補者はケアンクロスだけではなく、ほかにもソ連に情報を流したと告発された人物は何人もいて、彼らはいずれも機密中の機密を知りうる立場だった。しかしケンブリッジ・ファイブの5人目が誰だったのかは、今も定かでない。

ケンブリッジ・ファイブのひとりキム・フィルビー（左上）とドナルド・マクリーン（右下）。発覚後、ともにソ連に亡命し、ソ連で没している。

キリストの墓

種別 ミステリー遺産　地域 日本

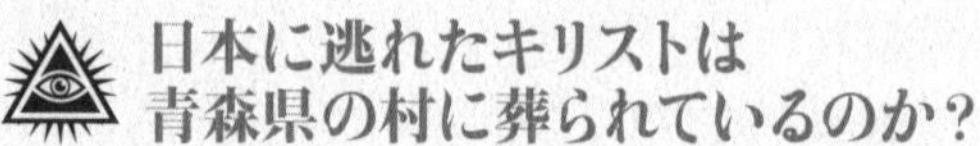

日本に逃れたキリストは青森県の村に葬られているのか？

およそ2000年前にゴルゴダの丘で処刑され、葬られたはずのイエス・キリストの墓が、日本の青森県にあるなどと、にわかには信じがたい。だが、村には古老たちも由来を知らない不思議な習慣とともにキリストの墓とされる塚が現代に伝わっているのだ。

この説が世に出たのは1935（昭和10）年頃のことで、茨城県の竹内家に伝えられていた文書によると、処刑を逃がれたキリストは数名の弟子と共にシルクロードからシベリア、アラスカなどを経て青森県の八戸に上陸し、現在の新郷村に居を定めたのだという。ここで106歳まで生きたキリストは、近くの十来塚と呼ばれる塚に埋葬されたとされる。

あたりはかつて戸来村と呼ばれていたが、これは「ヘブライ」が訛ったもので、父親を「アダ」、母親を「エバ」と呼ぶのも「アダムとイブ」が訛ったものだという。魔除けとして額に十字の印を描いたり、ユダヤ民族を象徴する「ダビデの星」に似たマークを衣服に縫いつけたりするおまじないもある。

それでも村がキリストの終焉の地として注目され、内外の人がここを訪れるようになると、十来塚には高さ3mの木製の十字架が建てられ、毎年6月には「キリスト祭り」が開かれるようになった。今も新郷村は、神秘の里としてその名を知られている。果たして塚は本当にキリストのものなのか、一笑に付すにはあまりに多くの習慣が伝わっている。

青森県新郷村に伝わるキリストの墓。

巨人族

種別 異種族 地域 アメリカ合衆国

スミソニアン博物館が破壊した巨人族のミイラ

1900年代、アメリカのスミソニアン博物館は巨人族らしき骸骨の調査を行なっていたとまことしやかに囁やかれている。アメリカでは1912年に巨人の骨が発見されたことがニュースで報じられたのを皮切りに、北米各地で次々と巨人の骨が出土。その場所は1000か所を超えたともいう。

ところが奇妙なことにその巨人の骸骨がいつのまにか忽然と姿を消していたのである。そしていつしかスミソニアン博物館がそれらを隠しているのではないかと噂されるようになり、アメリカの考古学研究所がスミソニアン博物館を相手どり、巨人族の骸骨を破壊したと訴訟を起こす事態に発展する。その審理の過程で、身長1.8mから3.6mもの巨人の骸骨が大量に破壊されたという内部告発も行なわれた。それを記した書類も存在するのだという。

こうして2014年にアメリカの連邦最高裁判所が、巨人族の書類の公開を命じる判決を下したというのだが、どうやらこのニュース、すべてフェイクニュース専門の会社から流れたフェイクだったといわれている。とはいえ巨人族のミイラの写真も残されている。ほかにも1964年にエクアドルで身長7.6mの巨人と思われる骨格が発見されたといわれ、アメリカのみならず世界で巨人発見の情報が流れている。すべてがウソとは考えにくい状況にあるといえるだろう。

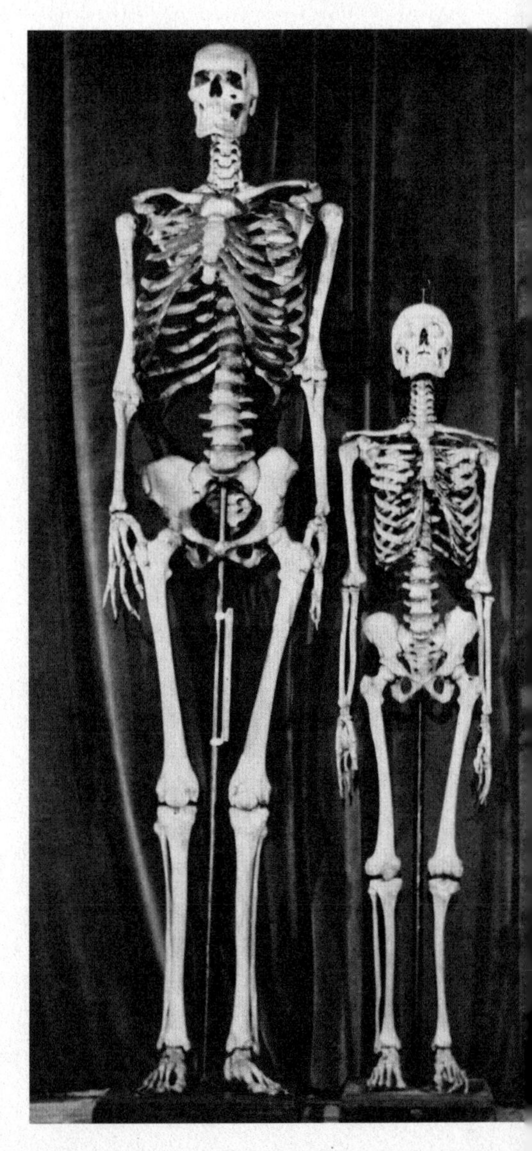

18世紀に生き、「アイリッシュ・ジャイアント」と呼ばれた人物の骨格（左）。様々な人類種が登場した中で、巨大な体を持つ人類が存在したとしても不思議ではない。（写真：Topfoto／アフロ）

ニューグレンジの謎

種別 古代遺跡の謎　地域 アイルランド共和国

ドーム状建築のニューグレンジは、ケルト神話の神ダ・グザの墓ともいわれる。

巨大墳墓に秘められた古代ケルト民族の天文知識

アイルランドのミース州にあるボイン渓谷には、紀元前3200年頃に築かれた巨石建造物がある。3つの大型墳墓と40以上の墓地によって構成された遺跡群で、その中でも最大の規模を誇る墳丘墓がニューグレンジである。

ニューグレンジは直径90m、高さ10mあまりのドーム状建築で、使われた石の総重量は約20万t。入り口から石室へと続く18mほどのトンネルがあり、石室の奥はさらに3室に分かれている。平らな石を少しずつずらしながら重ねて造った精巧な構造で、建造以来補修がされていないのにもかかわらず、内部に雨水が侵入した形跡がないというのだから驚く。

遺跡群を造ったのは、ケルト人以前の古代アイルランド人と考えられているが、エジプトのピラミッドよりはるか前の時代に、どうやってこれほどの建造物を構築することができたのか？　しかも、ニューグレンジの入り口の上部には四角形の穴が開いていて、この穴から年に1度、冬至の夜明けに日光が差し込み、羨道（せんどう）をまっすぐ通って石室の最奥の部屋を照らす仕組みになっている。これは高度な天文学の知識がなければ実現できない構造で、古代アイルランド人がなぜこれほどの天文知識を持っていたのかも不明である。

果たしてボイン渓谷の遺跡は、本当にただの墳丘墓だったのだろうか？

錬金術と賢者の石

File No.046 本日のテーマ 幽霊・呪い

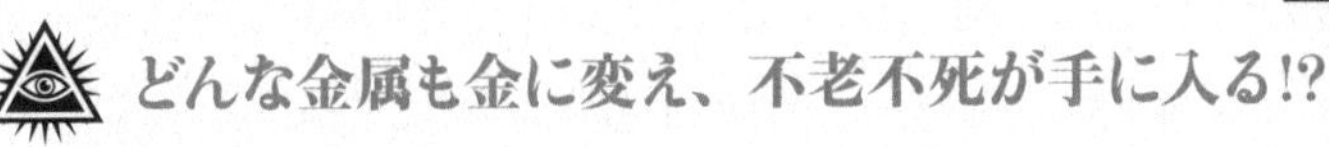

種別 呪術 地域 ヨーロッパ

どんな金属も金に変え、不老不死が手に入る!?

錬金術という言葉はよく耳にするが、本来は化学的手段を用いて卑金属から金などの貴金属を精錬しようとする試みのことを指す。

その歴史は古代エジプトのファラオに仕えた金細工師たちにまで遡るといい、古代の中国にも独自の錬金術が存在していたという。

中世ヨーロッパで活動した錬金術師が夢に見るのが「賢者の石」で、この石を使えばどんな金属もたちどころに金に変えることができるうえ、飲めば不老不死が得られるという。それゆえ、錬金術の研究とは、すなわち賢者の石を作る方法を探すことにほかならない。

ただし、「石」というのは比喩的な表現で、実物は赤い粉だとか液体だとかいわれているが、実態はわかっていない。一部の錬金術師は水銀や硫黄の混合物を賢者の石の源と考えたが、当然、ここから不老不死の妙薬など作れるはずもなかった。

実際に賢者の石が存在するかどうかは不明だが、1926年に『大聖堂の秘密』を著したフルカネリという人物は、賢者の石を作ることに成功した人物とされ、シャルトルやノートルダムの大聖堂のステンドグラスに錬金術の秘宝が隠されていると著書の中で主張した。彼はどうやらその秘宝を用いて賢者の石を作ることに成功したらしく、弟子の男が賢者の石の断片を使って100gの黄金を作り出したという。

しかも、フルカネリ自身は賢者の石によって不老不死を手に入れたとされ、実際、113歳のフルカネリに会った人物の証言まである。

ウィリアム・ダグラス作『錬金術師』。

エリア51

種別 UFO 地域 アメリカ合衆国

米軍空軍施設で宇宙人が働いている!?

アメリカ・ネバダ州のネバダ砂漠に、エリア51と呼ばれる空軍施設がある。総面積3万6000haという広大な敷地には、7本の滑走路、巨大な航空機格納庫、管理棟などが整備されており、最先端の軍事開発の中心地となっている。

しかし、これはあくまで表向きで、実はエリア51はもっと重要な任務を担っているという噂がある。天候の操作、テレポーテーションやタイムトラベルの研究、さらには宇宙人やUFOの研究などで、1947年にニューメキシコ州に墜落した宇宙船の残骸と宇宙人がエリア51に運び込まれ、基地最大の格納庫である「18番格納庫」に保管されているという噂もまことしやかに囁かれている。

この噂に信憑性を与えたのが、航空宇宙科学者ボイド・ブッシュマンだ。彼は2014年8月7日に78歳でこの世を去ったのだが、その直前、エリア51でUFO開発チームにいた経験を告発したのだ。彼によれば、エリア51には少なくとも18体の異星人が住んでいて、地球製UFOの開発に協力しているという。そしてこれらの写真なども公開し、世界中を驚愕させた。告発した直後にこの世を去ったブッシュマン。そのタイミングから、彼は秘密を暴露したばかりに消されたのではないか、という指摘も挙がっている。

エリア51の衛星写真。左下に空軍施設、その北東に滑走路が見える。最先端の軍事開発の中心地という表向きである。

アルキメデスの超兵器

種別 ミステリアスな人物　地域 イタリア共和国

古代の天才数学者が開発した超古代兵器「クレーン」

アルキメデスといえば、円周率の求め方や梃子の原理の発見など偉大な功績を残した古代ギリシャの数学者である。そんな彼はもうひとつ意外な顔がある。実は兵器開発者としてシチリア島の都市シラクサの王に仕えていたのである。そして彼はローマ軍に海上から包囲された、シラクサのために兵器を開発したというのだが、一体どんな兵器だったのか。

まず、味方のためにらせん状の板を回転させて船内の水を汲みだす「アルキメデスのスクリュー」を考案。これで味方の船の浸水を減らしたという。

攻撃用の兵器となるとさらにスゴい。

アルキメデスが開発したと言われる「アルキメデスのクレーン」。

「アルキメデスのクレーン」と呼ばれる兵器は梃子の原理を使い、クレーンの先端につけたカギ爪を城壁の外側にいる敵の軍船の船首に引っ掛ける兵器である。その上でウシと人間が滑車を使って敵船を高く持ち上げ、水面に叩きつけ転覆させた。また同じ原理で巨石や鉛の塊を持ち上げると、敵艦めがけて投げ飛ばし、船や敵兵を粉砕したという。

さらに巨大な凸面鏡に太陽光を集め、それで敵船を焼き払うという現代科学も顔負けのソーラー兵器までも開発していたとされる。

マイヤーリンク事件

種別 陰謀　地域 オーストリア共和国

オーストリア皇太子のルドルフ（左）とその愛人マリー・ヴェッツェラ（右）。

悲劇に隠された国際的陰謀とは!?

1889年1月30日の早朝、オーストリアのウィーン郊外にあるマイヤーリンクの森の狩猟小屋で、オーストリアのルドルフ皇太子と愛人のマリー・ヴェッツェラがピストルで心中を図った。

皇太子の父のフランツ・ヨーゼフ１世はハプスブルク家の名誉を守るため、ふたりの死が心中であることを隠そうとした。しかし、じきにマリーとの恋が許されず、父と政治的に対立して絶望したルドルフが、マリーを道連れにした心中事件だったと明らかになり、世界に衝撃が走った。

ところが1983年になって、オーストリアの最期の皇后ツィタがルドルフは暗殺されたのだと驚愕の告白を行なった。心中現場には争った形跡があったこと、ルドルフの手が斬り落とされていたこと、生前のルドルフが父に対して陰謀が企てられていると語ったことなどもその理由だという。

当時ルドルフはオーストリアがドイツに近づくことに反対していた。そんなルドルフをドイツが心中に見せかけて殺したとも、国内の政敵に殺された可能性があるともいわれる。陰謀の影がつきまとうハプスブルク家の黄昏を象徴する事件である。

始皇帝の地下宮殿

File No.050
本日のテーマ
ミステリアス遺産

種別 ミステリー遺産　地域 中華人民共和国

地下を流れる水銀の川は実在していた！

中国西安の北東30kmにある驪山陵。兵馬俑の出土でも名高い始皇帝の陵墓である。

古代中国を統一して強大な権力を誇った秦の始皇帝は、紀元前210年に没した。始皇帝は不老不死を望んでいたが、それでも陵墓の建設は生前から始まっており、始皇帝はそこに葬られた。

司馬遷の『史記』には、始皇帝陵についての記述がある。それによると墓の地下は巨大な宮殿となっており、そこには地上の地形をなぞらえた川や海が造られて、水銀が流されていたという。だが、司馬遷が『史記』の執筆を開始したのは紀元前104年頃のことで始皇帝の死から100年以上経過しており、記述が本当かどうかは疑問視されてきた。

20世紀に入り、兵馬俑の発見によって始皇帝陵の存在が明らかとなったが、発掘すると遺跡を損傷しかねないということで、内部の構造は不明だった。

しかし、最新の科学技術を駆使した調査によって、陵の地下にはピラミッド状の巨大な建造物が埋まっていることが判明した。しかもそこの土壌からは、平均よりはるかに高濃度の水銀が検出されたのだ。水銀は蒸発しやすいため、墓の地下に造られた川や海に流したものが蒸発し、長い歳月を経て地表近くに滞留したと考えられる。

いまだ全貌が明らかになっていない始皇帝陵。さらに調査が進めば、司馬遷の記述通り本当に地下宮殿が姿を現わすかもしれない。

始皇帝が埋葬されているとみられる驪山陵。
地下には壮大な宮殿が隠されている!?

オゴポゴ

種別 UMA 地域 カナダ

 カナダの湖に生息する巨大な水生生物

カナダ西部のオカナガン湖やシムコー湖で古くから目撃されてきたオゴポゴは、目撃報告が比較的多い水棲のUMA（未確認生物）である。先住民の時代から知られた怪物で、当時は近くの洞穴に棲み、馬を水の中に引きずり込むと恐れられていた。オゴポゴの住処とされる洞窟の近くを通る際には、生贄を捧げる習慣もあったらしい。

20世紀に入っても何度か目撃されており、それらを総合すると、オゴポゴの体長は10～20m。ツノがある蛇のような頭部を水中から出し、時速24kmの速さでまっすぐ泳ぐ。頭の後ろには自在に出し入れできる複数のコブがあり、このコブとツノがオゴポゴのトレードマークといえる。

オゴポゴの正体については、この地域で昔から信じられてきた「ナイタカ」と呼ばれる悪魔ではないかといわれてきた。一方でその形状から約4000万～3400万年前に棲息したバシロサウルスの生き残りではないかという説もある。

また、水中と陸を行ったり来たりできる淡水に棲むオオウミヘビが巨大化したものだという實吉達郎氏提唱の説（『UMA解体新書』新紀元社）もある。

オゴポゴの想像図。カナダ西部のオカナガン湖やシムコー湖で古くから目撃されてきた。

ロードスの巨像

種別 古代遺跡の謎　**地域** ギリシャ共和国

16世紀に描かれたロードス島の巨像の想像図。港の入り口を跨ぐようにして立っている。

港口を跨いで立っていたと伝わるロードス島の守護神

ギリシャのドデカネス諸島最大の島であるロードス島は、紀元前5～紀元前3世紀頃に地中海と西アジアを結ぶ中継地として栄え、莫大な富を築いていた。当然、多くの船が出入りしていたわけだが、この島には訪れる人々の度肝を抜くある建造物が立っていたという。

なんと、港の入り口に台座を含めて50mほどもあるギリシャの太陽神「ヘリオス」の巨大な像がそびえていたのというのである。

太陽神ヘリオスは、ロードス島の守護神。紀元前304年から30年にわたってマケドニア軍の攻撃に耐え抜いたロードス島の人々が、感謝の気持ちを込めて像を造ったという。マケドニア軍が残していった大量の青銅製の武器を素材として、紀元前292年に工事が始まり、12年かけて完成した。

しかし、巨像は紀元前226年に起こった地震で倒壊し、瓦礫もその後にロードス島を侵略したアラブ人が売り払ってしまったため、今ではその実態を知ることはできない。ヘリオス像は両足を開いて港口を跨いで立っていたという言い伝えがあり、これに基づいた想像図がたびたび描かれてきたが、それを証明する術はないのである。

20世紀の終わりに、ロードス島の沖で重さ1tに及ぶ巨大な彫刻の一部が発見され、像が実在した可能性が高まっているものの、巨像がどのようなポーズで港を見下ろしていたのかは依然として判明していない。

南北戦争の幽霊

種別 幽霊 地域 アメリカ合衆国

南北戦争最大の激戦地となったゲティスバーグ古戦場。100年以上が経過した今でも幽霊の目撃情報が絶えない。

激戦地ゲティスバーグを彷徨う戦死者の幽霊

1861年から1865年にかけて、アメリカは北部のアメリカ合衆国と、合衆国から分離した南部のアメリカ連合国との間で熾烈な内戦が繰り広げられた。この南北戦争の激戦地には、多くのミステリーが語り継がれていて、その噂は今も消えることがない。

なかでも1863年7月に両軍10数万が戦い、約5万人の死傷者を出したペンシルヴェニア州ゲティスバーグは、幽霊話の宝庫である。学研パブリッシング『歴史群像』の「戦場のミステリー」に掲載された記事には下記のような話が紹介されている。

戦いの際に、南軍の司令部に利用された「キャッシュタウン・イン」というホテルでは、戦後、あちこちで異常音や冷気が感じられ、多くの客や使用人が南軍兵士の亡霊を見ている。19世紀末には、ホテル前で撮影された写真に、直立不動の軍服姿の男性がバッチリ映り込んでいたというから恐ろしい。

同じく南軍の野戦病院に使われたゲティスバーグ・カレッジという大学でも、歩哨や衛兵の姿が目撃されているし、郊外の激戦地のひとつであるデビルズデンでは、髭面の毛深い男の幽霊がしばしば登場。戦史と照らし合わせたところ、南軍第1テキサス連隊の兵士の幽霊だということが判明したのである。

まさに町のあちこちで南北戦争の幽霊話がてんこ盛りのゲティスバーグ。ポルターガイスト現象は日常茶飯事といわれ、幽霊ツアーも人気を博している。

UFO墜落事件

種別 UFO 地域 カナダ

凍った湖に轟音とともに墜落した謎の物体

2015年2月18日、カナダのマニトバ州のウィニペグ湖に、轟音とともに光り輝く物体が墜落した。凍った湖面に激突した物体は、垂直に突き刺さる状態で停止した。

緊急出動したカナダ軍は一帯を封鎖し、住民を一切近づけないようにしたうえで、墜落した物体を回収。のちにカナダ軍は、落下した物体は軍用機であり、軍用機の離陸実験中の事故であったと説明したのである。

しかし、この説明が事実とは考えにくい。

実は落下当時、湖周辺には8人の漁師がいて事の顛末を目撃しており、写真を撮影した者もいたのだ。

彼らはその後カナダ軍に身柄を拘束され、写真も没収されたが、落下現場や落下した円盤状の物体がトラックで運ばれている様子などを撮影した衝撃的な写真がフェイスブックやツイッターなどで世界中に公開されているのである。

その物体は、とうてい軍用機には見えない。訓練だったのであれば、訓練機体を公表すればいいだけの話だが、カナダ軍は訓練機の一般公開を拒否しており、訓練だと主張したまま、それ以上は何も語ろうとしない。

カナダでは1967年にも同じマニトバ州のファルコン湖でUFOに遭遇した男性が攻撃を受ける事件が起こっている。カナダ軍の不可解な動きを注視する必要がありそうだ。

UFO墜落事件はたびたび報告されている。

エリザベート・バートリ

種別 狂気の人物　地域 ハンガリー

若い娘の生き血を好んだ血の伯爵夫人

若い娘に拷問と虐殺を繰り返し、若返りのためにその血を浴びる――。

そんな恐ろしい行為を現実に行なっていたのが、16世紀から17世紀初頭のハンガリーで、“血の伯爵夫人”と呼ばれたエリザベート・バートリである。トランシルヴァニアの名門の家に生まれたエリザベートは、1575年、ハンガリー貴族のフエレンツェ伯爵と結婚。そして移り住んだのが、おぞましい連続殺人の舞台となったチェイテ城だった。

エリザベートは美貌の持ち主であったが、使用人の娘たちを折檻して苦しむ姿に快感を覚えるという残虐な性格の持ち主でもあった。

戦いで留守になりがちな夫の目を盗んで不貞を繰り返していた彼女は、やがて自分の美貌を保つために若い娘の血を手に入れるべく、使用人や貧しい家の若い娘たちを城に連れ込んで次々と惨殺するようになった。

彼女は「鉄の処女」や「鉄の鳥かご」などの拷問器具を考案。娘たちを切り刻んで絞り出した血を集めた風呂に入り、血のシャワーを全身に浴びたという。この暴虐は1610年に発覚し終わりを迎えるが、彼女の犠牲者となった女性は10年間で600人にものぼったといわれ、その霊が今もチェイテ城を彷徨っていると怖れられている。

娘たちを殺害するエリザベート・バートリ。告発を受けた役人の手が入った時、この城には血だらけの器具が並び、若い娘の死体が山積みになっていたという。こうして処刑された彼女の名は吸血鬼のひとりとして語り継がれるようになった。

ウォルト・ディズニー

File No.056
本日のテーマ
都市伝説と陰謀論

種別 都市伝説　地域 アメリカ合衆国

遺体が冷凍保存されていると噂されるエンタテインメント王

遺体を冷凍保存して治療法が発見された後世に生き返る……。これは古くから不老不死の伝説ともあいまって語られてきた人々の願望である。

ところがこの空想の産物をすでに実践したと噂されるのが、ミッキーマウスの生みの親であるウォルト・ディズニーである。

ウォルト・ディズニーは1966年、突発性の心停止で他界したが、正式な病名は公表されていない。しかもこれほどの巨匠であるにもかかわらず、葬儀は密葬に近い形で身内だけでひっそりと執り行なわれた。こうして秘密裏に埋葬されたことが謎めいた都市伝説を生み出したと考えられる。

この説を信じる人たちは遺体を保存する候補地も挙げている。それはずばり、ロサンゼルス・ディズニーランドのアトラクション「カリブの海賊」地下の特別室、もしくはオーランド・ディズニーワールドにあるシンデレラ城の塔のひとつなどである。

この夢の国から彼は蘇るのだろうか。実は彼の病気の治療法は見つかっているが、解凍技術が未開発で解凍できないのだとか。まるでジョークのオチのような話であるが、死後も人を惑わすところは、エンタテインメント王らしい伝説かもしれない。

ウォルト・ディズニーは
ディズニーランドの地下
で復活の時を待っている!?

クリプトスの暗号

種別 ミステリー遺産　地域 アメリカ合衆国

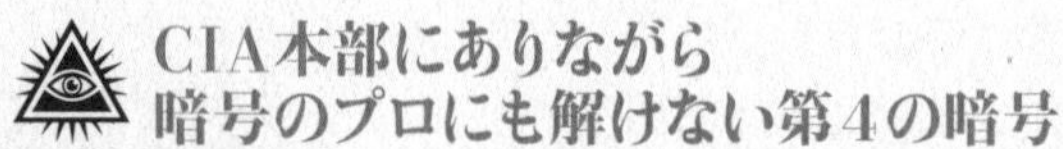

CIA本部にありながら暗号のプロにも解けない第4の暗号

アメリカのCIA（中央情報局）といえば、暗号解読の専門家たちも多く所属している国家組織である。だがバージニア州ラングレーにあるCIA本部には、暗号解読のプロたちも解読できていない暗号があるのだ。

この暗号は、本部ビルの屋外に堂々と据えられ、一般の人も自由に見ることができる「クリプトス」という大きな彫刻作品の表面に刻まれている。作者は彫刻家のサンボーンで、「クリプトス」とはギリシャ語で「隠された」という意味である。ゆるやかに波打つように直立する4面の銅板から成り、それぞれにアルファベットと疑問符を組み合わせた暗号が打ち抜かれている。暗号は元CIAの暗号専門家のアドバイスによって作ったもので、1990年に彫刻が公開されて以来、多くの人が解読に取り組んできた。現在までに、コンピューター研究者、CIA職員、NSA（アメリカ国家安全保障局）のチームによって第3面の暗号までは解読され、内容は詩の一節などであることがわかっている。

残るは第4面であるが、公開から30年が経過した今も解読に成功した者は現われていない。サンボーンは第4面の暗号について、自分が生きていればいずれヒントを出すし、自分が死亡した場合でも正解がわかるようにしてあると語っている。果たしてどのようなメッセージが隠されているのであろうか。

1枚の紙のように緩やかな局面を描くデザインの石碑に、びっしりと暗号が刻まれている。

妖精

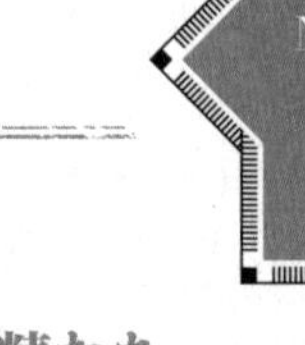
File No.058 本日のテーマ UMAと怪人

種別 異種族 地域 ヨーロッパ

魔女の島で女性と語らう神秘的な妖精たち

羽を持つ愛らしいヒト形の妖精。こうした妖精のイメージを決定づけたのは、19世紀にイギリス人の少女エルシー・ライトがコティングリー村にて撮ったリアルな妖精写真といえるだろう。少女の周りで踊る、背中に羽の生えた妖精の姿が克明に捉えられ、多くの人が妖精の実在を信じる事態となった。ところがライトが晩年、妖精は見たものの、写真は捏造だったことを告白し、妖精事件は収束したかのように思われた。

しかし20世紀に入ってイギリスを中心に妖精写真が次々と公開されており、やはり妖精は実在していたと世間の関心を集めている。

その中でも有名な写真は1970年代、裸の女性の足下に写る2体の妖精を撮った1枚だろう。この写真が撮られたコーンウォールはイギリスを代表するパワースポットで、妖精や人魚などの伝説の宝庫。おまじないをすると実際に妖精が見えるという言い伝えもあり、この地の一角には魔女の島と呼ばれる島もある。この神秘の場所で写された写真は世間に妖精の存在を確信させる1枚となった。

その後も2014年にジョン・ハイアットという人物が10体以上の羽のついた小さな生き物が宙を乱舞する写真を撮影している。虫とは明らかに異なるその姿は、今度こそ本物の妖精ではないかと世間の注目を集めている。

コティングリーにて撮影された妖精の写真。軽快に舞い踊る妖精の姿が撮影されその存在が信じられたが、のちに写真が捏造であったことがわかっている。

マルタ島の轍(わだち)

種別 古代遺跡の謎 地域 マルタ共和国

マルタ島にはレールがあった!? 車輪のない時代に残る轍の謎

マルタ島はイタリアのシチリア島の南90kmほどのところに浮かぶ島で、地中海のほぼ中央に位置するという地理的環境から、海上交通の要衝として古くから栄えた島だ。紀元前5200年頃の土器や陶器をはじめ、イムナイドラ神殿、タルシーン神殿、ハジャー・イム神殿といった紀元前4000年頃に築かれたとされる世界最古級の巨石神殿が残り、古代地中海世界におけるこの島の重要性を示している。

今なお解明されないマルタ島最大の謎が、島のあちらこちらを走る2本の溝である。その様がまるで車の車輪跡のように見えることから「カート・ラッツ」と呼ばれている。

では、この轍は何なのか？

神殿建設のための巨石を運んだ車輪の跡だとする説が出たが、車輪の発明は紀元前3700年頃のことであり、まだこの時代に存在しない。さらに注目すべきは、カート・ラッツの幅がおよそ134～140cmと、世界で最も多く用いられている鉄道の軌道の幅1435mmに非常に近いという点だ。

実際、カート・ラッツは鉄道のポイントのように途中で分岐したり、平行に何本も走っていたりする。宗教上の目的で掘った溝だ、水路だ、といった意見もあるが、荷車にスケートの刃のようなブレードをつけて走らせた方法も考えられ、轍が本当にレールであった可能性も否定できない。

神殿に向かって走る荷車の轍のような跡。車輪の発明よりはるか以前に存在する不思議な痕跡である。

スターリング城の幽霊

種別 幽霊　地域 イギリス

グリーンレディが目撃されるスターリング城。

 地元で有名な王女と侍女の幽霊

スコットランドのスターリング。フォース川を望む小高い丘の上に立つスターリング城には、「グリーン・レディ」と呼ばれる女性の幽霊が出るという。

彼女は16世紀半ばにスコットランド女王として君臨したメアリー・ステュアートに仕えた侍女で、女王の部屋で火災が起きた際、夢のお告げを受けて命がけで主を救い出したといわれている人物だ。

そんなグリーン・レディが、どういうわけか成仏していないようで、城内ばかりか城下にも頻繁に姿を現わし、地元では有名な幽霊となっている。遭遇の仕方も実に変わっていて、深夜に顔を覗き込まれたり、微笑まれたり、なかにはキスをされた人までいるという。非常に友好的な態度から誰もがさほど恐怖を感じることがなく、地元の人々に受け入れられている不思議な存在である。

また、スターリング城ではグリーン・レディが仕えたメアリー・ステュアートの幽霊も確認されている。その姿はピンクのドレスに身を包み、悲しげな暗い表情をしているとされ、こちらはのちにエリザベス１世と対立して処刑された悲劇を物語っているかのようだ。

虚ろ舟

種別 UFO 地域 日本

江戸時代に茨城県の海岸に漂着した奇妙な舟

国立公文書館に所蔵されている江戸後期の国学者・屋代弘賢の『弘賢随筆』に、奇妙な乗物が書かれた記述がある。1803（享和3）年2月、常陸国（茨城県）の沖に奇妙な舟が漂っていたとあり、図解されているその乗物の姿がまさにUFOそっくりなのである。

江戸後期の戯作者・曲亭馬琴が1825（文政8）年に発表した『兎園小説』という奇談集にも「虚舟の蛮女」と題した事件があり、そこにも同じ事件について述べられている。それによると、舟は香の器のような円形で、直径は約5.4m、上部はガラス張りで、継ぎ目は松ヤニで塗り固められていて、底は鉛板が貼り合わされていたという。

この舟には眉と髪が赤く、顔色は桃色、白いつけ髪を背中に垂らした女性が乗っていて、言葉が通じなかったようだ。女性は60cm四方の箱を抱えており、船内には水や敷物、菓子や肉らしき食べ物があり、奇妙な絵文字が内部の壁に書かれていたという。

同様の話は、多くの文献に書かれており、実際に図解にあるような舟が茨城県に漂流したことは確かなようだ。円盤のような形状といい、怪しい異国文字といい、いかにもUFOを思わせる内容である。遭遇した人々は訝しんで沖に流してしまったというが、江戸時代の日本にも宇宙人が来ていたのであろうか。

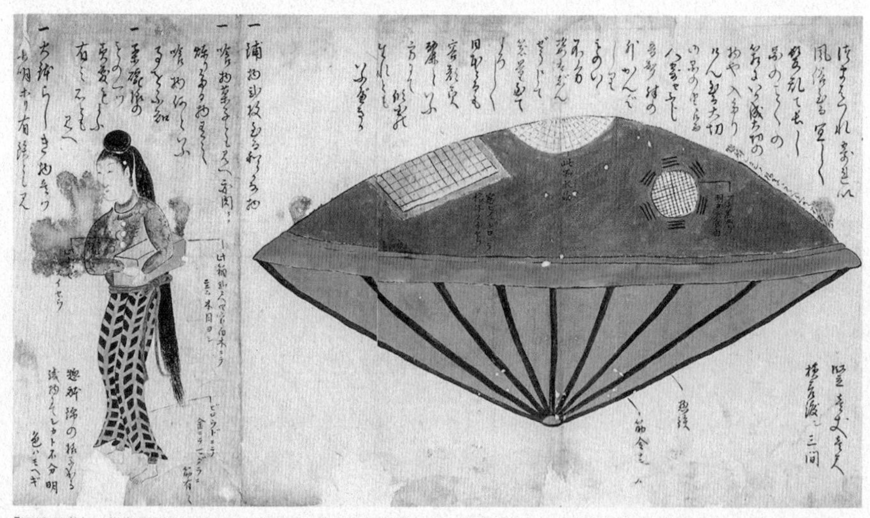

『漂流記集』（作者不詳）に描かれた虚ろ舟。常陸国の原舎ヶ浜に流れ着き、奇妙な服を着た女性が乗っていたという。

徐福

種別 ミステリアスな人物　地域 中華人民共和国

不老不死を求めた徐福が、夢の王国を求めて来日していた!?

中国を初めて統一した秦の始皇帝は不老不死の薬を求めた。その皇帝の命を受けて、多くの資金と数千人の人材を与えられて、不老不死の薬を求めて旅立ったのが徐福である。

しかし彼は２度失敗し３度目の船出に出かけて戻らなかった。始皇帝は激怒したが徐福の行方はようとして知れず、始皇帝もやがて死を迎える。

徐福には「平原広沢」の地で王になったという後日談が『史記』に伝えられるが、一方で目的をもって来日していたという伝説がある。

日本には佐賀県、和歌山県など30か所以上に徐福伝説が残されており、確かに来日した可能性も少なくない。和歌山県の新宮(しんぐう)市にはその墓が伝わっている。

その徐福が日本に来たのは仙薬を求めたからではないという。徐福にとって不老不死はあくまで始皇帝をだましてお金と多くの人材を引き出す口実にすぎなかった。

徐福は始皇帝の暴政を見て滅亡が近い秦を見限り、新天地に集団移住して自らの王国を築こうとしていたのである。

そこで理想の地として東方海上にあるという三神山を目指した。それは秦から見て東にある島国。つまり、日本だったのだ。

佐賀県の吉野ケ里遺跡には中国大陸と似た墳丘墓やカメ棺がある。中国文化の影響を受けていたことは明白であり、もしかすると、ここが徐福の夢の王国跡だったのかもしれない。

鹿児島県串木野市の徐福像。

鉄仮面

種別 陰謀 地域 フランス共和国

その正体を巡って様々な説が挙げられている鉄仮面の男。

フランス王室のスキャンダルを握る？ 正体不明の仮面の囚人

アレキサンドル・デュマの名作『鉄仮面』は、ルイ13世の妃アンヌが双子の兄弟を生み、将来の王位継承争いを防ぐためにひとりを養子に出したものの、自分の出生の秘密を知ってしまったため、鉄仮面をつけて幽閉される話である。

驚くことに仮面をつけた囚人にはモデルがいる。その男はルイ14世によって逮捕され、30代だった1669年から1703年まで仮面をつけたまま牢獄で暮らした。その囚人の正体を知る者はごく一部で、しかも囚人ながら丁重な扱いを受けていたという。

仮面をつけるということは顔を知られてはまずい証である。また、その待遇からは高貴な身分であったことがうかがえる。そのためこの囚人もルイ14世の双子の兄、あるいは王妃の不倫の子という説が出る中、大胆な仮説も飛び出した。

ルイ13世は自分が子供を作る能力がないため、銃士隊隊長のガヴォワという男を代理の父に選び、その結果アンヌ王妃から生まれたのがルイ14世だったというのである。

しかしガヴォワの放蕩息子がこのことを知り、政府から金を恐喝しようとしたため、彼を捕まえて牢に幽閉。国王に似た彼の顔を隠すため仮面をかぶせたという。ただし憶測に過ぎない部分も多く、囚人の正体はいまだ仮面の奥に隠れたままである。

ナチスの埋蔵金

種別 ミステリー遺産　**地域** オーストリア共和国

隠し場所は山の中か、あるいは銀行の金庫の中か

ナチス・ドイツの高官たちは、第2次世界大戦での敗北が決定的になると、それまで蓄えてきた資産を隠匿して逃亡した。

侵略した国で掠奪した金品や美術品、ユダヤ人から没収した貴重品や財産など、その総額ははかり知れない。

終戦から間を置かずして、各地でナチスの埋蔵金が発見されるようになった。ゴミの山に埋められていた1万枚以上の金貨、屋根の下に貼られていた金の板、岩塩坑の中に隠されていた金塊などで、ナチス指導部が最後に立籠ったオーストリア山中で発見されるものが多かった。だが、ナチスの隠し財産はこんな程度ではないはずだ。

1996年には、ナチスはユダヤ人から奪い取った財産を金塊にしてスイス銀行に売却し、戦費を調達していたことが証明されたのだ。しかも終戦直後の連合国は、スイスとの間で「金塊の一部を引き渡す代わりに、以後の返還を放棄する」という契約を結んでしまっており、イギリス政府の発表によると、今も日本円にすると7000億円以上にあたる金塊がスイス銀行に残っているという。

こうした事実を突きつけられようものなら、埋蔵金を探すトレジャーハンターたちも俄然盛り上がってくる。オーストリアのプリッツ湖には金塊や宝石類を入れた箱が、湖に沈められたという噂があり、現在も一攫千金を狙う彼らによって埋蔵金探しが続けられている。

チェコスロバキアのザーツをパレードするナチス・ドイツの兵士。

第10週 第2日目

人狼

種別 モンスター 地域 中央・東ヨーロッパ

満月の夜に変身する狼男が実在した？ 謎の狼男の頭蓋骨

人狼、いわゆる狼男は、満月の夜に人間から巨大な狼の姿に変身する半狼半人のモンスターとして有名だ。ヨーロッパではワーウルフやウルコラクと呼ばれた。狼男に変身した者は理性を失って人や家畜を襲い、悪魔の仕業、悪魔の化身が正体などと信じられていた。

普通の人間が突然、狼男になって襲ってくるのである。人々は想像を絶する恐怖に取りつかれ、中世には魔女と並んで忌み嫌われる存在となった。

そんな古代や中世の伝説かと思われた狼男が実際に存在したかもしれない。2014年にブルガリアで人狼の頭蓋骨らしきものが発見されたのだ。畑の中から発見された箱は鎖で縛られており、箱の裏には「狼男の頭蓋骨」と書かれていた。その中の頭蓋骨は人とも狼ともつかぬ、まさに双方を足して2で割ったような形をしており、口元には鋭い牙が生えていた。これぞウルコラクと呼ばれた狼男ではないか……。鎖で箱が厳重に縛られていたのも、怪物を封印した証かもしれない。

人狼は中世、森深い東ヨーロッパでその存在が噂され、人々を恐怖に陥れた。

カルナック列石

種別 古代遺跡の謎　地域 フランス共和国

3000本以上の石が、約3kmにもわたって立ち並ぶカルナックの列石。古代ケルト人は何の目的のために石を並べたのだろうか？

古代人の天文観測装置か!?
フランスの草原に並ぶ列石の建設理由

フランス北西部ブルターニュ地方のカルナックという村の近くに、ヨーロッパ最大の巨石群「カルナック列石」がある。3000本以上の石が、約3kmにもわたって立ち並んでいるのである。石は一定の規則性をもって配列されているので、自然に誕生したものとは考えられない。では、この石は何の目的で並べられたのか？

伝説によると異教徒の兵士にキリスト教徒が海岸に追い詰められた時、カルナックの守護聖人・聖コルネリが兵士たちを石に変えたという。実際、キリスト教徒がシンボルを刻んだ石もあり、キリスト教との関係をうかがえなくもないが、巨石群自体は新石器時代（紀元前4500年）から初期青銅器時代（紀元前2000年）にかけて造られたものと推測されているので、キリスト教の始まりよりはるかに古い遺物なのだ。

こうした事情から、カルナック列石は古代ケルト人の宗教の神殿だ、この地の戦士を弔った墓地だといった説、天文観測装置だといった説が出ているが、宇宙人や大地の精が創造したとする説、石から発せられるエネルギーを古代人が利用していたとする説など、多様な説が挙げられている。さて、古代人は大量の石を、何のために並べたのだろうか？

レイナム・ホールの貴婦人

種別 幽霊 地域 イギリス

夫を恨みながら この世を去った妻の霊が彷徨う屋敷

レイナム・ホールの貴婦人を撮影した写真は、世界で最も有名な心霊写真でもある。

イギリスは幽霊の出現率が世界一といわれる国で、今から100年ほど前に行なわれた調査では、10%近くの人が心霊体験をしたことがあると答えたという。そんな幽霊大国のイギリスで「世界一有名」といわれる心霊写真がある。

それはイングランドのノーフォークにあるレイナム・ホールという古い大きな屋敷で1936年に撮影された写真。以前から幽霊の目撃情報が多かったこの屋敷に、雑誌取材のために訪れたカメラマンが撮影したものだ。階段の上に幽霊らしき姿を目撃したカメラマンがとっさにシャッターを押し、現像してみたところ、女性の姿が本当に写っていたのである。この女性は、茶色のドレスを着ているように見えることから「褐色の貴婦人（ブラウン・レディ）」と呼ばれている。

目撃者によれば、家に飾られた肖像画の女性とそっくりなことから、褐色の貴婦人は、この屋敷の主の妻で、不倫が夫にばれたために監禁されたまま息絶えた女性だと考えられている。夫を恨みながらこの世を去った女性の霊が、今も屋敷内を彷徨っているのかもしれない。

ミステリーサークル

種別 UFO 地域 イギリス

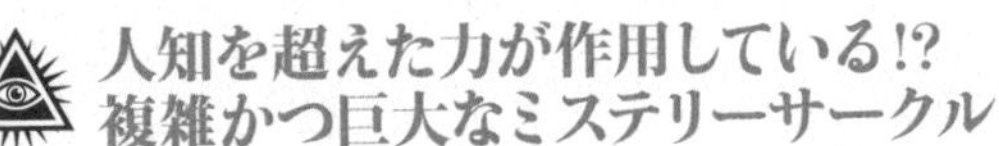

人知を超えた力が作用している!?
複雑かつ巨大なミステリーサークル

ミステリーサークルとは、畑の農作物などがなぎ倒されて円形状の模様になったもののことをいう。1980年代以降、自然現象では説明できない様々なミステリーサークルが出現しており、年々複雑さが増すばかり。2014年8月16日にイギリス、ウリックシャーのネッテルヒル近況に発生したミステリーサークルにいたっては、なんと「プロビデンスの目」が登場して世界中を驚かせた。

プロビデンスの目とは、古代エジプト神話の「ホルスの目」をルーツとし、キリスト教の教義「三位一体」のシンボルとされた図形であり、秘密結社フリーメイソンのシンボルとなった図案だ。

これほど複雑な図形が自然に発生するわけがなく、ミステリーサークルは現在では人為的に作られたものだとされている。しかし、たった一夜でこれほど複雑で巨大な図形を描くのは人の力を超えているといわざるを得ない。そのため、異星人や人知を超えた力が関与しているのではないかとする説を否定しきれない状況なのだ。

90年代に入りその多くが人の手によるものだったことが判明したミステリーサークルだが、あまりに複雑なものもあり、人間の手のみで作れるものではないという指摘もある。

アマゾン

種別 ミステリアスな人物　地域 ユーラシア大陸

アマゾン族は軍神アレスと、ニンフのハルモニアを祖とする女だけの勇猛な部族とされ、弓矢を手にほぼ全裸で歩いていたという。

 神話にも登場する世界最強の集団が実在していた

アメリカ大陸を発見したコロンブスは、海の向こうに女戦士の国アマゾンがあると信じ、新大陸で遭遇することを期待していたといわれる。コロンブスは出会わなかったが、50年後にスペインから南米に入った植民者は、ある集落で冷酷な女指揮官たちがいるアマゾンと遭遇したと伝えられる。

このアマゾン伝説の起源は古く、ギリシャ神話の時代から語り継がれた女戦士軍団である。年に一度だけ他国に出向いて男と交わり女児が生まれると戦士に育て上げた。

アマゾンは黒海からトルコ付近、ロシアのスキタイにかけて居住していたといわれ、トロイア戦争のペンテシレイアなど、様々な伝承に登場してきた。マケドニアのアレクサンドロス大王に降伏を勧められるとそれを受け入れたという伝承もある。

ただこれは伝承上だけの話ではないようだ。黒海沿岸やロシアでは武器を副葬品とする女性の墓が見つかっており、鏃(やじり)が突き刺さった女性の頭蓋骨なども出土している。また、スキタイでは女性も戦闘の訓練を積んでいた。女たちが強かったアマゾン族が確かに実在したようである。

タイタニック号の陰謀

種別 陰謀　地域 イギリス

豪華客船の沈没にまつわる保険金がらみの黒い噂

1912年、処女航海で沈没し1500人もの犠牲者を出したタイタニック号。その悲劇は映画にも描かれ、未曾有の海難事故として現代に伝えられているが、実はその事故が、故意に仕組まれていたという噂がある。

しかも仕掛けたのは運航会社のホワイト・スター社だというのである。

当時、ホワイト・スター社はオリンピック号の処分に困っていた。この船は1911年の建造以来、8か月の間に3回も事故を起こしており、3回目の事故では巡洋護衛艦と衝突したうえ、責任をすべて負わされてその補償金すら得られず、会社を経営難に陥らせていたのだ。

そこでホワイト・スター社はこの傷だらけのオリンピック号を少し修理し、新造のタイタニック号とすり替え、莫大な保険金をかけた。事故を起こして莫大な保険金を手に入れようと画策したのだ。つまりタイタニック号の正体はオリンピック号だったのである。

この陰謀を裏付けるのが、両船の外観と内部の構造がよく似ていること、オーナーが突然処女航海での乗船をキャンセルし、それに50人近い友人たちが続いたこと、そして当日猛スピードで運航したことなどが挙げられている。これほどの人的被害を出したのは想定外だというが、事実であれば犠牲になった人も浮かばれない。

タイタニック号の事故以降、オリンピック号は23年間一度も事故を起こさずに就航している。

姉妹船「オリンピック」号（左）と並ぶ「タイタニック」号（右）。海難事故に遭ったのは、“出来の悪い”「オリンピック」号だったのか？

『モナ・リザ』の暗号

種別 ミステリー遺産 地域 フランス共和国

謎めいた微笑の背後に見えるものは この世の終末なのか

レオナルド・ダ・ヴィンチの『モナ・リザ』については、モデルの女性は誰なのか、謎めいた微笑は何を意味するのかなど、論議が繰り返されてきた。だが、その背景にこそ、ダ・ヴィンチが表現したかったことが描かれているのかもしれない。

背景は遠近法を用いて描かれているが、ここで重要なのは技法ではない。風景は暗鬱で、空を飛ぶ鳥も咲き誇る花々もなく、女性の肩の両側に蛇行して流れる川がある。向かって左は赤く熱せられた水が上昇しているかのようで、右の川下には橋がある。

ダ・ヴィンチは水の力、水の脅威に注目して、研究を重ねていた。軍事顧問として仕えていたミラノでは、川の流れを変えたり、洪水を起こして敵を殲滅させる計画を立てているほどである。

また晩年に描いた素描は、暴風雨による大洪水が街も樹木も人々も飲み込み、山々さえもが破壊される有様で、それを10点にもおよぶ連作としている。それでもまだ足りないのか、絵の裏面には、悲惨な場景をまるで見てきたかのようなリアリティをもって文章に綴っているのだ。

ここからダ・ヴィンチは、この世は洪水によって終わると考えていたという指摘がある。こうなると、『モナ・リザ』の微笑みは、世の終末を知っているという微笑みに見えてくる。

ミステリアスな微笑を浮かべるモナ・リザは、この世の終末の有様を予言している!?

吸血鬼

File No.072 本日のテーマ UMAと怪人

種別 モンスター　地域 ヨーロッパ、アメリカ合衆国

人の生き血を食らう吸血鬼 その墓にある秘密とは？

東欧を中心に世界各地に伝説がある吸血鬼。その共通点は死者が生き返り、人や家畜を襲って血を吸うという点にある。

数ある吸血鬼の中でも有名なのがルーマニア中部トランシルヴァニア地方を舞台にしたブラム・ストーカーの小説『ドラキュラ』だろう。夜になると棺の中から抜け出して美女を探し求め、その首に食らいついて生き血を吸う。そして吸われた者も人の生き血を求める吸血鬼と化す……。

ラファエル前派の画家フィリップ・バーン＝ジョーンズによって描かれた吸血鬼。

ドラキュラ伯爵の物語は様々な吸血鬼の伝承や先行する物語を題材に記され、何度も映画化された。しかし科学が発達した現代においては吸血鬼など単なる伝承に過ぎないと考えられるようになった。

だが近年、吸血鬼のものとおぼしき墓が相次いでポーランドで発見されている。2013年にグリヴィツェという町の建設現場から出土した遺体は、足の間に首が置かれるという奇妙な形で葬られていた。これは棺から出られないように頭部を隠したもので、吸血鬼に対する伝統的な埋葬法だという。翌年には別の町で上の歯を抜かれて口に岩を詰め込まれた頭蓋骨が発見されたが、これも吸血鬼が自分の衣服や肉を食べて復活するという伝承に基づいた埋葬方法とされる。

吸血鬼の存在が身近な恐怖であった当時にあって、二度と世に現われないようにという痛切な思いがうかがえる。

File No.073
本日のテーマ
古代文明

第11週 第3日目

エクソシスト

種別 古代文明　地域 ヨーロッパ

エクソシストは、ストレスに苦しむ現代人を狙う悪魔から人々を守っている。

イエスはエクソシストだった!?

1973年12月26日、アメリカで公開された映画『エクソシスト』は大ヒットし、日本でも大きな話題を呼んだ。エクソシストとは「悪魔祓い師」の意味だが、多くの人があの映画はフィクションに過ぎず、カラス神父のようなエクソシストなど存在しないと思っていることだろう。

しかし、キリスト教世界にとってエクソシストは単なる作り話では終わらない。なぜなら、カトリック教会は悪魔の存在を認めていて、新約聖書にはキリストが悪魔祓いを行なう場面がたびたび登場するからだ。つまり、キリスト自身がエクソシストなのであり、弟子たちはキリストの名で悪魔祓いを行なう権能を与えられた存在だったのである。しかも、悪魔は現代でも存在していて、エクソシストを養成するために、2005年、ローマ教皇庁立レジーナ・アポストロールム大学でエクソシスト養成講座が開校されたのである。

悪魔に憑かれた人は、普段と違った声を発したり、未習得言語を流暢に喋ったり、聖なるものへの拒否反応を示したりするという。驚異的な身体能力を発揮することもあるらしい。悪魔祓いの儀式では、まず対象の人物に触れ、主の祈りを唱え、悪霊が憑いていた場合、その正体や名を質問し、聖書を読み上げるなどして神の名のもとに退去を命ずる。映画のような派手な立ち回りはめったにないようだ。

現代のストレス社会での需要は高まっているらしく、ストレスに苦しむ現代人を悪魔は虎視眈々と狙っているのだ。

リンカーンの幽霊

種別 幽霊　地域 アメリカ合衆国

今もホワイトハウスに現われるリンカーン

黒人奴隷制度の廃止を掲げて南北戦争に臨み、見事に勝利を収めた合衆国第16代大統領エイブラハム・リンカーンであったが、戦争が終わってわずか10日後の1865年4月14日、ワシントンの劇場で観劇中に暗殺者の銃弾に倒れ、この世を去った。リンカーンはアメリカで暗殺された最初の大統領となったのである。

リンカーンは、さぞかし無念だったことだろう。いや、あまりの突然のことに、自分が暗殺されたことすら気づいていないのかもしれない。なぜならリンカーンは、今もホワイトハウスを彷徨っているからだ。

実はリンカーンの霊の目撃情報は多く、第26代セオドア・ルーズベルト大統領や第34代アイゼンハワー大統領も何度もリンカーンの霊と遭遇したという。イギリス首相チャーチルがホワイトハウスを訪れた際にも、リンカーンの霊に遭遇したといわれている。

第23代大統領ベンジャミン・ハリソンのボディガードだったケニーという人物に至っては、たびたび現われるリンカーンに困り果て、交霊会を開いてその霊を呼び出し、「警備の妨げになるのでもう出てくれるな」と訴えたところ、怪現象が収まったという。

リンカーンの幽霊は特に害をなす存在ではないようで、今もホワイトハウスの中でアメリカの行く末を見守っているのかもしれない。

レイライン

種別 自然のミステリー　地域 イギリス

目に見えない直線路は何を意味しているのか

レイラインとは、大地の上をまっすぐに走る目に見えない道のことで、今欧米で最も関心を持たれている新理論だ。

レイラインという言葉は、1920年代にイギリスで生まれた。イギリス西部の田園地帯ヘレフォードで商売をしていたアルフレッド・ワトキンスという人物が、広い牧草地の上に点々と小さな塚や森、塔や教会などがすべて直線で繋がっていることに気づいたことがきっかけだ。ワトキンスは、こうした古い塚や教会などの地域の名前が「〇〇レイ」で終わるものが多いことに気づき、こうした直線路を「レイライン」と名付けたのだ。

ワトキンスは当初、レイラインは古代の人々の交易路の痕跡が森や塚になっているのではないかと考えたが、その後、神の歩みを位置付ける神聖な道だとする主張や、太陽の光や星の光を測定するための方位表や目印であるとする説などが誕生。UFOが離発着の時に目標とするために塚や塔が並んでいるラインだとする説まで飛び出した。

さらに1969年、イギリスの地霊研究家ジョン・ミッシェルが、目に見えない直線路は大地の生命エネルギーが流れる地脈だとする「レイライン＝生命エネルギー説」を発表したのである。

現在知られているレイラインの中で最も有名なのは、イングランドの西端から約30度の角度で東端まで続く「聖マイケルズ・ライン」で、ライン上には大天使ミカエルにちなんだ修道院が立ち並んでいるのだ。

これは単なる偶然なのか、それとも太陽の生命エネルギーが流れる道なのか。いや、UFOの離着陸目印だとする説も捨てきれない。

コーンウォールのレイライン上に位置するスカーウェン・ウンのストーンサークル。

ジャンヌ・ダルクの生存伝説

File No.076 本日のテーマ 歴史のミステリー

種別 死にまつわる謎　地域 フランス共和国

フランスを救うも、異端として処刑された悲劇の聖女は生きていた？

ジャンヌ・ダルクは、神の啓示を受けて、イングランドとの百年戦争で劣勢だったフランス軍に従軍。味方を鼓舞してフランス軍を勝利に導いた救国の少女である。しかしジャンヌは1430年、コンピエーニュの戦いでイングランドに捕らえられ、翌年、戦争の終結を見ることなく魔女として処刑された。

ところがそのジャンヌが生きていたというミステリーがある。

実は処刑からほどなくしてジャンヌの生存説が流れ始めた。処刑時に顔を布で覆われていたため、本当にジャンヌが処刑されたのか誰も見ていなかったからである。

そんな風説が囁かれる中、処刑から5年後になんと自分が聖女だと名乗る女性が現われた。彼女は処刑前に地下道を通じて逃されていたともいう。しかもジャンヌの兄弟が彼女を本人と認めたため、ジャンヌは本当に生還したとみなされた。やがてこの女性は地方の領主ザルモアーズと結婚し、王にも謁見したと伝えられる。

しかしこの女性は火刑や空白の5年間のことを語らないなど、本物かどうか疑惑もつきまとった。彼女が本当にジャンヌだったのかどうかは、今もはっきりしていない。

ドミニク・アングル『シャルル7世戴冠式のジャンヌ・ダルク』(1854年)。

File No.077
本日のテーマ
都市伝説と陰謀論

第11週 第7日目

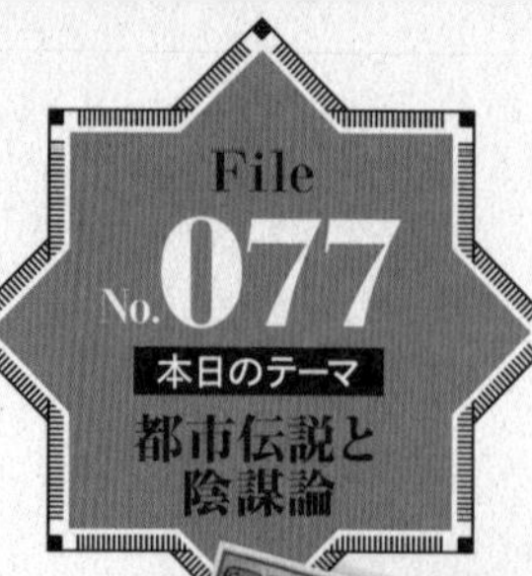

電子レンジ開発

種別 都市伝説　地域 アメリカ合衆国

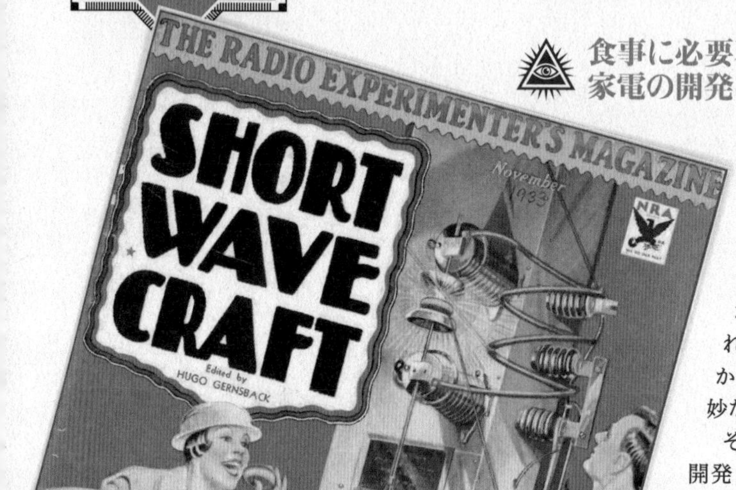

1933年に開催されたシカゴ万国博。
覧会の際の電子レンジのポスター。

食事に必要不可欠な家電の開発に隠された秘密

今や私たちの食事に欠かせない身近な電子機器である電子レンジ。ところがこの機器が、およそ食とはかけ離れた軍事兵器の開発から生まれたという奇妙な都市伝説がある。

それは電磁波兵器の開発をしている過程で、その副産物として電子レンジが製品化されたのだというもの。ホチキスも機関銃の技術から生まれ、GPSも軍事衛星の技術を応用したものであるから、違和感のある話ではない。

ただもうひとつUFOの部品から作られたという説もある。アメリカ軍が墜落したUFOを回収し、その部品を研究したところ、分子が振動して摩擦熱を発生させるという原理を発見して電子レンジに応用したというのである。

ただこれには証拠はなく、「電磁波」という目に見えない力への不安や恐怖心が引き起こした噂に過ぎないともいわれている。確かに炎が発生せず、熱も感じられないのに、食品が温まるという原理は魔法のように思えて理解し難かっただろう。

また、人々の夢や理想が形になって登場したコンピュータや携帯電話と異なり、突然製品化されて登場した電子レンジに面食らった人も多かったに違いない。こうした事情が奇妙な噂を生み出した要因となっているようだ。

レンヌ・ル・シャトーの謎

File No.078 本日のテーマ ミステリアス遺産

種別 ミステリー遺産　地域 フランス共和国

石碑の文字は財宝の隠し場所を示しているのか

アルカディアとは、穏やかな田園にある理想郷の代名詞。17世紀のフランスで活躍した古典主義の画家プッサンは、フランスの村レンヌ・ル・シャトーの風景を理想郷のアルカディアに見立てて『アルカディアの牧童』を描いた。だが、いくらこの絵を見てものどかな雰囲気は感じられないだろう。

人物たちは、石碑あるいは石棺に刻まれた文字を指し示したり、考え込んだり、ただならぬ様子である。

文字はラテン語で「ETIN ARCADIA EGO(我、アルカディアにあり)」という意味であり、石棺を指し示すことで、キリスト教徒に「死を忘れるな（メメント・モリ)」、すなわち幸福の儚さを強調し、死への思いを促すものと解釈される絵画である。だが、石棺にラテン語で刻まれた「ETIN ARCADIA EGO」の文字を並び替えると、「I TEGO ARCANA DEI（立ち去れ！ 私は神の秘密を隠した)」となることから、背景に描かれる山に、シオン修道会にまつわる重大な秘密が隠されているというメッセージを語る作品ともいわれている。

実はこの絵画をヒントに財宝を手にしたのではないかといわれる人物がいる。

それは19世紀のベランジェール・ソニエールというレンヌ・ル・シャトーの司祭で、彼は1891年、暗号が描かれた羊皮紙を発見すると、『アルカディアの牧童』を熱心に鑑賞するようになった。

すると間もなく、急に懐が豊かになり、教会の修理を行なったり、別荘を建てたりしたという。村にも水道を引くなど、潤沢な資金がなくてはできない社会貢献も行なっている。彼が発見した財宝は、キリストの子孫を探すために組織された「シオン修道会」が隠した財宝という説が流布しているが、それがどのような財宝だったのかはわかっていない。

レンヌ・ル・シャトーの謎を解くカギとなったプッサンの『アルカディアの牧童』。

File
No.079
本日のテーマ
UMAと怪人

ジェヴォーダンの獣

種別 UMA　地域 フランス共和国

ジェヴォーダンの獣が引き起こした獣害事件を報じる銅版画。目撃証言によるその姿はオオカミとはかけ離れており、謎の獣として伝えられている。

 女性や子供たちを殺戮し、絶対王政期のフランスを震撼させた獣

1764年から1767年にかけて、フランス南部のジェヴォーダン地方でオオカミのような大型野獣が出没して世間を恐怖のどん底に陥れた。この野獣は女性と子供を中心に100人以上もの人を次々と殺戮。犠牲者の多くが頭部を無残にも砕かれて食いちぎられていたというから恐ろしい。目撃者によれば、この獣は体長1.7m、高さ約80cmほどの大きさで、全身が赤茶色の剛毛に覆われ、長い尾を持つ何ともおぞましい怪物だという。

この事件を受けて国王ルイ15世は討伐隊を派遣した。討伐隊は件の獣かと思い、巨躯の狼を仕留めたが、被害はやむことなく、無残に食われる被害者が後を絶たなかった。

人々をあざ笑うかのように暴れ回ったジェヴォーダンの獣だったが、1767年についに命運が尽きる。地元の猟師ジャン・シャステルに、弾丸を打ち込まれて絶命したのである。その正体はオオカミだったという。

こうしてその恐怖が終わったかに思えたが、犠牲者の多さから考えると果たして1頭のみだったのか謎が残る。また捕食動物が本来狙う足や喉をジェヴォーダンの獣が全く狙っていない点も、獣の正体がオオカミであると断言できない根拠ともなっている。結局獣の正体については巨大オオカミ、アフリカから持ち込まれたハイエナ、さらには絶滅したはずの肉食獣メソニクスなどともいわれるが、はっきりしないまま絶対王政期のフランスを震撼させたモンスターは姿を消した。

オルメカ文明

種別 消えた民族の謎　地域 メキシコ合衆国

古代にアフリカ人がアメリカ大陸に到達していた!?

アメリカ大陸の文明は、マヤ文明が最古だというのが定説だった。

ところが、実はアメリカ大陸には紀元前1200年頃から別の文明が誕生していたことがわかったのだ。その名をオルメカ文明という。きっかけは1862年、メキシコ湾岸中南部のジャングルで巨大な人頭像が発見されたことだ。人頭像は10数体見つかっていて、最大のものは高さ3.3m、重さ20tもあり、どれも意図的に地中に埋められていた。

地中に埋められた理由は、神々が地中に住んでいるという宗教観を持っていたからではないかと推測されているが、本当のところはわかっていない。それよりもっと大きな謎は、人頭像が頭にヘルメットのようなものをかぶり、厚い唇、大きな目、低い鼻など、その顔立ちがアフリカ系の人物に似ていることだ。しかし当時、アフリカ系の人類が大西洋を渡ってアメリカ大陸に到達していた証拠はない。ほとんどの専門家がアフリカ系住民説には懐疑的で、実在したメソアメリカの先住民をデフォルメして制作した可能性を指摘している。

アフリカ系の顔立ちをしたオルメカヘッド。
モデルとなったのはどのような人々だったのか。

グレイフライアーズ・カークヤード

種別 呪い 地域 イギリス

1200人が殺戮された世界一恐ろしい墓地

グレイフライアーズ・カークヤードは、スコットランドの首都エディンバラの市民が、13世紀からの長きにわたって埋葬されてきた歴史ある墓地なのだが、実は過去に大きな悲劇があったことから、怪奇現象が頻発する"世界一恐ろしい墓地"といわれている。

その悲劇とは、17世紀に起きた大量殺戮事件だ。当時、スコットランドのプロテスタント教会には、信徒や牧師から選ばれた長老が教会を取り仕切る「長老派」と、国王を教会の主とする「監督派」があった。

ある時、国王ジェームズ2世が長老派に監督派に従うよう強要したところ、納得のいかない長老派が反乱を起こした。すると、国王は1200人に上る長老派の信徒を捕らえて墓地の一角の収容施設に押し込み、皆殺しにしたのである。

この処刑の裁定を下したのが国の高級官吏ジョージ・マッケンジーという人物で、彼は死後、遺体をこの墓地の霊堂に納められた。

しかし、300年後の1999年、ひとりのホームレスが寒さをしのぐためにマッケンジーの霊堂の扉を開けたところ、以来、この墓地ではラップ音や悪寒、悪臭などの怪奇現象が頻発するようになったのだ。墓地を訪れた人の中には引っかかれたり、殴られたり、手足に傷やあざができたりする人が多数現われ、失神する者までいたという。

原因は定かではないが、マッケンジーの霊廟が開かれたことに端を発している以上、殺戮された人々の霊が関係している可能性は十分あるだろう。

怪奇現象が頻発するグレイフライアーズ・カークヤード。

ナチスのUFO

種別 UFO 地域 ドイツ連邦共和国

垂直離陸と高速低空飛行ができる円盤型飛行物体

第2次世界大戦時、ナチスの科学者たちはV2ロケットや初期のジェット戦闘機の開発に成功していたといわれている。それほど高い技術力を持っていたわけだが、ナチスの科学者はなんとUFOの開発まで行なっていたという。

目撃談もある。1944年、ロンドンのテムズ川上空でUFOが目撃されたという記事をニューヨークタイムズが掲載しているのだ。記事によればUFOは直径6mの円盤状で、ベル型のコックピットがついていたという。

ナチスはその科学力を駆使してUFOを開発していたといわれ、ロンドンなどに目撃情報が残っている。そのUFOの設計図はその後盗まれ、最後に目撃されたのはアメリカだとする証言がある。

このUFOはプラハでも目撃されており、ルドルフ・シュリーパーとオットー・ハーバーモールというふたりのトップエンジニアが主導したプロジェクトで開発されたものと考えられている。このUFOは垂直離陸と高速での低空飛行が可能で、ヒトラーはUFOを使ってロンドンやニューヨークを爆撃する計画を立てていたというのである。

12ページでも触れたが、戦後、ナチス政権下にいたフォンブラウンら700人以上の科学者が、アメリカに亡命したといわれている。アメリカが、その後世界をリードする技術力を手にした裏には、ナチスの科学者の力が働いていた可能性は否定できないだろう。

『ガリバー旅行記』の謎

種別 ミステリアスな人物　地域 アイルランド共和国

TRAVELS
INTO SEVERAL
Remote Nations
OF THE
WORLD.
IN FOUR PARTS.
By LEMUEL GULLIVER,
first a SURGEON, and then a CAPTAIN
of several SHIPS.
VOL. I.
LONDON:
Printed for BENJ. MOTTE, at the Middle
Temple-Gate in Fleet-street.
M, DCC, XXVI.

スフィフトの『ガリバー旅行記』には、
1726年にはわかりえない情報が盛り込まれている。

 ジョナサン・スウィフトは火星の衛星の存在を知っていた!?

アイルランドの作家スフィフトが1726年に書いた『ガリバー旅行記』は小人国、巨人国など架空の国々が登場する作品である。この中で、空飛ぶ島の国ラピュータは天文学が発展した世界として登場し、火星の２つの衛星のことについても言及されている。

ところが奇妙なことに、火星の衛星の発見は1877年。スフィフトがこの話を書いた150年以上も後のことである。スフィフトは衛星の存在をなぜ知っていたのだろうか。

しかも『ガリバー旅行記』の中では、「２個の衛星のうち、内側の星は火星の中心から火星の直径の３倍の距離で、外側の星は５倍になる。内側の星が火星の回りを公転する時間は10時間、外側の星は21時間である」と、距離なども記されていた。

現代天文学に照らし合わせると、火星からの距離は内側の星が1.38倍、外側が3.46倍、公転時間は内側の星が７時間39分、外側の星が30時間18分。スフィフトの数値と誤差はあるが近い数値である。

衛星の存在だけでなく、距離や公転周期なども近いのはスフィフトの予言能力なのか、それとも驚異の科学知識が割り出したものなのか。今となってはわからない。

バルバドスの墓

File No.084
本日のテーマ
都市伝説と陰謀論

種別 都市伝説 地域 バルバドス

6つの棺桶が勝手に動く不気味な墓

カリブ海に位置するバルバドス島の教会墓地。ここにあるチェイス家の墓で、1812年から1820年にかけて世にも奇妙な怪現象が起こった。鉛でできた重い6つの棺桶が勝手に動いたのである。

整然と並んでいたはずの棺桶が縦横に入り乱れたり、ふたが開いていたりとかき乱される怪現象が繰り返されたのである。入り口をセメントで固めたり、重い大理石を置いたりしており侵入者がいないのは明らかだった。棺桶の中に水があふれて動かしたという説も出たが、鉛の棺桶は男が数人がかりでようやく動かせるものであり、まして水が流れた痕跡もない。謎が謎を呼び、人々は呪いの仕業ではないかと噂するようになった。

じつはチェイス家の当主・トーマスは残忍な人物で、周りからかなり恨みを買っていたといわれている。苦しめられた人々が魔力を使って呪いをかけ、トーマスの安らかな眠りを邪魔したのではないか……とも噂された。異変が起こり始めたのはトーマスが埋葬されてのちのことだと聞けば、呪いの話も現実味を帯びてくるのではないだろうか。

チェイス家の墓にはどんな力が働いていたのだろうか。

ダイトン・ロック

種別 ミステリー遺産　地域 アメリカ合衆国

満潮で水没する岩にある意匠は誰に向けて描かれたのか

アメリカ、マサチューセッツ州を流れるタウントン川の岸辺にあって、文字か絵か記号か判断のつかないものがびっしり刻まれた岩がダイトン・ロックである。17世紀の末にやってきたイギリス人入植者がこれを見て驚き、その様相を正確に書き記したことから広く知られるようになった。岩は全長3m以上、高さは1.5m、重さ40tという大きさで、満潮時には水没してしまう場所にある。岩の表面は硬く、何か刻みつけるためには金属が必要である。

いつ、どのような人物がこれを刻んだのか、多くの考察が発表され、海を渡って来たカルタゴの水夫たち、ヴァイキング、大航海時代のポルトガル人、中国人、それにアメリカ先住民などの説が出た。しかし、岩に刻まれているのが文字かどうかわからず、当然解読もできないので、それ以上は議論が発展しない。ただ、はるか昔に、丁寧に手間暇かけて刻まれたことは確かである。

そして重要なのは、これが海に面した側に彫られているということだ。海からここに上陸してきた者がいたら、その者の目に入ることだろう。刻みつけた者は、誰かがやって来るのを待っていたのだろうか。1973年、ダイトン・ロックはダム建設のために場所を移すこととなり、今は博物館に保管されている。

タウントン川の岸辺に置かれていた当時のダイトン・ロック。表面には記号とも文字ともつかない意匠が刻まれている。

File No.086
本日のテーマ
UMAと怪人

シーサーペント

種別 UMA　地域 海

古くからのその存在が
噂されていた海のUMAシーサーペント。

海の王者は古代の生物の生き残りか？

大海原で目撃された怪異生物の中でも最も有名なのが、体長20～60mにもおよぶ巨大な怪物シーサーペントだろう。鋭い頭とギサギザの歯を持ち、胴体は蛇に似ており、体をくねらせながら頭を出して海中を泳ぐとされる。

同様の存在は古代から指摘されており、旧約聖書の「ヨブ記」、「イザヤ書」などには巨大な生物としてレビアタンが登場する。神が天地創造の5日目に、すべての海洋動物を支配する存在として造りだしたものという。

世界中でいくつも目撃例があるが、1848年のイギリスのデイダラス号は南大西洋上で体長30mほどのシーサーペントに遭遇したという。蛇に似た頭を海上に突き出し、ノコギリのようなギサギサの歯を持ち、背中にはタテガミらしきものも確認できた。

まるで船を思わせるかのような巨大な生物が首を出して泳ぐ姿に船員たちは腰を抜かしただろう。艦長は大海蛇に遭遇したと海軍本部に報告している。

その正体については、泳ぎ方や歯などに共通点がみられる、中生代に棲息していたという爬虫類「モササウルス」の生き残りともいわれる。または新生代の生物で、体長20mはあるといわれたクジラの先祖「ゼウグロドン」ではないかという説もあるが、いまだその正体は解明されていない。

第13週 第3日目

黄金スペースシャトル

種別 オーパーツ　地域 コロンビア共和国

大きなデルタ翼、胴体、コックピットの付いた機首、水平尾翼と、その姿はまさに現代の航空機である。

古代に飛行機やスペースシャトルが存在していた!?

南米コロンビアでは500年から800年頃まで、シヌー文化という文明が栄えていた。このシヌー文明の古代遺跡から奇妙な形の工芸品が発見された。約3000年前に造られたとみられるわずか5cmほどの黄金細工で、ペンダントとして用いられていたと考えられるのだが、その姿が現代の飛行機やスペースシャトルにそっくりだったことで大きな注目を集めた。これぞ、発見された場所や時代とはまったくそぐわない物品「オーパーツ」のひとつである。

このため、この黄金細工こそ古代に航空物が存在していた証拠だ、いや、宇宙と行き来していた証拠だとする説が浮上したのである。

大きなデルタ翼、胴体、コックピットの付いた機首、水平尾翼と、その姿はまさに現代の航空機。出土時はまだ飛行機が存在しなかったため、これを「航空機」と判断することができなかったのだ。古代人の文明を与えた「神」の乗り物を、再現し、崇めたのだろうか。

しかしこれは常識的に考えれば、あり得ない話。見方によっては鳥や魚に見えなくもないことから、ブレコと呼ばれる南米のナマズをモデルとしたのではないかという説もある。

ルーヴル美術館の兵士の霊

File No.088 本日のテーマ 幽霊・呪い

種別 幽霊 地域 フランス共和国

フランス革命で虐殺されたスイス兵の行進

フランス・パリのルーヴル美術館は1793年まではフランス・ブルボン王家の宮殿で、そのルーヴル宮殿から500mほどのところに、テュイルリー宮殿（現在は庭園）があった。

このテュイルリー宮殿は、フランス革命当時の1792年8月10日に、民衆によるスイス兵大虐殺が起きた場所だ。当時、この宮殿にはルイ16世や王妃マリー・アントワネットが身柄を移されていて、600名ほどのスイス人傭兵が宮殿を警護していた。そこに5000とも6000ともいわれる民衆が王権の停止を要求して押し寄せたのである。

職務に忠実なスイス人傭兵隊は砲撃を行なって民衆をひるませたが、そこへ国王ルイ16世から「民衆に発砲するな」という命令が届く。国王は民衆と話し合いによって解決を図ろうとしたのだが、これが誤算だった。

抵抗を止めたスイス兵に対し、民衆が襲い掛かりスイス兵たちを虐殺したのである。宮殿の広場は血の海となり、もはや肉の塊と化したスイス兵の無残な死体が転がっていたという。

その時、民衆は信じられない光景を目にした。肉塊と化したはずのスイス兵たちが次々に立ち上がり、隊列を組んでルーヴル宮殿へ向けて行進し始めたのだ。もちろん実際のスイス兵は死体と化しており、その隊列は亡霊であった。

その日以降、8月10日の夜になると、ルーヴル宮殿の近くでスイス兵たちが行進する姿がたびたび目撃されるようになった。さらに、この不気味な現象が起きると、テュイルリー宮殿を襲撃した暴徒の子孫に変死者が出るといわれている。

毎年8月10日、パリの民衆は恐怖の夜を過ごすこととなる。

ケネディと宇宙人

種別 宇宙人 地域 アメリカ合衆国

ケネディ大統領は金星人と会っていた!?

1963年11月22日、アメリカ・テキサス州を遊説中だったジョン・F・ケネディ大統領は、ダラス市内をパレード中に凶弾で頭を砕かれて死亡した。この時、ケネディの遺体のポケットから発見されたというメモの内容が、2005年2月、インターネット上で公開された。大統領がパレード後に演説するためのスピーチメモで、大統領の遺体の検死を行なった医師が、遺体のポケットから血染めのメモを発見し、隠し持っていたものだという。

その内容とは、異星人の存在を認めたうえで、「彼らは敵ではなく友人である」と共存を訴える衝撃的なものだったというのである。

ケネディが宇宙に強い関心を持っていたことは有名で、異星人と遭遇した経験を綴った『空飛ぶ円盤実見記』の著者ジョージ・アダムスキーに、異星人との会見のセッティングを依頼し、1962年3月24日に金星人と数時間におよぶ会談をしたとも伝えられている。

もしケネディが暗殺されていなければ、人類はアメリカ大統領の口から、宇宙人の存在を教えられることになっていたのかもしれない。ただし、スピーチメモの実物は公開されていないし、金星人と会ったとする話も事実を裏付ける公的な資料は存在していない。

アメリカ大統領ケネディは、もしダラスで暗殺されなかったら、宇宙人の存在を世界に公表していたかもしれない!?

鄭和の南海大遠征

種別 歴史の謎　地域 中華人民共和国

南海遠征に向かう鄭和艦隊の想像図。

 中国艦船がコロンブスより前にアメリカに到達していた？

コロンブスがアメリカ大陸を発見した1492年より70年以上も前の15世紀初めに、アメリカに到達、さらに世界一周も果たした人物がいたかもしれないという。

その人物とは中国明の永楽帝に宦官として仕えた鄭和である。鄭和は永楽帝の命で、朝貢を促すため、7回にわたり大艦隊を率いて南海諸国への遠征に出航した。当初はインドが目的地だったが、その後はペルシャ湾や東アフリカにまで到達。鄭和自身はホルムズまで、分遣隊はアフリカ東岸のマリンディまで到達したといわれているが、1421年から翌年の第6回の航海で、鄭和艦隊はアメリカ大陸に到達し、さらに世界一周をした可能性があるという。

地図研究家のキャビン・メンジーズによると、15世紀の中国の書物に南米パタゴニア減産の動物の絵が描かれ、15世紀初頭の中国の沈没船から南米の石臼や陶器が発見されているとか。たしかに鄭和艦隊は500t級の船を含む60隻以上の大船団。のちのコロンブスの船団を上回る規模と大きさで、物理的にもアメリカ到達は可能とされる。

鄭和の輝かしい記録が中国に残されていないのは、永楽帝の没後、海洋進出政策が否定されたか、鄭和が政争に敗れたなどの背景から、記録が抹消されたためという。

第13週 第7日目

『泣く少年』

種別 都市伝説　地域 イタリア共和国

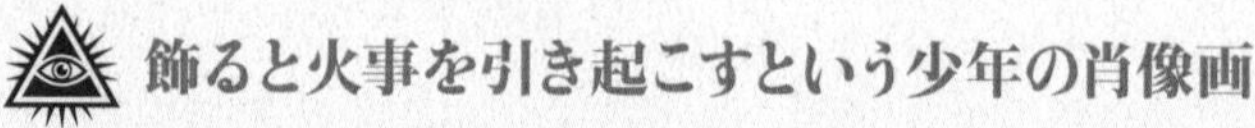

飾ると火事を引き起こすという少年の肖像画

イタリアの画家ブルーノ・アマディオが描いた『泣く少年』は、今にも泣き出しそうな少年を描いた絵画である。

この作品は無垢な少年の姿からは想像できないある不吉な伝説に彩られている。なんとこの絵の複製画を飾った家は火事になることが多いというのだ。しかも家中の物が焼けても、この絵だけが無傷で残されるというから何とも不気味である。

大衆紙「サン」がこの特集をしたところ、同じような体験をした人の証言が殺到。火事に遭ったロンドンに住む女性は、焼け残ったこの絵に火をつけようとしたが絵は燃えず、ゴミ箱にも放り込めなかったという。また、この絵の少年が夢の中に出てきて「焼けてしまう」と予言し、翌日に火事に見舞われたという女性もいた。そこでサン紙は1985年にこの不吉な複製画を処分するイベントを実施する。何千枚も集まった複製画を焼却したところ、この時は何事もなくあっさりと燃え尽きた。

ところがサン紙では、その後、工場で機械のトラブルが続いて生産が滞ったりする事態に見舞われた。この絵を預かっていたスタッフに至っては、自宅がぼやに遭ったり、トランクに絵を入れていた愛車が突如火を噴いたりといった不幸が相次いだという。

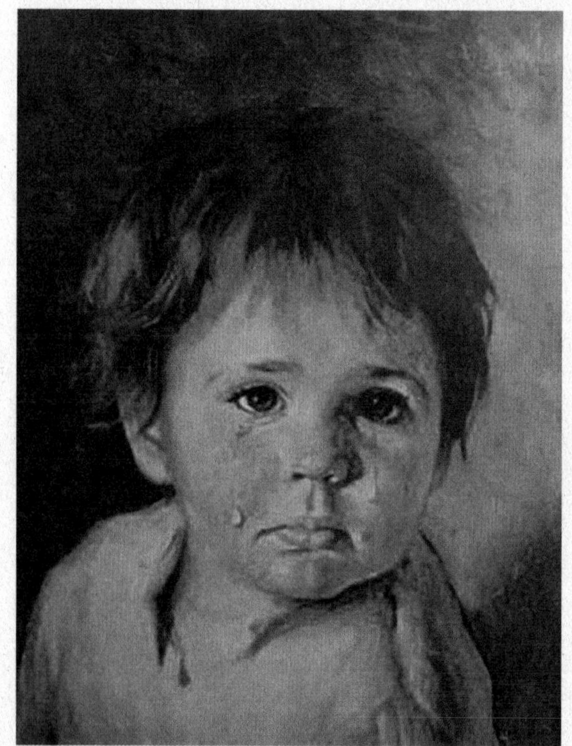

イタリアの画家ブルーノ・アマディオが描いた『泣く少年』の複製画。

ティビーアイランドの核爆弾

File No.092
本日のテーマ
ミステリアス遺産

種別 ミステリー遺産　地域 アメリカ合衆国

行方不明になったままの核爆弾は本当に爆発しないのか？

緊急投棄された核爆弾はどこへ消えたのか？

街のすぐ近くに、行方不明になったままの核爆弾が埋もれているとしたら……？

ダニエル・スミス著『絶対に見られない世界の秘宝99』（ナショナル・ジオグラフィック）によると、ジョージア州のティビーアイランドの海には、緊急事態によって投棄された核爆弾があるというのに、いまだに見つかっていないのだという。

1958年2月4日、飛行訓練中だったアメリカ空軍の爆撃機B-47が、戦闘機F-86「セイバー」と空中衝突を起こした。

しかもこのB-47は核爆弾を搭載していたのだ。パイロットらは無事だったが、機体は損傷しており、もし不時着に失敗しようものなら核爆弾が爆発する可能性が高い。こうした場合は爆弾を安全な場所に投棄して、素早く回収するというのが最も確実である。B-47のパイロットは投棄の許可を得ると、ティビーアイランドの浅瀬に爆弾を投棄し、ハンター空軍基地に不時着した。

空軍と海軍は、ただちに投棄された爆弾の捜索を開始した。爆弾は全長4m、重さ3400kgあり、すぐに回収されるはずだったが、何か月経っても見つからなかったのだ。海底に厚く積もった土砂に埋もれ、深く沈んでしまったのだろうか。結局核爆弾は、現在に至るまで発見されていない。空軍は、爆弾には核カプセルを装備しておらず、核爆発は起きないと主張している。

しかし、それに対する反論は当時も今も繰り返されているし、放射能汚染の危険もある。さらに近くには、港湾都市であり観光も盛んな街サバンナがある。空軍の捜索は今も続いている。

ツチノコ

種別 UMA　地域 日本

1500年以上も日本人が追いかけてきた謎の生物

日本の代表的なUMAのひとつが「ツチノコ」である。

奈良時代に編纂された日本最古の歴史書である『古事記』に、「鹿屋野比売神」の別名として「野椎神」の名が言及されているが、このノヅチという名前はツチノコに類する妖怪の名として伝承が残されている。こういった妖怪の存在は古くから記録が残るが、いまだに明確な証拠の残る捕獲例がひとつもないというミステリアスな存在である。

ツチノコとは体長30～80cmの太くて短い蛇のような生物。頭部はマムシのように三角形で、首の部分がくびれて胴体が平べったい。体をくねらせながら動き、時には10mもの高さまでジャンプするという奇妙な生物だ。

ツチノコの類の妖怪は江戸時代以前から日本全国で目撃されており、その名前や姿は多岐に渡ったが、昭和40年代にツチノコ漫画の連載などをきっかけに、名前がツチノコに統一され、何度かブームを巻き起こしてきた。昭和60年代には町おこしのため生け捕り賞金を出す自治体が相次ぎ、多くの人がツチノコ探しに熱狂したが、結局はツチノコを捕獲できなかった。

2000年にも岡山でツチノコらしき死骸が発見され期待が高まったが、その正体はヤマカガシと判明している。

近年ではツチノコは存在しないという不在説が高まる一方で、2003年にはアメリカでも「サンド・ドラゴン」と呼ばれるツチノコに似た謎の生物が発見された。「ツチノコ」ブームは世界にも飛び火するのかもしれない。

たびたびブームを呼び起こしてきたツチノコは、日本を代表するUMAである。（提供：アフロ）

アンデスの脳外科手術

種別 古代文明の謎　地域 ペルー共和国

インカで発見された孔の開いた頭蓋骨。（写真：アフロ）

 孔の開いた頭蓋骨が証明するチャビン文明の驚くべき医療技術

ペルーの首都リマから北へ300kmほど入った山中で、紀元前900年～紀元前100年頃に栄えていたのが、南米大陸最古の文明とされるチャビン文明である。

1919年から始まった発掘で、チャビン文明が高度な建築技術を持つ文明だったことはわかったが、実はこの遺跡からは、世界中を驚かせる大きな発見があった。同じ形をした孔のある頭蓋骨が次々に見つかったのである。戦闘や事故で頭蓋骨に孔が開いているケースはあるが、チャビンで発見された頭蓋骨の孔は組織が再生していて、その人物がその後も5～10年も生存していたことがわかったのである。

これはどういう意味なのかというと、頭蓋骨を切開して治療したということであり、その後も生存できるだけの高度な脳外科手術が行なわれていたということに他ならない。

チャビンの地は、現在でも麻酔に用いられているコカの葉が採取できることや、アンデス山中の標高3000mを超える土地であることから、傷口からの細菌感染が比較的少ないという背景がある。とはいえ、現代でも高度な技術が必要な脳外科手術を、当時の人々はどうやって編み出したのか、今も答えは出ていない。

第14週 第4日目

不幸を呼ぶホープ・ダイヤ

種別 呪い 地域 フランス共和国、アメリカ合衆国

怪しい輝きを放つ
ホープダイヤモンド。

 持ち主をことごとく不幸にする呪いのダイヤ

アメリカのスミソニアン博物館に、「ホープ・ダイヤ」と呼ばれる45カラットの世界最大級の青いダイヤモンドが収蔵されている。その輝きは、誰もが心を奪われる美しさだが、美しさに惑わされてはいけない。このダイヤは、手にした者を不幸にする呪いのダイヤモンドなのだ。17世紀末にインドを旅していたフランスのダイヤ商人タベルニエが、ある寺院の神像の額に光っていた青い宝石を盗んでフランスに持ち帰ったもので、ダイヤはルイ14世に譲られた。その後、タベルニエはロシアで狼に襲われてこの世を去り、ルイ14世も病気で間もなくこの世を去った。ルイ15世を経てダイヤを受け継いだルイ16世はフランス革命で処刑され、このダイヤを好んで身に付けていた王妃マリー・アントワネットもルイ16世の後を追わされるようにして処刑されたのだ。

革命後も悲劇は終わらない。ダイヤは銀行家のヘンリー・ホープ、ロシアの貴族、オスマン帝国の王室、アメリカ・ワシントンの富豪へと転々と持ち主を変えながら、その全員をことごとく不幸に陥れたのだ。ホープの銀行はダイヤ取得後から業績を悪化させ、ホープの死後に倒産。ロシア貴族もダイヤを贈った愛人が射殺され、本人もまもなく怪死。オスマン帝国に至っては滅亡の憂き目に遭う。最終的にニューヨークの宝石商ハリー・ウィンストンが買い取り、1958年にスミソニアン博物館に寄付したことで、呪いの連鎖は止まったのである。いや、今は呪いの対象がいない、というだけなのかもしれないが……。

月の魔力

File No.096
本日のテーマ
宇宙・自然の神秘

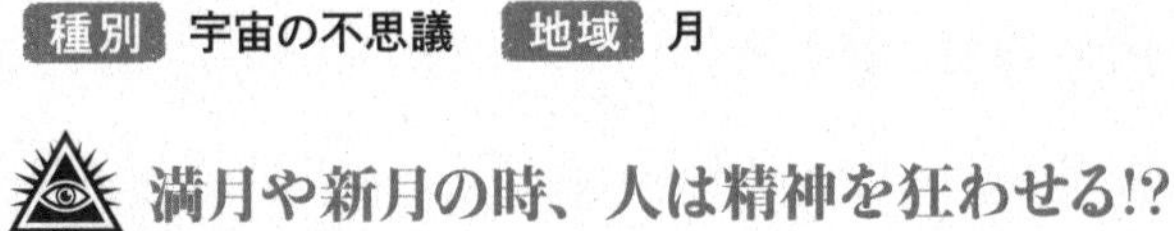

種別 宇宙の不思議　地域 月

満月や新月の時、人は精神を狂わせる!?

1984年、アーノルド・L・リーバーというアメリカの精神科医が、著書『月の魔力』で、「殺人など、凶悪犯罪は満月や新月の時に多発する」「満月や新月の時、交通事故が多発する」と主張し、大きな話題となった。

リーバーによれば、月の引力によって満潮、干潮が起きるように、体内水分が80%の人間も、月の引力によって潮汐作用が起こり、行動に影響を与えるというのである。これを「バイオタイド理論」と呼ぶ。

たしかに自然界では満月か新月の時に影響を受ける生物が存在しているし、ブラジルのアマゾン河で起きるポロロッカという大逆流には月の力が大きく関係している。地震や噴火も月が関係するという事実もわかってきているのだ。

バイオタイド理論によれば、人間は満月、新月の時、月の引力による生物学的潮汐の影響を受けて、行動が変化したり、情緒が不安定になるなどの現象を引き起こすという。『増補　月の魔力』の訳者である藤原正彦氏の研究でも、2531件の出産記録を調査したところ、満月・新月とも1日前と3日後に出産が最も多く、5日前と5日後に最も少ないという結果が出ている。また、女性の月経周期は月の満ち欠けの周期に非常に近い。

古来、月には不思議な力があると信じられてきたし、西洋では月を見すぎると気が変になるといわれてきた。

赤い満月は不吉の前兆だとする言い伝えもある。実際に、月に人の精神を狂わせる魔力があるかどうかはわからない。しかし、日本でも新月・満月の時に死亡事故が多いという現職警官の統計報告がいくつも報告されているのだ。満月や新月の時は、くれぐれも注意したい。

月は人間のバイオリズムに大きな影響を与えているのかもしれない。

シバの女王

種別 ミステリアスな人物
地域 エチオピア連邦民主共和国

すべてが謎のベールに包まれた伝説の女王

シバの女王は旧約聖書に登場する伝説上の人物である。

シバは南アラビアで交易によって繁栄した民族とされるが、旧約聖書「列王記」によれば、紀元前10世紀頃、シバの女王が多くの金銀財宝を手土産に、賢王の誉れ高いイスラエルのソロモン王をエルサレムに訪ねてきた。そしてソロモン王の知恵を試そうと難問を出したところ、ソロモン王がすべての問いに明確に答えたため、感心した女王は絢爛なソロモンの宮殿にも感嘆し、金や宝石、香料等を送り、帰っていったという。

民間の伝承では、ふたりの間はもっと親密になる。シバの女王とソロモン王は結ばれ、子供も生まれた。その子供が、エチオピアの初代皇帝となったメネリク1世とされる。契約の箱がエチオピアにあるとされるのはこのエピソードが根拠となっている。

シバは現在のイエメン南部にあった都市としてみなされているが、実際にシバの女王が存在していたのかどうかはわかっておらず、女王自身の実在も謎に包まれている。

ピエロ・デラ・フランチェスカの『ソロモンとシバの女王』。親密になったふたりの間に生まれたのが、のちのエチオピア皇帝メネリク1世だという。

アサシン

種別 秘密結社 地域 イラン・イスラム共和国

死をも恐れないイスラーム世界の凄腕の暗殺集団

「アサシン」といえば恐ろしい暗殺者というイメージを持つ人が多いだろう。これはもともとイスラーム教シーア派・イスマイール派の一派、ニザール派を指したヨーロッパ人の言葉。ただし 11 ～ 13 世紀のイスラーム世界では狙った獲物は逃さない恐怖の暗殺集団の名前ともなった。この集団は 11 世紀、神学者のハッサン・ビン・サバーフが、少数派のシーア派の勢力拡大を目論み、スンニ派の要人暗殺のため設立したものである。

この「アサシン」について、マルコ・ポーロが『東方見聞録』に恐ろしい実態を記している。アサシンはカスピ海南岸のエリブルズ山中にあるアラムート砦を本拠とし、「山の長老」と呼ばれるハッサンの指導下にあった。屈強な若者を招いて麻薬のハシンと美女、そしてごちそうなどの快楽を与えて、これこそがイスラームの「楽園」だと信じ込ませた。そして若者に「○○を殺せ。楽園に戻れる」と命令するのである。洗脳された若者たちは本能の赴くままに自分の命も顧みずターゲットに近づき、短剣で確実に殺害した。その刃にかかった者の中には、セルジューク朝の宰相ニザーム・アル・ムルクなどがおり、その猛威は13 世紀にモンゴル軍に破壊されるまで続くこととなる。

アサシンの根城と伝わるイランのアラムート砦。

出雲大社

種別 ミステリー遺産　地域 日本

本殿はビル15階分の高さの超高層建築だった!!

縁結びの神様として知られ、パワースポットとしても人気なのが、島根県にある出雲大社である。『古事記』『日本書紀』によると、大国主神（おおくにぬしのかみ）が天照大神（あまてらすおおみかみ）に国を譲る代償として造られたもので、遅くとも7世紀には創建されていたという由緒ある大社である。現在の本殿は江戸時代の建造で、直径1mもある中央の柱を9本の柱が囲み、その高さは24mにもおよんでいる。

これだけでも驚くほどの高さだが、出雲大社に伝わる社伝によると、この本殿は中世にはもっと高く、現在の2倍の48m、高層ビルの15階に相当する高さでそびえ立っていたというのだ。また、複数の柱を束ねて直径3mの柱としたという図面の記録も伝えられている。だが、そんな昔に、目もくらむほどの高層建築を建てることができるはずがない、誇張しているのだろうという声もあった。

しかし2000年、出雲大社で鎌倉時代初期の遺構が発見され、そこには図面を裏付ける直径3mの柱の跡があったのだ。この太さの柱なら、木造で48mの高さの本殿を建てることも可能だという。また本殿の頂まではスロープ状の階段を登るようになっていて、神殿の高さから計算すると、スロープの長さは100mに達したという。出雲大社は、まさに天に至る神殿だったのだ。

これほどの高層建築を建てる技術をいかにして出雲の人々は身に着けたのだろうか？

平安時代の出雲大社本殿を再現した模型。本殿の頂まで、まるで天空へ上るかのようにスロープ状の階段が続いている（島根県立古代出雲歴史博物館）。

グリンニングマン

File No.100 本日のテーマ UMAと怪人

種別 怪人　地域 アメリカ合衆国

ニヤニヤと不気味に嗤う緑色の怪人

1966年10月11日、アメリカ合衆国ニュージャージー州のエリザベスという町を深夜、ふたりの少年が歩いていた。すると闇の中から2mはあろうかという背の高い緑色の怪人が現われる。しかも怪人は、口をゆがめてニタニタ笑いをしながら少年たちに迫ってきたのだ。その薄気味の悪さに慄然とした少年たちは一目散に逃げだしたという。

前後して、この不敵な笑みを浮かべる「グリンニングマン」の目撃情報が相次ぐようになる。緑色の肌で目は赤く、時速40kmから200km近い速さで走り回り、高い塀も軽々と飛び越えてしまうという、超人的な身体能力の持ち主だ。そしていつもニカッと口をゆがめた不気味な笑みを顔いっぱいに浮かべていた。この笑みは心が凍りつくほど恐ろしいもので、それを見て心臓発作を起こした人さえいたという。

しかもこのグリンニングマンはいつどこに現われるかわからない神出鬼没の怪人である。もし深夜、突然目の前にニタニタ笑いながら近づいてくる巨大な怪人が現われたら……。想像するだけで身震いさせられる怪人である。

不気味な笑みを浮かべながら迫るグリンニングマン。

与那国島の海底遺跡

種別 古代遺跡の謎 地域 日本

海底に眠る巨大遺構はムー大陸の一部であることの証明か!?

日本の最西端に位置する与那国島(よなぐにじま)の南岸・新川鼻(あらかわばな)から100mほどの沖合、水深20mの場所に、東西270m、南北120m、高さ26mの巨大構造物が沈んでいる。

階段状のテラスや城門らしきものがあり、周辺はループ状の道路のようなもので囲まれていて、人工的に造られたものだとすれば、自然の一枚岩を彫って形を整えたものと推測できる。

この遺跡らしきものを放射性炭素で年代測定したところ、約1万年前に陸上で造られたものであることがわかった。

岩の切断面に楔状の穴が開いていることや、長さ100mにおよぶ石垣状の部分が「石組み工法」で造られたと考えられることから、人工の建造物である可能性が高い。しかも周辺からは与那国島で使われていたという「カイダ文字」が刻まれた岩や、カメの形をした巨石も発見されている。

実は、与那国島には「与那国島はムー大陸の一部だ」という伝説がある。ムー大陸はかつて太平洋の南中央部に存在したといわれる巨大な大陸で、現在のハワイ諸島やマリアナ諸島、イースター島など南太平洋上に点在する島々が陸続きになって構成されていたとされる。与那国島は含まれていないものの、その文化の影響を受けていたとしても不思議ではない。

そのムー大陸が水没したのは1万2000年前とされているので、見事に年代が一致するのである。

与那国島の海底に沈む
人工物と思しき巨大構造物。

バズビー・ストゥープチェア

File No. 102
本日のテーマ
幽霊・呪い

種別 呪い 地域 イギリス

上から吊るして展示されている呪いの椅子

イギリス・ノースヨークシャー州サースクにあるサースク美術館。ここに「バズビー・ストゥープチェア」と呼ばれる背もたれ付きの木製の椅子が展示されている。

この椅子は、18世紀初頭、婚約者の父を殺害した罪で死刑になったトーマス・バズビーという人物が愛用していた椅子である。居酒屋を営んでいた彼は、刑執行の前に自分の店で食事がしたいと願い出て叶えられ、店に戻って食事を終えるとこの椅子に座り、「この椅子に座った者には呪いが与えられる。私と同じように死を迎えるがいい」と叫んだという。

バズビーの絞首刑後、居酒屋は他の経営者の手に渡り、椅子もそのまま置かれていたのだが、座った人物が心臓発作や交通事故、転落事故などに見舞われ、ことごとく犠牲になったのである。呪いの椅子の噂は広まり、呪いに挑む者が次々に現われたが、そのたびに呪いの餌食となり、数十人が命を落としたという。

居酒屋の店主は、これ以上の犠牲を出さないために椅子を博物館に寄贈。博物館では、その椅子を床に置かず、もう誰も座ることができないよう、上から吊るして展示している。

座ると必ず死ぬバズビー・ストゥープ・チェア。（写真協力：カフェオレ・ライター　coffeewriter.com／撮影：三崎かずさ）

ドゴン族の神話

種別 宇宙の不思議　地域 マリ共和国

シリウスの神話を語り継いできたドゴン族の祭り。ほかにもドゴン族の神話では惑星の公転や木星の衛星についても語られている。

20世紀になって判明した新事実がドゴン族の神話で語られていた！

太陽と月と惑星以外の天体のうち、全天で最も明るく見えるのはおおいぬ座のシリウスだ。このシリウスは2つの恒星からなる二重星で、地上から見えるのは明るい主星のシリウスAで、その周辺を暗くて肉眼では見ることができないシリウスBが50年周期でまわっている。

実は、シリウスが二重星であるという事実がわかったのは1925年のこと。ところが、西アフリカのマリ共和国内に暮らすドゴン族に伝わる神話には、「天空でいちばん大切な星は、人間の目に見えぬポ・トロ（宇宙一小さい星）で、夜空で最も明るい『母なる星』を50年でひとまわりする」とある。この記述は、シリウスの二重星とピッタリ符合する。

しかも、シリウスBと、神話で語られるポ・トロは、形状や重さ、色までが一致しているうえ、残っているポ・トロの軌道の図形は、シリウスAの周囲をまわるシリウスBの軌道にそっくりなのだ。つまり、20世紀に明らかとなったシリウスの新事実と同じ内容が語り継がれていたのである。ドゴン族の神話が語り継がれてきたのは、遅くても12～14世紀頃からのことだ。人類が20世紀になってやっと突き止めた天文知識を、なぜ当時のドゴン族が知っていたのか？　その理由はわかっていない。

英独神秘大戦

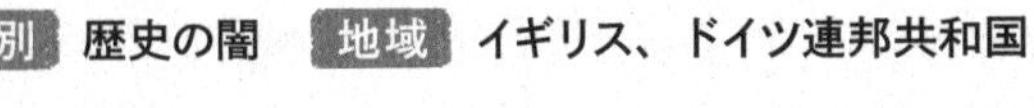

ヒトラーとチャーチルが繰り広げた呪殺合戦

第２次世界大戦中、ヨーロッパではヒトラーのドイツとチャーチルのイギリスが激しく火花を散らしていた。あの凄まじい戦闘が、実は神秘の占星術の戦いに左右されていたと聞けば驚くのではないだろうか。

ヒトラーはスイス人の占星術カール・クラフトを中心に占星術師団を作り、その助言に従って作戦計画を立てていたとされる。

これを知ったチャーチルも一流の占い師を雇って、何度もヒトラーの裏をかいたという。

まさに占星術合戦を展開していたのである。ただし占いは当たらないこともあり、チャーチル側の占い師が「ヒトラーのノルウェー侵攻は大誤算。連合軍は近く勝利する」と予言したが、翌月にイギリスはノルウェーから撤退した。

またヒトラー側の占い師も「1945年４月に大勝利」と予言したが、ヒトラーはこの時に自決している。そんな両国は占星術だけでは飽き足らず、ナチス幹部は魔術を駆使し、イギリスでは「ヒトラー呪殺」など魔女集会を開いていたというから驚きだ。

第２次大戦は武力の裏で、お互いあわよくば相手を呪い殺そうとしていたようである。

ヒトラーとチャーチル。熾烈な独英戦の背景では、ふたりの呪い合いが続いていたのかも……。

第15週 第7日目

マヤの呪い

種別 都市伝説　地域 メキシコ合衆国

生贄の儀式が行なわれたチチェン・イツァのセノーテ。

 チチェン・イツァーの呪われた井戸に隠された財宝

チチェン・イツァーは9～12世紀のユカタン半島に栄えたマヤ文明の遺跡である。石灰岩台地上にあって雨水がすべて台地に吸収されて川ができないという立地のため、絶えず水不足に悩まされていた同地では、雨の神が住む井戸に若い娘や子供を生贄に捧げ、宝飾品などの供え物を投げ入れて雨乞いを行なった。

20世紀、アメリカの外交官で探検家でもあるエドワード・H・トンプソンがこれに着目し、その財宝を探そうとガイドや作業員を連れて探検に出かける。そしてジャングルをかきわけ、ついに遺跡を見つけ、直径約58m、深さ20mもある生贄の井戸にたどり着いた。

トンプソンは井戸の中の財宝を引き上げようとしたが、次々と災いが降りかかる。実はこの井戸には生贄にされた人々の呪いがかけられており、財宝を取り出そうとする者には天罰が下るといわれていたのだ。果たして浚渫機が壊れたのを皮切りに、サプレバドス族に襲撃されて作業員が命を落とした。ただしトンプソン自身も原因不明の高熱で倒れたものの、生還して時価500万ドル相当の財宝300点を持ち帰ったという。ところがトンプソンと共に返ってきたガイドが姿を消したため、人々はトンプソンの身代わりになったのではないかと恐れたという。

兵馬俑と日本

File No. 106
本日のテーマ
ミステリアス遺産

種別 ミステリー遺産　地域 中華人民共和国

兵士たちが見つめているのは東の果ての日本なのか

秦の始皇帝の眠りを守る軍隊――。それが兵馬俑である。兵士たちをはじめ、馬、馬車、それに文官や楽人まで、陶器で作られた1万体近くもの軍勢が、隊列を組んで並んだ姿で発掘されているのだ。驚くべきはその数量だけではない。像はほぼ等身大で、ポーズ、髪型、顔つき、それに衣裳や甲冑までそれぞれ異なっている。恐らく一体一体実在の兵をモデルに制作されたのであろう。生き生きとしたすぐれた造形で、今にも動き出して進軍を開始しそうな迫力を持っている。

兵馬俑の謎のひとつに、像のすべてが東を向いているという点がある。なぜなら中国では、君子は常に北を背にして座り、「君子南面す」と南を向く。だから君主を守る軍勢も南を向いているのが自然なのだ。始皇帝の棺を納めた陵墓はまだ発掘されていないが、これまでの調査から、これも東向きだと推測されている。東には何があるのだろうか。

秦は、中国を統一するために、燕・斉・楚・韓・魏・趙という6つの国を滅ぼしている。これらの国はすべて秦の東方にあたるため、始皇帝はこれを警戒して、兵たちに東を向かせたという説がある。

また『後漢書』には、始皇帝が不老不死の薬を求めて、東海の中の三神山に方士の徐福を船出させたとある。この三神山とは日本のことだという説があり、日本各地には徐福がやって来たという伝説が残っている。始皇帝は徐福が戻ってくるのを待って東を向き、兵馬俑の兵たちもそれに従って東を向いているのかもしれない。

兵馬俑の兵士たちはすべて異なる表情をたたえ、すべてが東を向いている。

南極ゴジラ

種別 UMA　地域 南極

 日本の観測船のみが唯一の目撃者

日本の怪獣映画の金字塔といえば『ゴジラ』を思い浮かべる人も多いだろう。実は1958年、南極にこのゴジラに似た生物が現われたという。それが南極ゴジラである。

遭遇したのは日本の南極観測船宗谷の松本満次船長と乗組員たちである。松本船長らは氷海の中、こちらを向いている巨大な生物を目にした。牛のような顔で猿のような丸い頭。その頭の長さは70〜80cmはあるというから、全体はどれだけの大きさか想像すらつかない。全身は黒褐色のふさふさした毛に覆われていた。そして背中にはのこぎりの刃のようなギザギザした背びれが見えたという。

松本満次はこの怪物を、1954年に公開された『ゴジラ』にちなみ「南極のゴジラ」と命名した。

南極ゴジラの目撃情報はこの時の一例のみで映像もない。そのため単なる見間違いではないかともいわれてきた。しかしこの一例のみで強烈な印象を残した南極ゴジラは、今も南極の海底近くに棲息しているかもしれないと思わせてくれるのである。

南極で目撃されたモンスターは、東映が生んだゴジラに似た背びれから「南極ゴジラ」と名付けられた。

ナスカの地上絵

種別 古代遺跡の謎　地域 ペルー共和国

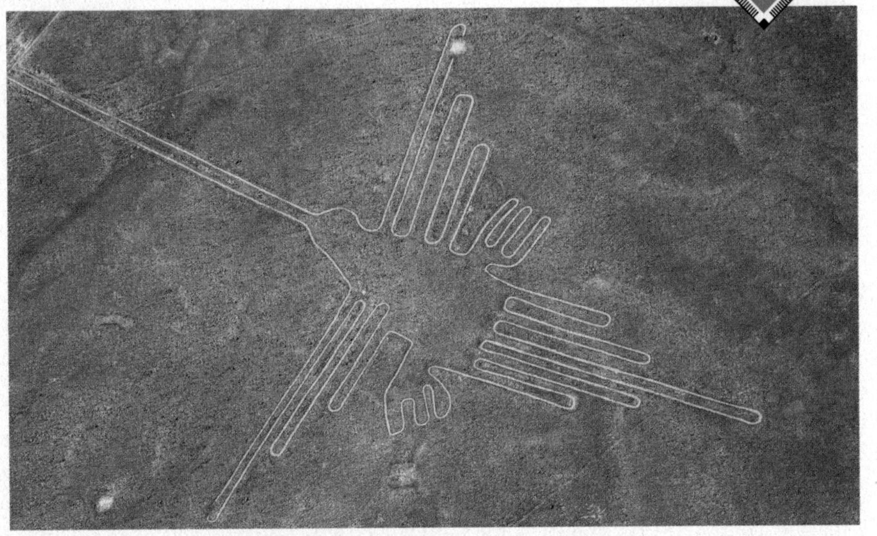
ナスカの地上絵の中でも有名なハチドリの絵。一体誰に見せるために描かれたのだろうか？

 平原に描かれた広大な地上絵は、何のために描かれたのか!?

ペルー南部の太平洋からアンデス山脈に至る約450㎢という広大な平原に、巨大なハチドリやコンドルといった生物や、幾何学的図形など、バラエティに富んだ地上絵が大量に描かれている。これがナスカの地上絵だ。紀元前190年～紀元後660年に制作されたと考えられているが、発見されたのは20世紀に入ってからのことだ。ここまで発見が遅れたのは、それぞれの絵が巨大過ぎて、地上絵であることを人類が知るには、飛行機が開発され、空から確認できるようになるまで待たねばならなかったのである。

では、なぜそれほど巨大な絵を地上に描く必要があったのか？

研究者たちはその謎に果敢に挑み、様々な説を打ち立ててきた。20世紀半ばには、農耕の時期を知らせるための天体図であるという説が有力視されたが、これはのちに否定され、現代では、年間降水量が10mmに満たない乾燥地帯という地理的条件、水辺に棲む生物を描いた絵が多いことなどから、雨乞いの儀式のために描かれたとする「豊穣儀礼説」が定説になりつつある。

その一方で研究者の中には、宇宙人が乗るUFOが離着陸するための滑走路であるとする「宇宙人建設説」や、古代人が気球に乗って地上絵を鑑賞していたとする説などを唱える人もいる。もしかしたら、古代のナスカには現代人の想像をはるかに超えた文明が存在していたのかもしれない。

テンプル騎士団の呪い

種別 呪い 地域 フランス共和国

カペー王朝を断絶に追い込んだ秘密結社の呪い

1328年、987年から続いたフランスのカペー王朝が断絶した。王朝の断絶は珍しくないが、カペー王朝の断絶に至っては、テンプル騎士団長の呪いがまことしやかに囁かれている。

テンプル騎士団は、エルサレムをイスラーム勢力から防衛するために12世紀に結成された宗教騎士団である。彼らのもとには多額の寄付が集まり、その財力を利用して金融業にまで進出。14世紀には莫大な財産を有し、フランス王家も借金を抱えるほどであった。

これに対し、当時のフランス王家は財政的な危機に瀕していた。そこで時の国王フィリップ4世は、自らを脅かす存在の排除と豊かな財物の確保の一挙両得を狙うことにしたのである。王は、まずテンプル騎士団の騎士たちは悪魔を崇拝し、男色に耽(ふけ)っているなどといった噂を流し、民衆の間に騎士団の禍々しいイメージを植え付けた。そのうえでローマ教皇クレメンス5世を取り込み、騎士団を解散してその財産を国のものにするとの約束を取り付ける。そして、騎士団の一斉逮捕に踏み切り、片っ端から処刑していったのだ。

団長のジャック・ド・モレーは、フィリップ4世の非道な行ないに憤り、「今年中に、お前らは神の法廷に呼ばれるだろう」と不気味な予言を残したという。

実際、その予言通り、ジャック・ド・モレーが処刑された1314年に、フィリップ4世は46歳で衰弱死したばかりか、王と結託したクレメンス5世も亡くなった。フィリップ4世のルイ、フィリップ、シャルルという3人の王子も、ルイの王子ジャンも、王座についた途端に世を去り、カペー王朝は、十分な後継者がいたにもかかわらず断絶に追い込まれてしまったのだ。

テンプル騎士団長
ジャック・ド・モレー。

磁場逆転

File No. 110
本日のテーマ
宇宙・自然の神秘

種別 宇宙の不思議　地域 地球

地球上の生命を脅かす磁場逆転

方位磁針はN極が北を、S極が南を指す。これは教科書にも載っている当たり前で不変の事実に思える。しかし、実は地球は過去1000万年の間に50回も磁場逆転を起こしているのである。つまり平均すれば約20万年に1回の周期で北と南が入れ替わってきたわけだが、周期的に逆転しているわけではなく、地球内部の核の運動が活発でない時、つまり、磁場が弱くなった時に起こるとされていて、1万年で逆転した時もあれば、50万年で逆転した時もあるという。

近年の研究では、磁場逆転は地球上の生命を脅かすことがわかってきている。磁場逆転が起こると、磁力が徐々に弱まって一時的にゼロとなるため、地球には磁場によって生じるバリアがなくなる。結果、地球は宇宙からの放射線や強い太陽風にさらされ、多くの生物の絶滅を招くというのである。有害な放射線のほとんどは大気に吸収されるため、大事には至らないとする説もあるが、地球の環境が大きく変わり、人類を含む多くの生物が絶滅の危機にさらされる可能性は十分あるのだ。地球は、このところ70万年も磁場逆転を起こしていないという。今や磁場逆転がいつ起きても不思議はない状態にあるのだ。

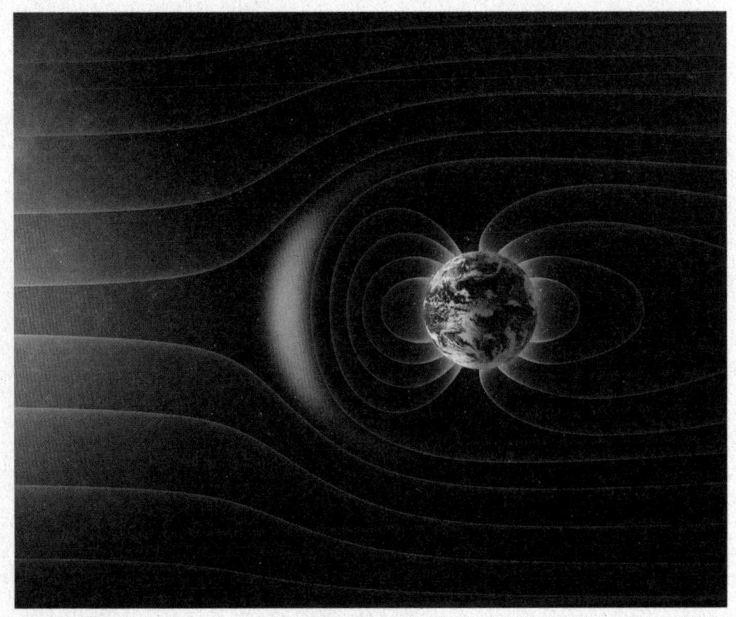

磁場に守られる地球のイメージ図。磁場の逆転現象が起こると、地球の生物は重大な危機にさらされる可能性が高い。

チンギス・ハンの墓

種別 死にまつわる謎　地域 モンゴル国

その墓はどこにある?
チンギス・ハン最大のミステリー

1206年、モンゴル高原を統一したのが遊牧民族出身のテムジンことチンギス・ハンである。彼はさらに金や西遼、西夏などの周辺諸国に次々と遠征軍を派遣し、アジアの大部分とヨーロッパ東部に跨るモンゴル帝国の基礎を築いた。

一方で彼は謎多き人物でもある。特に最大のミステリーが墓の所在地。チンギス・ハンは1227年、西夏への遠征途上に六盤山で没したが、自らの埋葬場所を隠すようにと遺言したと伝えられる。

そのため墓の場所が後世に伝えられず、早くから彼の墓探しが行なわれてきた。古くはチンギス・ハン自らが「墓にしたい」と望んだ生まれ故郷に近い「ブルカン・カルドゥン(聖なる山)」や、2代以降の皇帝が葬られた「起輦谷」などが候補地とされるも、場所を特定できなかった。

20世紀には中国が中国内蒙古自治区オルドス地方などを候補地とするも、2004年、日本の調査隊が、モンゴルの首都ウランバートルから東へ250kmのケルレン川沿いのアウラガ遺跡の調査を行ない、この地がチンギス・ハンの霊廟とされていたことを発表した。

さらに2009年には、チンギス・ハンの子孫を名乗る女性が墓の場所は代々口承で伝えられているという衝撃の告白をする。

その墓は四川省カンゼ・チベット族自治州の山の中の洞窟にあり、今も4年に一度身内で墓参りを続けているという。ユーラシア大陸に空前の大帝国を築いた英雄は、果たしてどこに眠っているのだろうか?

モンゴルの巨大な
チンギス・ハン像。

9・11陰謀論

種別 陰謀　地域 アメリカ合衆国

未曾有のテロ事件となった9.11の背景では、恐るべき陰謀の存在が噂されている。

 悲劇は仕組まれていた？ 根強い9・11同時多発テロの陰謀論

2001年9月11日、イスラーム原理主義組織アルカイダに属するテロリストが、民間航空機4機をほぼ同時にハイジャックし、ニューヨークの世界貿易センタービルやペンタゴンに突入させるという、前代未聞の同時多発テロが世界を震撼させたのは記憶に新しい。

多くの悲劇をもたらした事件だったが、実はこの事件は不可解な点が多く、アメリカの自作自演だったのではないかという噂がまことしやかに囁かれている。

世界貿易センタービルは航空機に突入されて炎上し崩壊した。ところが1000度を超えないジェット機の燃料の火力では、溶解点が摂氏1200度のビルの鉄骨を炎上させるのは不可能。そこで、もともとビルには爆弾が仕掛けられていたのではないかと指摘されたのだ。実は事前に同ビルをアルカイダが狙っているという情報をアメリカ政府はつかんでおり、ライス国務長官は大統領日報に9月11日の航空機に搭乗しないように警告していた。何よりこのテロにより、アメリカのブッシュ大統領は、国際世論の後押しを受けてアフガン戦争、イラク戦争を起こすことに成功。「テロとの戦い」を名目に石油利権の拡大に成功し、軍需産業に富をもたらした。このことが陰謀の存在を示す最大の証ではないかと指摘されている。

沖縄ロゼッタストーン

種別 ミステリー遺産　地域 日本

刻まれているのは琉球独自の文字か!?

沖縄では、もっぱら漢字やひらがなが用いられてきたため、固有の文字はないとされていた。しかし、文字のようなものが記された石板が、浦添や北谷町など沖縄各地で10枚以上発見されており、定説に一石を投じている。

石板は、大きいもので縦が35cm、横が25cm、厚さは2～5cmほど。古代エジプトの象形文字を解読する手がかりとなったロゼッタストーンによく似ているので、「沖縄ロゼッタストーン」と呼ばれている。磨き上げた表面には鳥や建物、舟などの絵、ジクザクや渦巻きの文様、そして漢数字やアルファベットに似た文字らしきものも刻まれている。

発見されたのは、グスク（城）、神を祀る拝所、墓の近くなどである。いつの時代に作られたかは不明だが、ほとんどは地中に埋もれていたのでなく、地表に現われていたところを採取された。つい最近まで、洞窟で実際に御神体として崇められていたものもある。沖縄にはユタ（巫女）が占いや祈祷をして神の声を伝える風習があるが、石板はユタが知識を継承するために用いてきたものなのかもしれない。

沖縄ロゼッタストーンの研究は、まだ始まったばかり。しかしこれが文字なら、独自の琉球文字の発見ということになる。

不思議な線文字が刻まれる線刻石板。意味や用途が不明なことから、「沖縄ロゼッタストーン」と呼ばれる（沖縄県立博物館・美術館所蔵）。

File No.114
本日のテーマ
UMAと怪人

件（くだん）

種別 妖怪　地域 日本、タイ王国

予言をする牛と人のハイブリッドな妖怪

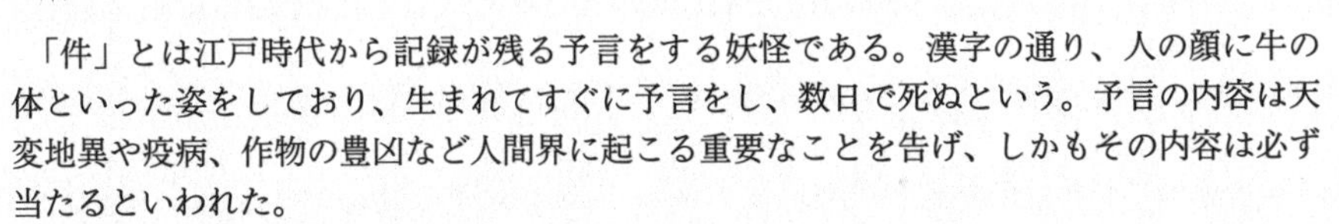

「件」とは江戸時代から記録が残る予言をする妖怪である。漢字の通り、人の顔に牛の体といった姿をしており、生まれてすぐに予言をし、数日で死ぬという。予言の内容は天変地異や疫病、作物の豊凶など人間界に起こる重要なことを告げ、しかもその内容は必ず当たるといわれた。

江戸時代後期から西日本を中心に何度か目撃例が報告され、当初はこの件の護符を貼っておけば厄除けになるというお告げもあったようだ。

件は明治以降も戦争や地震といった大きな事変がある時に出現し、第2次世界大戦時の空襲前や阪神淡路大震災の時にも出現が噂された現代に根付く妖怪である。

そして2007年、タイの小さな村に件が出現し、その生物が葬られた様子がネットで公開されて話題を呼んだ。その生物の体は白く体長80cm程度。頭部は人、体は牛に似た姿で手足の先は蹄があった。ウシの奇形や異星人説が飛び交ったが、その姿から日本では件を想起させた。ただしこの生物が予言をしたかどうかはわかっていない。

丹後倉橋山に現われた件を報じる1836年（天保7）の瓦版。牛の体に人間の頭部を持っている。

セゴキャニオンの岩絵

種別 古代遺跡の謎 地域 アメリカ合衆国

ネイディブアメリカンの岩壁絵から浮かび上がる宇宙人の存在

アメリカ合衆国ユタ州にあるセゴキャニオンの岩絵は、昔この地域に住んでいたネイティブアメリカンの8000年にもわたる文化や精神生活の記録が描かれている貴重なものだ。岩絵は年代によって大きく3つのグループに分けられており、最も古い作例は紀元前6000～200年頃に描かれたとされるバリアキャニオン・スタイルと呼ばれる岩絵だ。

ここに描かれている人物の姿をよく見てほしい。確かに人間らしい姿はしているが、よく見ると、手足がなかったり、頭から触覚のようなものが出ていたり、目がなかったり、目が昆虫のようだったり、体に空洞があるような人物もいる。そして、彼らは非常に巨大で、中には背丈が2.7mに達する人物もいるのである。

これを見てピンと来た人は多いことだろう。そう、描かれた人物は我々と同じ人類種ではない。なにより、現代人が描く宇宙人の姿にそっくりではないか。

研究者の多くは、これはシャーマンであり、呪術の場面を描いたものだと解説しているが、宇宙人の存在を現代に伝えるものである可能性を否定する材料はどこにもない。古代アメリカの先住民たちは、この荒野を舞台に宇宙人と交流していたのかもしれない。

セゴキャニオンの岩絵に登場する人型の生き物。その姿はまるで宇宙人のようである。

エディンバラ城

種別 幽霊　地域 イギリス

エディンバラ最大のランドマークであり、スコットランド独立の象徴でもあったエディンバラ城。城内には怨念が渦巻いているのかも？

 ラップ音現象が頻発するスコットランドのランドマーク

スコットランドの首都エディンバラの旧市街の中心に、キャッスル・ロックと呼ばれる急峻な岩山がある。この岩山の上にそびえているのが、エディンバラ城である。

このエディンバラ城、実はヨーロッパ最大の心霊スポットという裏の顔も持っている。

7世紀にスコットランド王の居城兼要塞として築かれて以降、城塞化され、スコットランドの軍事拠点となった。

13世紀末にはこの城を拠点に、スコットランドがイングランドからの独立戦争を繰り広げたのである。城を巡る戦いも起こっており、多くの死者が出ている。さらには、魔女狩りの舞台ともなったと伝わり、幽霊の「種」には事欠かない。

今も民族衣装をまとった衛兵が立ち、空砲を発射する儀式が行なわれていて、観光スポットとして人気の高い城だが、夜間には幽霊ツアーが行なわれる。エディンバラ城の地下には市街まで抜ける長い地下道があるのだが、中を歩いていると、突然バグパイプの音やマーチドラムが聞こえるなど、ラップ音現象が頻発しているのである。長い歴史の中で無念の死を遂げた人々の怨念が、今も地下道に渦巻いているのかもしれない。

File No. 117
本日のテーマ
宇宙・自然の神秘

甲府事件

種別 UFO　地域 日本

少年の肩を叩いた謎の宇宙人

UFOの目撃証言は世界中にたくさんあるが、日本の甲府市で起きた目撃証言は、あまりにもリアルだ。

1975年2月23日のことである。山梨県甲府市で、学校帰りのふたりの少年がUFOを目撃した。その後、UFOは近くのぶどう畑に着陸したという。

興味を持った少年たちがUFOに近づくと、中から宇宙人が現われて、ひとりの少年の肩を叩いたというのである。驚いた少年は腰を抜かしてしまい、もうひとりの少年が彼をおんぶして逃げたという。

ふたりの少年の証言は、当初はいたずらや虚言に違いないとされ、誰も信用しなかったのだが、その後、近所の大人たちもUFOを目撃していたことや、UFOが着陸した地点から痕跡が発見されたことなどから、一躍信憑性が高まったのである。

一連の出来事は「甲府事件」と呼ばれ、日本のUFO史に残る大事件として記録されているが、真相は今も謎のままだ。

果たして甲府の少年たちが遭遇したのは、本当にUFOと宇宙人だったのか？

アレクサンドロス大王の墓

File No. 118
本日のテーマ
歴史のミステリー

種別 死にまつわる謎 地域 エジプト・アラブ共和国

『アレクサンドロス大王の墓の前のアウグストゥス』(セバスチャン・ブルドン)。果たしてこの墓はどこに眠っているのだろうか？

歴史の彼方へと消え去った征服王の墓

マケドニアのアレクサンドロス大王は、紀元前335年に東征に出てアケメネス朝ペルシャを征服し、南はエジプト、東はインダス川までを支配下に治めた英雄である。しかし紀元前323年、マラリアに感染して32歳の若さで病死した。

その死後、彼の墓は数奇な運命をたどることになる。故国マケドニアで葬られる予定が、後継者の地位を狙う武将のプトレマイオスによって遺体がエジプトへ運ばれたのが始まりだった。そしてアレクサンドリアの一等地に壮麗な墓所が建てられ、のちのローマ皇帝もその墓に参拝したと伝えられる。

ところが丁重に扱われたはずの墓が今はその所在地さえ不明となっている。なぜならアレクサンドリアはその後、多くの勢力争いの舞台となり、その過程で墓所が記録から姿を消してしまったからである。さらに4世紀や8世紀に地震や津波が発生し、墓所も水中または地中に埋没したようだ。エジプトがイスラーム勢力の支配下に入ると、大王の墓は忘れ去られた。こうして歴史の彼方へと消えた大王の墓だが、現代になって沖合の海底を含めた大規模な発掘が進んでいる。大王の墓が発見される日も近いかもしれない。

《暗い日曜日》のジンクス

種別 都市伝説 地域 ハンガリー、イギリス

《暗い日曜日》の作詞者ヤーヴォル・ラースロー(左)。自殺をほのめかす彼の歌を聞くと、本当に死にたくなってしまうのだろうか？

 ハンガリーで生まれた楽曲が“自殺の聖歌”と呼ばれたワケ

1935年にハンガリーで発表された《暗い日曜日》という歌にはあるおぞましい都市伝説がある。この歌を聞いた人々は次々と自殺してしまうというのだ。自殺した人の部屋に《暗い日曜日》の歌詞が書かれた遺書があったり、首吊りをした人の足下に《暗い日曜日》の楽譜が落ちていたりしたため、この歌を聞いた後に死んだのではないかと噂されたのだ。では、どのような歌かというと、ヤーヴォル・ラースロー作詞、シェレシュ・レジェー作曲で、恋人と別れた女性が、その別れの哀しみを思い出しながら最後は自ら命を絶つことを告げる内容である。この歌を聞いていると、死にたくなってしまうのだろうか。

この曲は世界情勢が不安な時期に発表されたため、その暗い状況とあいまって自殺を誘発したのではないかと指摘する人もいる。30年後のことではあるが作曲者のレジェーも自ら命を絶っている。ただ日本でも多くの歌手がカバーしたものの自殺した人の話は聞かない。しかしその一方で、死人が相次いだためかイギリスのBBCでは放送禁止になったといういわくつきの歌なのである。

オリハルコン

種別 ミステリー遺産　地域 イタリア共和国

アトランティス大陸の発見につながる貴重な輝き

ファンタジー小説やゲームなどに、非常に硬い金属として登場するオリハルコンは、もともと古代ギリシア・ローマの多くの文献に登場する、希少で美しい物質である。哲学者のプラトンの著作『クリティアス』の中に、「アトランティスはオリハルコンの赤い光で輝いている」という記述があることから、電力のようなエネルギーを発するものではないか、海に沈んだという幻のアトランティス大陸を探す手がかりになるものではないかと関心を集めてきた。

またプラトンは、オリハルコンについて「金の次に価値ある金属だった」とも記しているため、おそらくは銅と亜鉛の合金である真鍮（しんちゅう）ではないかと考えられてきた。

2015年、このオリハルコンが発見されたという報道がなされた。イタリアの海洋考古学者のグループが、沈没船から引き揚げた39個の金属の塊が、いずれも精錬して鋳型で固めたインゴットの形状になっており、分析の結果、銅と亜鉛を主とし、ニッケルと鉛、鉄も含む合金であることが判明したのである。場所は地中海に浮かぶシチリア島の沖合30mの海底。アトランティス大陸の所在については、大西洋説、地中海説などがあるが、なかでも有力視されているのが、紀元前1628年頃に島の形を変え、ミノア文明を滅ぼすほどの大噴火を起こしたサントリーニ島である。この塊がオリハルコンだという証明がなされれば、地中海説が有力になってくる。

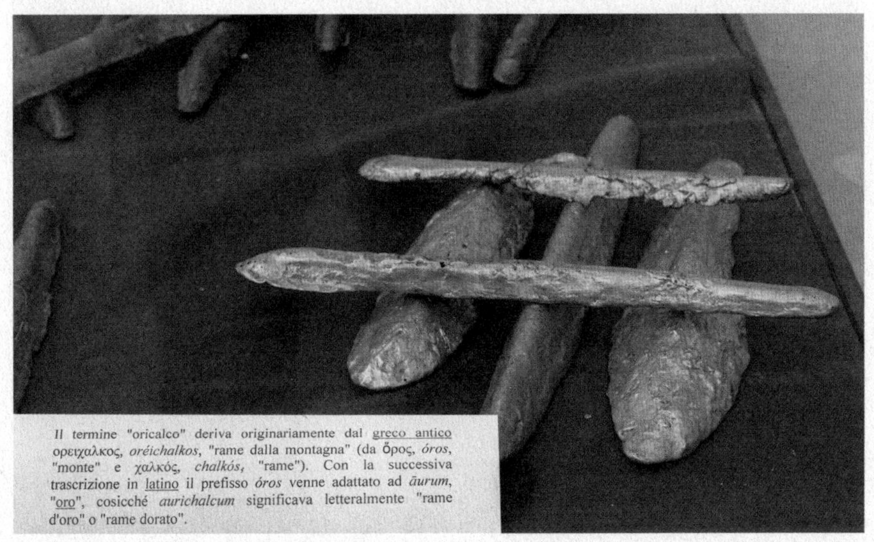

2015年に発見された未知の金属の塊。果たしてこれこそがアトランティスで生産されていたオリハルコンなのだろうか？

第18週 第2日目

ケサランパサラン

種別 妖怪　地域 日本

しまっておくと幸運を呼ぶ白い毛玉

フワフワと空中を浮遊する、白い謎の毛玉「ケサランパサラン」。東北地方を中心に江戸時代から語り継がれてきたこの妖怪は、幸せを招くともいわれている。

ケサンランパサランは江戸時代の頃から東北地方で目撃されており、春先に神社の境内や深い山の中に落ちたり、雷と一緒に天から降ってきたりするという。これを捕まえてタンスの奥などにしまっておくと、雨乞いの効果があったり、タンスの中の着物が増えたりするといった様々な恵みをもたらすといわれた。

しかもこのケサランパサランは、白粉と一緒に置いておくと、それを食べて増殖するという面白い性質も持っていた。平成に入ってもケサランパサランの毛の塊が大きくなった、増えたという目撃談が報告されている。

ただし逆に怖い伝説もある。このケサランパサランには1年に1度しか見てはいけないという禁忌があり、それを破ると不幸に襲われるというのだ。とはいえ、それさえ守っていればよいのだから何ともありがたい妖怪なのかもしれない。

正体については「タンポポモドキ」という植物説や、ビワの木に生息するという伝承のほか、動物、植物説も含めて諸説あり、いまだ謎めいた存在である。

姫路市立動物園に展示されているケサランパサラン。（写真：姫路市立動物園）

ロンゴロンゴ文字

種別 古代文明の謎 地域 チリ共和国イースター島

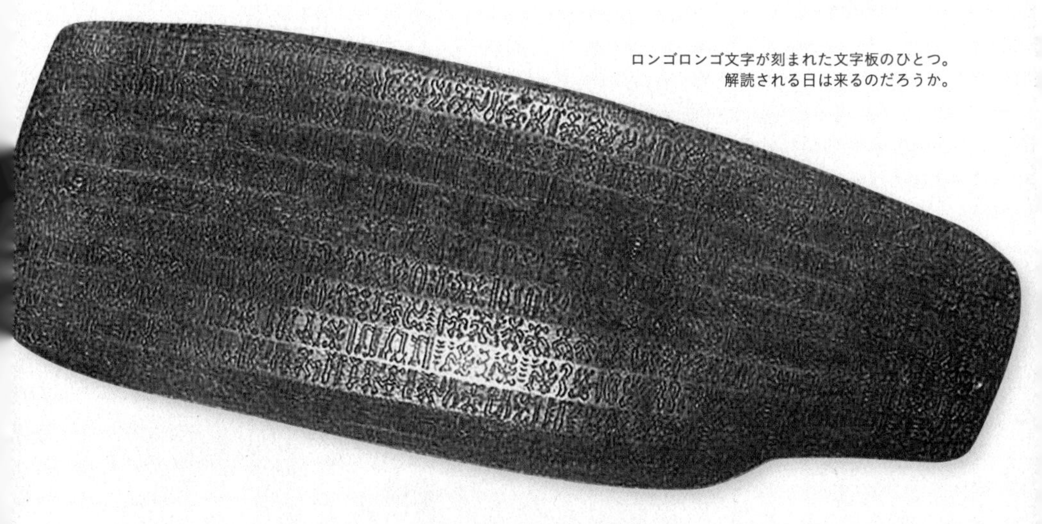

ロンゴロンゴ文字が刻まれた文字板のひとつ。
解読される日は来るのだろうか。

誰も読めない!? イースター島に残る謎の文字

モアイ像で有名なイースター島には、「コハウ・ロンゴロンゴ（もの言う板）」、略してロンゴロンゴと呼ばれる文字が伝わる。伝説によれば、ロンゴロンゴはイースター島最初の王であるホツ・マツアがこの島に移住した際にもたらしたものだったという。木の板や棒に刻まれた象形文字だが、ロンゴロンゴはこの島にしか存在せず、読める人がいないのだ。

多くの研究者が解読を試みたが、約120の基礎的な記号を様々に結合して1000～2000の文字が作られているらしいことが判明した程度で、いまだ誰も満足に文章として読むことができないのである。

1770年にイースター島がスペイン領になった時、古老がこの文字を書いたとされているし、1864年にジョエフ・エイロー神父がこの島を訪れた時にも、多くの家にロンゴロンゴが書かれた板があったと記録されている。つまり、この時点では読める人がいたはずなのだが、ロンゴロンゴはイースター島の上流階級にあたる王や神官が使っていた文字で、彼らが1862年に全員奴隷として連れ去られてしまったため、島内に読める人がいなくなってしまったのだ。しかも、その後、島でキリスト教の布教活動が行なわれた際に、悪魔の文字だとして多くが焼かれてしまった結果、文字板もわずか20枚程度しか残っておらず、研究材料も少ないというわけである。

ブーディカの怨霊

種別 幽霊 地域 イギリス

イギリスを代表する女性のひとり、イケニ族王女の霊

1世紀頃、ブリタニアと呼ばれていたイングランドはケルト人の部族が割拠する状態にあり、その中のひとつがイケニ族だった。ブーディカはイケニ族の女王で、夫の死後、その領土が娘たちに相続されず、ローマ皇帝のネロに奪われたことから抗議したところ、娘たちとともにローマ帝国の役人たちから狼藉を受けてしまう。

これに怒ったブーディカは反乱を起こし、ローマ帝国に立ち向かったのである。

ブーディカ軍は敗北したものの、彼女は、現在でもイギリス史を代表する女性のひとりとされている。

そんなブーディカの幽霊が、突然19世紀中頃からリンカンシャー州で目撃されるようになった。ブーディカはチャリオットを駆って疾走しているという。

さらに、ロンドン北東のエッピングの森では、ブーディカの亡霊が徘徊しているという。この地はブーディカが最期を迎えた地だといわれているので、彼女の怨念が今も森に留まっているのかもしれない。

ローマ帝国に反旗を翻したケルトの女王ブーディカ。

ブラジル異常

種別 自然の神秘　地域 ブラジル連邦共和国

ブラジル沖上空で人工衛星が次々に故障

地球が誕生した頃、地表には太陽風が吹きつけ、宇宙線が容赦なく降り注いでいた。当時はまだ地球に生命らしきものが存在しなかったことが幸いだったといえるだろう。

その後、地球に磁場ができたことで形づくられたのが「バン・アレン帯」と呼ばれる放射線帯で、放射線などの有害な宇宙線がバン・アレン帯の中に閉じ込められるため、地球上で生命が生存できるようになったというわけだ。

しかし最近、奇妙なことが起きている。人工衛星がブラジル沖上空でよく故障するのだ。2013年1月までに7000機もの人工衛星が打ち上げられたが、寿命を迎えて落ちた3500機を除いて、当時飛んでいたのは3500機。そのうちのおよそ75%がブラジル沖上空での故障を経験したというのである。

1990年に打ち上げられたハッブル宇宙望遠鏡も、1日に10回もブラジル沖上空を通過したところ、やはりブラジル沖にて異常が発見されたという。

ブラジル沖でバン・アレン帯の磁場強度が極端に弱くなっているからではないかとする説があるが、原因は定かではない。ただ、ブラジル沖上空で何かが起きていることだけは間違いないだろう。

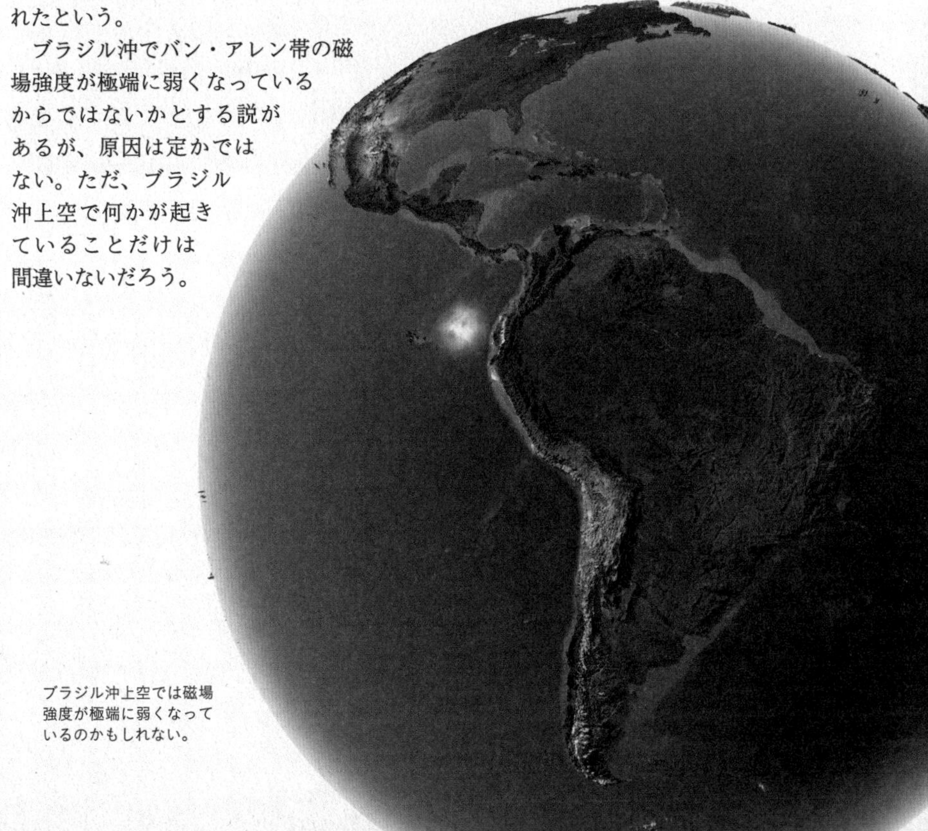

ブラジル沖上空では磁場強度が極端に弱くなっているのかもしれない。

File No. 125
本日のテーマ
歴史のミステリー

第18週 第6日目

マグダラのマリア

種別 ミステリアスな人物　地域 イスラエル国

『洞窟のマグダラのマリア』（ジョゼフ・ルフェーブル）。マグダラのマリアは、イエスの言葉によって改心し、最後まで付き従ったと伝わる女性信者だ。

イエス・キリストには妻がいた!?

キリスト教を開いたイエス・キリストには、いくつもの謎があるが、そのひとつに妻帯していたのではないかというものがある。2012年には、イエスが自分の妻について語った8世紀のパピルス片文献「イエスの妻による福音書」が発見され、話題になった。そこには「イエスは彼らに言った。私の妻は……彼女は私の弟子になることができ……」と書かれており、イエスが妻の存在をほのめかしていたのである。

実はイエス・キリストが妻帯していたのではないかという噂は古くから議論の的となってきた。その妻の最有力として挙げられてきたのがマグダラのマリアである。聖書に"罪深き女"として描かれ、イエスに悪霊を追い祓ってもらったマリアは、イエスの信者となり従った。そしてイエスの最期と復活を見届けるなど、イエスの身近な存在で、妻にふさわしい女性とみなされたのだろう。その後については南仏へ渡り布教を行なった末に没したとされ、亡骸はエクス＝アン＝プロヴァンスに葬られたともいう。

果たしてイエスは妻帯し、その妻はマグダラのマリアだったのだろうか。2012年の発見がその謎に一歩迫っているのかもしれない。

ブラックドック

File No.126
本日のテーマ
都市伝説と陰謀論

種別 都市伝説　地域 イギリス

監獄に出没し囚人たちを襲った魔犬の伝説

イギリス屈指の怪奇スポットのひとつが、ロンドンにある中央刑事裁判所である。裁判所と怪奇がどう結びつくのかというと、ここが多くの死刑囚が殺されたニューゲート監獄という刑務所の跡地だからである。そのため幽霊を見たという話は枚挙にいとまがない。その中で恐れられているのが、今も出没するというブラックドッグという魔犬である。

この怪異の登場は13世紀にさかのぼる。当時、ロンドンは大飢饉に見舞われ、ニューゲート監獄の囚人たちも飢えに苦しんでいた。そこで囚人たちは新しい入獄者を殺してその肉を食べるようになった。

魔法を使った罪で男が入獄してきた時も、当然の習慣のように囚人たちはこの男を殺して食べた。するとその殺された囚人が、目から炎を吹き出し、口から血を流した魔犬となり、囚人を次々と襲っていったのである。

このブラックドックは今もこの監獄跡地を徘徊しているという。さらにイギリス中に不吉のシンボルとして出没するようになり、時には人を襲うこともあるとされている。

13世紀から長きにわたりイギリスの人々を恐怖させる魔犬。

第19週 第1日目

聖徳太子の地球儀

種別 ミステリー遺産　地域 日本

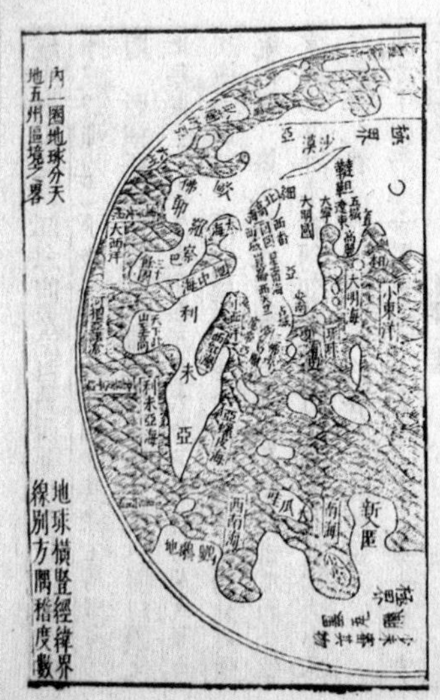

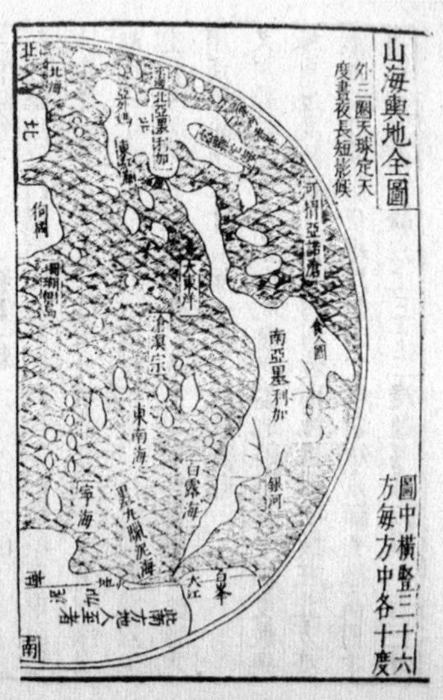

地中石の地形と酷似するといわれ、『和漢三才図会』でも紹介される『三才図絵』の世界地図「山海輿地全図」。

聖徳太子は、地球が丸いことを知っていたのだろうか？

兵庫県の斑鳩寺（いかるがでら）は、聖徳太子の創建と伝えられ、太子ゆかりの品が数多く納められている。実はその中に、地球儀とおぼしき物体がある。「地中石（ちちゅうせき）」と呼ばれるその物体はソフトボールほどの大きさで、表面にはユーラシア大陸、アフリカ大陸、アメリカ大陸、南極大陸の形が浮き彫りになっている。すぐれた知性の持ち主だった聖徳太子は、地球が丸いことを知り、地球儀を手にして眺めていたのだろうか。また表面には「墨瓦臘泥加」という文字も刻まれているが、これは何のことだろうか。

しかし、「地中石」は漆喰を海藻糊で固めてできているが、これは戦国時代以降の日本独特の技法であることが判明している。また「地中石」には実在の大陸だけではなく、ヨーロッパの人々が実在すると考えていたムー大陸が刻まれているし、「墨瓦臘泥加」はメガラニカと読み、これもヨーロッパの人々が実在すると考えていた南半球の大陸である。

これらのことから、「地中石」は江戸時代頃にヨーロッパから伝わった知識をもとに日本で作られ、斑鳩寺に納められた品と考えられる。

現在では、「地中石」を作ったのは江戸時代の医師、寺島良安と推測されるまでになった。良安は、日本初の百科事典ともいうべき『和漢三才図会（わかんさんさいずえ）』を編纂した才人で、そこに描かれた地球の絵が「地中石」とよく似ているのだ。とはいえ、なぜ「地中石」がわざわざ斑鳩寺に奉納されたのかは、納得できる理由が見つからない。

スレンダーマン

種別 怪人　**地域** アメリカ合衆国

File No. 128 本日のテーマ UMAと怪人

インターネットから飛び出した現代の怪人

スレンダーマンは21世紀、インターネットで語られ始めた怪人である。その名の通り背が異様に高く、顔は目、鼻、口などがないいわゆるのっぺらぼう。黒い背広を着て人をストーカーのように追跡し精神的に負い込む。さらにテレポーテーションなどの超常的な力を持ち、一瞬で人に近づいたり現われたりもする。人を誘拐、殺害するといった危害を加えることもあったという。人間を木に串刺しにして、内臓を奪うともいわれた。

標的にされるのは主に子供で、大人の眼には見えないが、写真や映像であればその姿が映るという。

これを聞けば不思議で怖い怪人だが、実はこれ、2009年にアメリカで「超常的な画像をつくろう」という企画で創作されたもの。つまりフェイクなのである。

公園で遊ぶ子供たちの背後にスレンダーマンが写った写真を撮り、「この場にいた子供たちは行方不明になった」という物語まで作られた。このスレンダーマンの噂がネットの中で広まると、子供を誘拐して殺す、16世紀のドイツに出現したなど様々な物語が創り上げられていった。

ところがその後、現実の誘拐事件や行方不明事件の前にスレンダーマンを見たという目撃談が語られるようになる。人間が生み出した空想上の怪人が、ネットを飛び出し現実に存在し始めたようである。

スレンダーマンは現実の世界に現われてしまったのか？

スフィンクスの建設年代

種別 古代遺跡の謎 地域 エジプト・アラブ共和国

スフィンクスはエジプト文明のはるか前から存在していた!?

ギザの大ピラミッドの傍らに鎮座するスフィンクスは、高さ約20m、全長約73mにもおよび、6階建てのビルにも相当するほどの巨像だ。紀元前2500年頃、第4王朝カフラー王の命令で建造されたというのが定説である。

しかし、これぐらいで驚いていてはいけない。なんと1991年に、ボストン大学の地質学者ロバート・ショークが、スフィンクスは紀元前7000～紀元前5000年の間に造られたものだという説を唱えたのである。この根拠はスフィンクスに刻まれている縦方向の溝。これをショークは激しい雨によって生じた大洪水の痕跡だとした。しかし、ギザの地で岩を削り取るほどの洪水は、紀元前2500年以降は記録されていない。豪雨が続くような雨季があったのは、紀元前7000～紀元前5000年の時代であり、それゆえスフィンクスもこの時期に築かれたものと結論づけたのだ。

エジプトの初期王朝が成立したのは紀元前3000年頃のことなので、この説が事実ならば、スフィンクスはエジプト王朝の成立よりはるか前からギザの地に存在していたことになる。

ギザのピラミッドを守るようにして鎮座するスフィンクスであるが、その建築年代はピラミッドよりも古かった!?

交霊会

種別 呪術 地域 イギリス

世界最先端の国で大流行したスピリチュアリズム

19世紀のイギリスは、産業革命が成熟し、世界初のロンドン万博が開かれるなど、科学万能主義が到来していた。世界で最も科学が進歩し、発展した最先端の国だったといえるだろう。

そんなイギリスで同じ頃、科学とは真逆ともいえる交霊会が大ブームになっていた。

交霊というと実は起源が古く、旧約聖書においても孤独にさいなまれるイスラエルの王サウルが、預言者サムエルの霊を、巫女を介して呼び出し、その悲惨な末路を告げられるという描写が見られる。

19世紀のイギリス各地で流行していたのも、旧約聖書と同じように霊媒師を介して霊を呼ぶ「交霊会」である。そのスタイルは、霊媒師を中心に5人ほどの大人が集まり、霊媒師に取りついた霊の言葉を聞くというものだ。ほかにも、コックリさんのようなウィジャ盤、トランス状態の霊媒師が文字を書く自動書記、ポルターガイストなどが人気を博した。

1838年にフランスで写真機の先祖であるダゲレオタイプが発明されると、交霊会に持ち込んで写真を撮ることが大流行。イギリスは心霊写真の先進国でもあったわけである。

イギリスで流行した交霊会の様子。
（写真：Science Photo Library ／アフロ）

File No. 131
本日のテーマ
宇宙・自然の神秘

太陽フレアの脅威

種別 宇宙の不思議　地域 太陽

巨大な太陽フレアは地球にも甚大な被害をもたらす。

 はるか遠くの太陽で起きる太陽フレアが地球におよぼす脅威

太陽は人類にとってなくてはならない存在だが、時に人類に脅威をもたらすこともある。たとえば太陽フレアだ。

太陽フレアとは太陽の表面で起こる爆発現象のことで、太陽フレアによって発生するエネルギーは、1Mt級の核兵器150億個分という天文学的数字を叩き出す。この爆発現象によってX線やガンマ線などの放射線が発生し、約8分で地球に到達するといわれている。

太陽フレアは、地球にも影響をおよぼしている。1989年3月、アメリカ北部のニューヨークやワシントン、フロリダで美しいオーロラが観測された。オーロラは北極、南極地方などに見られる現象で、低緯度の都市部で発生することはまずないが、3日前に起きた巨大なエネルギーの太陽フレアによって、通常より強い太陽嵐が地球に吹きつけたことで、地磁気が乱れ、低緯度地方でオーロラが発生したのである。さらに、3月13日にはカナダで「ブラック・マンデー」と呼ばれる大停電が発生し、600万人もの人々が10時間も電力供給なしの生活を強いられた。これは、オーロラの中を流れるプラズマと地磁気との衝突で大電流が生まれ、地上の送電線に電流を誘導して変圧器を破壊したことが原因だった。

1986年2月には、カナダ・バンクーバー発の特急列車が、貨物列車と正面衝突する事故が起きた。これも太陽フレアの影響で大規模な磁気嵐が起きていたために、停車を告げる無線メッセージが運転士に正しく伝わらなかったことが原因ではないかと考えられている。

地球から約1億5000万kmも離れた太陽で起きる太陽フレアだが、その影響は私たちが想像するよりはるかに大きいものなのだ。

パットンの輪廻転生

種別 死にまつわる謎　地域 アメリカ合衆国

アメリカ軍戦車部隊の英雄は、何度も生まれ変わっていた？

第2次世界大戦時、ノルマンディー上陸作戦などで活躍した名将のひとりにジョージ・パットンがいる。戦車部隊を指揮し、M46戦車の愛称にその名が付けられたことでも有名だ。

彼が次々と作戦を成功させたのは、部下たちも驚くほどの優れた直感力によるところが大きいという。

ところが彼曰（いわ）くそれには大きな秘密があった。彼は何度も輪廻転生して軍人に生まれ変わっているため、世界各地の戦場を知り尽くしていたというのだ。

紀元前3世紀には第2次ポエニ戦争に従軍し、カルタゴの将軍ハンニバルと共にアルプス越えをした。転生後の人生ではカエサルやナポレオンの下でも戦ったと告白している。そのためアメリカ人でありながらヨーロッパの地理にも詳しく、初めて訪れた場所でも自ら道案内することがあったという。

まさに世界と歴史をまたにかけた転生で、彼は人智を超えた名将として活躍したのである。

そして自らの死も予告。ヨーロッパで死ぬと予言した半年後、赴任先のドイツで事故死した。転生を繰り返してきた彼は、今も軍人に転生して活躍しているのかもしれない。

今もパットンは転生を繰り返しながら、軍人に転生して活躍しているのかもしれない。

グレン・ミラーの死

種別 未解決事件　地域 アメリカ合衆国

彼はどこで死んだ？ スウィングの帝王の不可解な死

人気ビッグバンドを率いて《ムーンライトセレナーデ》《イン・ザ・ムード》などの名曲を次々に世に送り出し、“スウィングの帝王”と呼ばれた作曲家グレン・ミラーだが、その最期は今もミステリーとして語り継がれている。

1944年12月15日、ミラーは兵士慰問のため単発小型機ノールダインUC-64A「ノースマン」でイギリスからパリへ向かって飛び立った。しかしイギリス海峡の上空でその飛行機とミラーを含む搭乗員3名は姿を消したのである。上空でのエンジン故障などにより海に墜落したとみられたが、搭乗員の遺体はおろか飛行機の残骸もいまだ見つからず、墜落した形跡もなかった。

不可解な死に数々の憶測が生まれた。のちにミラーの弟が「兄はガンのためパリで死んだ。英雄らしい死を望む兄のために偽装工作をした」と意味深な発言をしたが確証はない。また、味方の誤爆説なども出たが、珍説といえるのがパリの売春宿の話だろう。友人の俳優ニーブンの手引きで1日早くパリ入りして売春宿へ行ったミラーはそこでトラブルに遭遇し頭に怪我を負ってしまう。

ニーブンはこれを隠すため失踪をでっちあげる一方で、ミラーをひそかにオハイオに送るも彼はじきに死んだというもの。

その後ミラーをオハイオの病院で見たという兵士も現われたが、ことの真相は謎のままである。

不可解な航空事故で消息を絶った“スウィングの帝王”グレン・ミラー。

ピルトダウン人

種別 ミステリー遺産　地域 イギリス

人間とオランウータンの骨を組み合わせた捏造事件

20世紀初頭、ロンドン郊外のピルトダウンで、50万年前の原人にあたる人類の化石人骨が出土したニュースは、世間をおおいに賑わわせた。発掘したのは弁護士でアマチュア考古学者のチャールズ・ドーソンで、大英自然史博物館のアーサー・スミス・ウッドワードら協力者たちも学界の賞賛を浴びた。頭蓋骨は現生人類に酷似しながら、顎と歯は類人猿に似るというその化石人類はピルトダウン人と名付けられた。

ところが40年以上経って行なわれた科学的検査で、これは人類の祖先の骨ではなく、新しい時代の人間とオランウータンの骨を組み合わせ、巧みに加工したものであると断定されてしまう。発見当時は、権威ある学者たちもすっかりだまされていたのである。

では、捏造の犯人は誰だったのだろうか。関わった者たちはすでに没しており、様々に取り沙汰された。博物館の助手や、『シャーロック・ホームズ』の作者で発掘現場の近くに住んでいた小説家のコナン・ドイルの名まで挙げられた。

今では、発掘者のドーソンが自身で偽物の骨を作成した以外には考えられず、捏造者はドーソンだったという結論が出ている。弁護士でありながら、考古学界に認められたい、賞賛されたいという思いから、このような事件を起こしたのだろうか。今となっては知る由もない。

捏造された人骨をもとに描かれたピルトダウン人の想像図。

切り裂きジャック

種別 怪人　地域 イギリス

切り裂きジャックは、ロンドンの人々を恐怖に陥れたまま姿を消した。

女性たちを次々と惨殺した殺人鬼の真犯人とは

1888年8月から11月にかけ、イギリスの首都ロンドンのイーストエンド・オブ・ロンドン、ホワイトチャペルで次々と5人の娼婦が惨殺される猟奇的な連続殺人事件が起きた。

残された遺体は刃物で喉を切り裂かれたばかりか、バラバラに切り離されたうえ、内臓を取り出されるという凄惨な状態で、そのあまりに残忍な犯行がイギリス中を恐怖のどん底に突き落とした。警察の捜査にもかかわらず犯人は特定されず、人々は正体不明の殺人者を「切り裂きジャック」と呼ぶようになった。

この犯人については様々な憶測を呼び、おびただしい数の犯人候補が挙げられた。なかでも世間に衝撃を与えたのが、1970年にトマス・ストウェル医師が発表したクラレンス公エドワード説である。エドワードはヴィクトリア女王の孫にあたり、イングランドの王位継承候補者だったため人々が驚いたのも無理はない。

ストウェルは王室侍医の手記を読んで、エドワードの死因がインフルエンザによるものではなく、梅毒だったと知る。

プレイボーイのエドワードは、15歳で世界周遊に出た際に寄港地で梅毒にかかり、脳軟化症を発症して精神異常をきたし、精神病院で死去したという極秘事項が記されていたのだ。ストウェルはエドワードが、精神異常から殺人に手を染めたと考えたが、この説を発表して間もなく彼は心臓麻痺で亡くなっている。面倒を恐れた遺族が彼の残した資料をすべて焼却してしまったため、その真偽すらわからなくなってしまった。

バグダッド電池

File No. 136 本日のテーマ 古代文明

種別 オーパーツ　地域 イラク共和国

古代人が電池を活用していた!?

イラクのバグダッド近くにあるホイヤットラブヤで不思議な壺が発見されたのは、1930年代のことだ。複数の土器が発見されたのだが、そのうちのひとつに面白い仕掛けがされていたのである。

その壺の中には銅製の筒があり、さらにその中に鉄の棒が入っていた。そして、壺の中には、ぶどうジュースか酢で満たされていたと考えられるのだ。これが意味するのは、この壺が電池の機能を持っていたということ。実際、この壺は満たされた液体を電解液として、弱い電流を発生させることが可能と確認されている。

壺はパルティア（紀元前250年頃〜紀元後224年）で使われていたものだと推測されており、ササン朝（紀元後224〜640年）期のものだとする説もある。どちらにせよ、この壺が本当に電池だったのだとすれば、一般に人類が電気を使うようになったとされる近世よりはるか昔から、オリエント世界の人々が電気を利用していた可能性が出てきたのである。

保守的な研究者の多くは、電池説を否定しているが、電池の原型でないとすれば、果たして何だというのだろうか？　否定する代案は、何も示されていない。

謎に包まれたバグダッド電池。壺の中には銅製の筒があり、さらにその中には鉄の棒が入っていた。そして、壺の中には、ぶどうジュースか酢が満たされていたと考えられる。（写真：TopFoto／アフロ）

切り裂きジャックの幽霊

種別 幽霊 地域 イギリス

テムズ川へ何度も飛び込む殺人鬼

1888年8月から11月にかけて、イギリス・ロンドン東端の貧民街で、娼婦が喉を切られて殺害される事件が次々に起こった。被害者が5人に及ぶ残虐な連続殺人事件である。

「切り裂きジャック」と名乗る犯人からの手紙が通信社に送られてきて世間を騒がせ、警察は必死の捜査を行なったが、犯人の正体はようとして知れなかった。

今も迷宮入りしたままの切り裂きジャック事件だが、142ページに挙げたクラレンス公エドワードのように容疑者は何人もいた。弁護士のモンタギュー・ジョン・ドルイットもそのひとりだ。しかし、ドルイットはその年の大晦日にテムズ川において投身自殺を図り死体となって発見されたのである。

それからというもの、大晦日の夜になると、テムズ川にかかるウェストミンスター橋の欄干に黒い人影が現われ、テムズ川に飛び込む姿が目撃されるようになった。しかし、実際には誰も飛び込んではいないのだ。そのため、ドルイットこそが切り裂きジャックの真犯人であり、生前の非道を悔いて、贖罪のために死後もテムズ川に飛び込んでいるのではないかといわれている。

切り裂きジャックの幽霊が飛び降りるというウェストミンスター橋。

人工ブラックホール

種別 宇宙の不思議　地域 世界

いつか誰かが本当にブラックホールを作り出し、それが暴走して地球を飲み込んでしまう可能性もゼロではない。

人工ブラックホールが地球を飲み込む!?

2008年、フランスとスイスの国境に位置する欧州合同原子核研究機関(CERN)で、「LHC(Large Hadron Collider／ハドロン衝突型加速器の略)実験」と呼ばれる実験が行なわれた。LHCとは、まだ発見されていない素粒子を見つけるために作られた世界最大の粒子加速器である。

これを使い、原子核をつくっている陽子同士を限りなく光速に近い速度まで加速させて正面衝突させ、現われる様々な素粒子を観測することで、宇宙誕生などの謎の解明に役立てようというのが実験の趣旨だった。

この実験の開始前、アメリカの専門家から「実験中にブラックホールが生成され、地球が飲み込まれてしまうかもしれないからやめろ」と中止要請が入ったという。

結局、LHC実験で人工ブラックホールが誕生することはなかったが、この専門家の指摘は的外れなものではない。超高速に加速された粒子が衝突すれば、そのエネルギーによってブラックホールが発生することはわかっており、人工的に粒子を加速・衝突させれば、ブラックホールを生成することも可能だからだ。

多くの関係者は、たとえブラックホールが生成されたとしても、あまりに小さく、できた途端に蒸発して消えてしまうと説明しているが、果たして……!?

飛鳥の石造物

種別 歴史の闇　地域 日本

飛鳥の石造物のひとつ高取の猿石。明日香村には不思議な石造物が点在し、特異な演出空間を作り上げている。

永久不滅の都の証ともされた飛鳥に点在する謎の石造物

奈良県明日香村を散策すると、何とも奇妙な石造物が点在することに気づくだろう。猿を表現した猿石、幾何学的な模様が施された酒船石（さかふねいし）、亀の形をした亀形石造物、男女が抱擁する姿の石人像など、どれも奇怪な形をした石のオブジェが村のあちこちに配されているのだ。いったい何に使われたのかよくわからないが、これを造らせたのはこの地に都が置かれていた7世紀の斉明（さいめい）天皇である。

天皇はなぜこのようにユニークな石造物を作らせたのだろうか。

実は石造物のいくつかは導水施設として使われていたようだ。亀型石造物や石人像には水槽や噴水の機能が施されている。他国の使者の饗応や宗教儀礼などに使う浄水を得るための装置だったのではないかとみられている。

斉明天皇は中央集権体制による新国家造りを目指していた。これらの石造物は斉明天皇の目指す王権の都を彩る装置だったのではないだろうか。

そんな斉明天皇が理想とした国は、中国の影響を受けた、永遠の理想郷、つまり永久の都である。崩れない石で造られた物を配することで、それを実現させようとしたのだろう。

バンシー

種別 都市伝説 **地域** イギリス

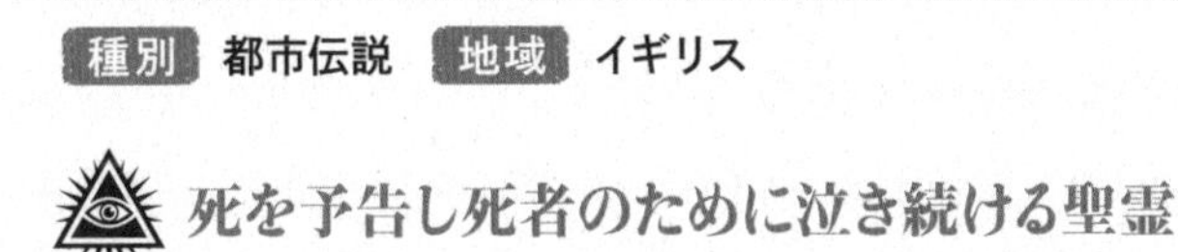

死を予告し死者のために泣き続ける聖霊

アイルランドやスコットランドには死を予告する精霊「泣き女（バンシー）」の伝承が伝わっている。アイルランドでは「ペンシー」と呼ばれ、緑の衣に灰色の上着を着た長髪の若い女の姿で現われる。ペンシーはこの世の物とは思えないほど物悲しく歌い、叫んで家族の死を告げるという。泣き女という名前の通り、死者のために泣き続けるためかその目は真っ赤だとされる。

また、同じような聖霊はアイルランドやスコットランドの高原地方で「ベンニーア」と呼ばれている。ベンニーアは出産で命を落とした女性とされ、遭遇した人物の血に染まった京帷子を川で洗うことで、その人物が死ぬことを予告するという。ペンシーと同じように緑の服を着ているが、若く美しいペンシーと違い、醜い姿をしていることが多いとされる。やがてこの精霊はアメリカのノースカロライナ州にも出現する。独立支持派のアメリカ人を殺した３人の英国兵のもとに毎晩バンシーが現われ、やがて彼らは溺死したと伝えられる。バンシーが死を予告したのか、とりついて殺したのかはわかっていない。

人の死を予告するというイギリス発祥の精霊バンシー。

『東方見聞録』の大嘘

種別 ミステリー遺産　地域 ヨーロッパ

マルコの語りを牢仲間の小説家がつい面白くしてしまった

ヴェネチアの商人マルコ・ポーロの体験談をまとめた『東方見聞録』は、元帝国が君臨した13世紀のアジアの様子をヨーロッパに伝えた書で、日本も黄金の国ジパングとして紹介されている。しかし、その内容を吟味してみると、多くの矛盾や嘘が露（あらわ）になるのだ。

そもそも日本はマルコの言うような黄金の国ではなかったし、中国についても独自の風習に触れないなど、その記述は怪しい点が多い。またマルコは中国の元の皇帝フビライに17年にわたって仕えたことになっているが、元の文献に彼の名は見当たらない。またマルコらがヨーロッパに帰るために乗ったという船の名簿にも、マルコらの名前はない。

『東方見聞録』は、戦争に巻き込まれて1298年から3年間にわたり牢屋暮らしを余儀なくされたマルコが退屈しのぎに語ったことを、同じ牢にいた小説家のルスティケーロが文章にまとめて発表したもの。小説家の性か、ルスティケーロは聞いた話をより面白く、誇張したと考えられる。

また、出版されて大評判となった『東方見聞録』は、中世のフランス語、イタリア語、ラテン語、ほか100以上もの多くの言語に訳されたが、ルスティケーロの手稿は早くに失われており、訳されたものがさらに別の言語に訳される中で、ほかの交易商人の逸話が加えられた可能性もあるという。

今となっては本当にマルコがアジアへ行ったのかすら怪しい状況となっており、『東方見聞録』が歴史を変えた偽書となる日も遠くないのかもしれない。

ヨーロッパに東アジアを紹介した『東方見聞録』は世紀の偽書として名を留めるのか？

マナナガルとアスワン

File No. 142
本日のテーマ
UMAと怪人

種別 モンスター　地域 フィリピン共和国

フィリピンに棲む吸血美女

フィリピンには吸血鬼ならぬ吸血魔女の伝説が古くから語り継がれてきた。

その名もアスワンとマナナンガルといい、実は現地の人は今もその存在におびえているという。

パラワン島の密林に棲むアスワンは、昼間は美女の姿をしているが、満月の夜になると、犬のような顔でトカゲに似た体に黒い翼という、見るからに不気味な姿に変身し、空から男性や動物を襲ってその生き血を吸うとされる。

この伝説は昔話では終わらない。

2005年にはアスワンに襲われた男性が、大量の血液を失って死にかけたという被害例が報告されているのだ。

一方のマナナンガルはシキホル島に棲む魔女で、マナナンガル同様、昼は絶世の美女だが、夜になると、コウモリの羽を生やし上半身のみで飛び立ち、男性や赤子を襲って吸い食らい尽くす。心臓や肝臓など内臓を特に好むという凄惨な魔女である。

狩りに出ている最中にその下半身を隠し、日の出の日光に当てると倒すことができるというが、まだ誰も成功していないようだ。なぜなら、こちらも2007年に空を飛ぶ姿が目撃されているからだ。

夜な夜な血を求めてフィリピンの空を彷徨う2体の吸血美女。吸血鬼は現代にも生き続けて血を吸い続けている……。

フィリピンの吸血魔女は、今も獲物を求めて飛び回っている!?

ピリ・レイスの地図

種別 オーパーツ　地域 トルコ共和国

古代ギリシャ時代に南極大陸が発見されていた!?

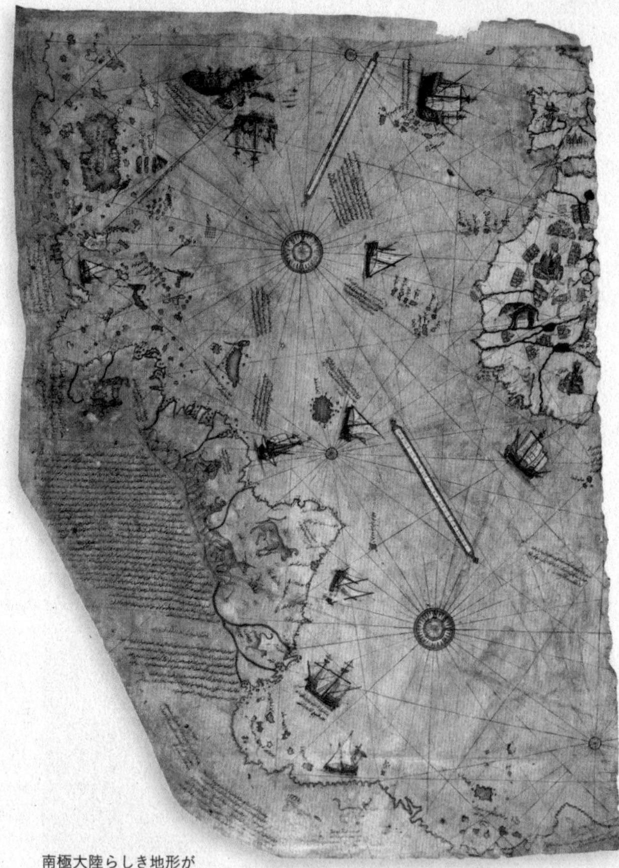

南極大陸らしき地形が
描かれたピリ・レイスの古代地図。このような地図を描くことを可能にしたのは地球外生命体に違いないとする説もあるが、果たして真実はいかに……!?

ピリ・レイスの地図とは、トルコ人航海士のハジ・アーメッド・ムヒディン・ピリが1513年に作成した世界地図のことである。イスタンブールのトプカプ宮殿で1929年に発見されたのだが、この地図を見た研究者は度肝を抜かれた。そこには、描かれるはずのないものが描かれていたからだ。

その驚くべきものとは南極大陸。ピリの時代にはまだ南極大陸が発見されていなかったというのに、地図には南極が氷に閉ざされる前の氷の下の地形が描かれていたのである。しかもその海岸線は、現代の南極大陸のクインモードランドに対応しているという指摘もあるほど正確性も高い。

地図には、古代ギリシャの古地図を参考にしたという注釈がついていた。そうなると、さらに謎は深まる。古代ギリシャの時代には、南極どころかアメリカ大陸さえ発見されていない。なのに、地図にはきちんと大陸が描かれているのだ。

この地図の原型が描かれたのが古代ギリシャ時代だったとすれば、ピラミッドすら存在しない時代に、外洋を航海し、遠く離れた大陸を認識する技術が存在していたことになる。

File No.144
本日のテーマ
幽霊・呪い

アイスマンの呪い

種別 呪い 地域 オーストリア共和国、イタリア共和国

アルプスで発見された世界最古の他殺体

1991年9月19日、イタリアとオーストリアの国境にあるエッツ渓谷の氷河（海抜3210m）で、1体のミイラが発見された。発見当初は雪山で遭難した登山者の遺体が見つかったと思われたのだが、各専門家が行なった年代測定の平均は、なんと紀元前3300年から紀元前3200年。つまり5300年ほども前の新石器時代後期に生きた人物のミイラだったのである。雪山で遭難し、人知れず凍死した男性と考えられ、「アイスマン」と呼ばれるようになった。

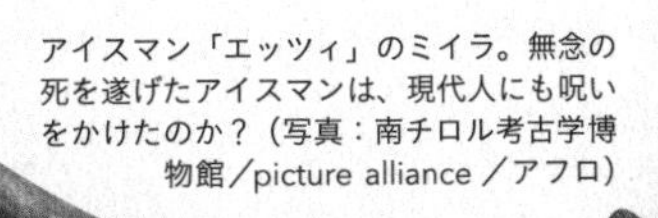

アイスマン「エッツィ」のミイラ。無念の死を遂げたアイスマンは、現代人にも呪いをかけたのか？（写真：南チロル考古学博物館／picture alliance／アフロ）

世界中がこの発見に驚いたのはもちろんだが、2001年、さらに驚くべき事実が判明した。X線検査によって、この男性の肩甲骨付近から石の鏃の跡らしきものが見つかり、この男性は背後から矢で撃たれて死亡したことがわかったのだ。さらには右眼窩に骨にまで至る裂傷、後頭部に脳内出血の痕跡が発見され、倒れた際に鈍器などで殴られてとどめを刺されたものと推測された。つまり、世界最古の他殺体というわけである。

そうした非業の死を遂げた可能性の高いアイスマンゆえか、不吉な話もある。実はアイスマンの調査に関わった人が立て続けに世を去るという事態が起こったのだ。現在この現象は「エッツイの呪い」と呼ばれて恐れられている。

パラレルワールド

種別 宇宙の不思議　地域 世界

もうひとりのあなたがいる世界がどこかにあるかも!?

 もうひとつの世界が宇宙のどこかに広がっている!?

織田信長は本能寺で明智光秀に討たれて自刃した。しかし、もし織田信長が本能寺で自刃せず生き延びている世界があったとしたらどうだろう。さらに、関ヶ原の合戦で、東軍ではなく西軍が勝った世界があるとしたら、どうだろう。パラレルワールドとは、このように世界はひとつではなく、もうひとつの世界が存在するという考え方だ。パラレルワールドが存在していれば、あなたも、その別の世界で別の人生を歩んでいるかもしれないのだ。

そんな話はSFの世界のことだと思うかもしれないが、実はパラレルワールドは実在するかもしれない。

そもそもパラレルワールドとは、「並行宇宙」「アルチバース（多宇宙）」と呼ばれる理論に基づいて登場したもので、広大な宇宙には、地球と同じ歴史を経た星があるという概念である。

その存在の可能性については、ビッグバン理論で説明できる。137億年前、ビッグバンによって膨張する前の宇宙「母宇宙」が誕生し、それがインフレーションを起こして「子宇宙」「孫宇宙」などが増えていき、無限の宇宙が存在するようになったというのである。

仮に宇宙が多数存在するとすれば、確かに我々の世界と同じ経過をたどった世界に、人類と同じような生命が存在し、同じような生活を送っていても不思議ではない。

File No.146 本日のテーマ 歴史のミステリー

ニュートンの終末論

種別 ミステリアスな人物　地域 イギリス

大科学者ニュートンが2060年の人類滅亡を予言していた！

17世紀に万有引力を発見したイギリスの大科学者ニュートン。その一方で彼がおよそ非科学的ともいえる予言で世間を驚愕させていたことをご存じだろうか。

2007年に発見された文書によれば、旧約聖書の「ダニエル書」に「一時期、二時期、そして半時期たって、聖なる民の力が打ち砕かれると、これらのことはすべて成就する」という文章から2060年に世界が滅びるという終末論を導き出したのだという。

ニュートンは分析を示していないが、一時期、二時期、半時期をそれぞれ一年、二年、半年に置き換え、合計で42か月。30日をひと月と考えると1260日。当時の予言が1日を1年として計算していたことに従えば1260年となる。

ニュートンはカール大帝が西ローマ皇帝となり、皇帝とキリスト教が結びついた800年を教会の世俗化の始まりと考え、800と1260を合わせて2060年と計算したのではないかという。

科学者として有名なニュートンだが、一方で聖書を研究し、さらにはほかの物体に働きかける力を信じ錬金術にも没頭していたという不思議な人物である。果たしてこの予言は当たるのだろうか。

終末論を唱えた、万有引力の発見者アイザック・ニュートン。

ルドルフ・ヘスの任務

種別 陰謀　地域 イギリス

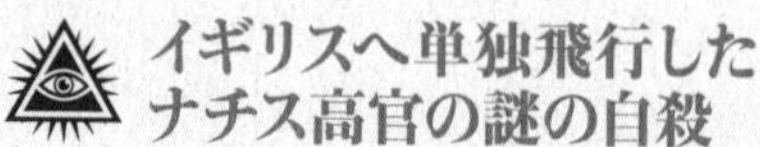

ルドルフ・ヘスはドイツ・ナチスの副総統にして、総統のヒトラーに次ぐナチスの大物である。1923年にミュンヘン一揆をヒトラーと共謀して起こし、政権掌握後はヒトラーの第2継承者となっている。ところがそんな大物が1941年5月10日、第2次世界大戦の最中に突然戦闘機を自ら操縦して単独でスコットランドへと向かったのである。

これはスコットランドの貴族・ハミルトン公爵にイギリスとの和平の仲介を依頼するのが目的だったという。しかしヘスはスコットランドで墜落し、イギリスに捕らえられた。終戦後は軍事裁判で共同謀議および平和に対する罪で終身刑となり、西ドイツの刑務所に送られる。そして、そこで長い時間を生きた。

その最期も唐突であり不可解である。1987年に電気コードを窓枠に引っかけて首吊り自殺をしたのである。しかし、すでにヘスは93歳という高齢であり、自殺する体力すら残っていなかったとされるなど自殺には疑問が多い。

そこで浮上したのが陰謀論である。

ソ連がヘスの釈放に合意したため、戦時中の不正が発覚することを恐れたイギリスが殺したとする説のほか、なんと死んだのは本物のヘスではないという疑惑も浮上した。そもそもイギリスにやってきたヘスは替え玉だったという説や、ヘスの大義に心を動かされたイギリスがすでに彼を逃がしており、偽物を殺害したとする説など、諸説が飛び交ったものの、真相は闇の中である。

ニュルンベルク監獄で撮影されたヘスの様子（1945年11月24日）。

『東都三ツ股図』

File No. 148
本日のテーマ
ミステリアス遺産

種別 ミステリー遺産　地域 日本

川の向こうにスカイツリーのような高層建築がそびえる『東都三ツ股図』。（提供：アフロ）

 浮世絵師はスカイツリーの建設を予言していたのか？

ユニークな画題と確かな描写力で現代でもファンが多い浮世絵師が、江戸末期の歌川国芳である。近年、その作品『東都三ツ股図』に東京スカイツリーとしか思えない塔が描かれていることが話題となった。

“三ツ股”とは、隅田川と他の川の分岐点のことで、国芳はここに船を引き上げた男たちが、船底にへばりついた付着物や汚れに火をつけて取り除いている場面を描いた。遠景の右手には永代橋が描かれ、左手に高い塔が見えるのだが、この塔がスカイツリーそっくりなのだ。しかも方角からして現在スカイツリーがそびえる場所にも近い。

この作品の不思議は、それだけではない。

永代橋は古地図にもあるが、塔についての記録は何もない。国芳の時代にこんな塔が建っていたら古文書などにあるはずだが、手がかりひとつ見つかっていないのだ。そのため、国芳は未来を予言していた、いや現代からタイムスリップしていったのだなどという説まで囁かれるようになった。

実際には、スカイツリーと思しき塔は、井戸掘りの櫓だったというのが真相のようだ。当時の人にとって、井戸掘りの櫓は驚くほどの高さであり、国芳はその高さを誇張したと思われる。そして井戸ができれば、櫓は解体されて取り払われるので記録には残らない。それでも、あまりに似ているのは首を傾げざるをえない。

シャドーピープル

種別 怪人　地域 アメリカ合衆国

シャドーピープルの正体は不明だが、生前愛した者にメッセージを伝えようとしているともいわれる。

 顔も体もミステリアスな黒い影の怪人

夜中にふと目が覚めたらベッドの脇に黒い影のようなシルエットの怪人の姿が……。このような状況に直面すれば、誰もが思わず飛び起きるだろう。ここ10年ほど、そんな不気味な怪人・シャドーピープルがアメリカ各地を賑わわせている。

並木伸一郎氏の『ムー的都市伝説』によると、シャドーピープルが最初に現われたのは2010年9月のこと。アメリカ、カンザス州に暮らす地理学者ドイル氏の家である。彼の妻が寝室に向かう途中、黒いモヤが廊下に湧き出すと人の形になった。彼女は寝室に逃げ込むが、人の形をしたものはドアをすり抜けて部屋の中に入り込んでくる。気味の悪い息遣いに彼女が悲鳴を上げたとたん姿を消したという。その後もしばしば彼女の寝室に現われて顔をのぞき込んでおり、妻はその姿を写真に収めている。

この黒い怪人はドイル宅以外にもアメリカ各地に出没し、カメラに収められるようになった。その体長は1.2mから1.8mほどで、ぼやっとした黒い幽霊のような姿をして寝室に出没し、一瞬のうちに消えるという。

彼らは生前愛した者にメッセージを伝えようとしているともいわれるが、見えない姿と同じように、その正体はベールに包まれたままである。

契約の箱の行方

種別 古代文明の謎 地域 エチオピア連邦民主共和国

契約の箱がエチオピアにあるという伝説は本当か!?

契約の箱は、モーセが神から授かった十戒を刻んだ2枚の石板を納めたとされる箱である。長さ約130cm、幅と高さがそれぞれ約80cmで、内外は金の延べ板で覆われ、長側面に金輪があり棒を通して持ち運ばれていたという。

箱には驚異的な力があるとされ、戦いや民族移動の際に持ち出されていた。

旧約聖書によれば、一時、契約の箱はペリシテ人によって持ち出されたことがあったが、ペリシテ人に災厄が続いたことから返却され、後にエルサレムの神殿内の至聖所に安置された。しかし紀元前586年、新バビロニア王国がエルサレムを破壊した時、契約の箱は行方知れずになる。

契約の箱はいったいどこに消えてしまったのか。その行方には様々な説がある。

一説にはエチオピアのアクスムにあるという。エルサレムからエチオピアに持ち出された経緯については、13世紀に編纂されたエチオピアの歴史書『ケブラ・ナガメト』に、イスラエル王国のソロモン王とシバの女王との間に生まれた、メネリク1世が成人してソロモン王を訪ねた際、契約の箱をエチオピアに持ち帰ったとある。以来、現在に至るまで契約の箱はアクスムにあるマリア・シオン大聖堂に保管されているという。

契約の箱の上部には、金の智天使（ケルビム）が2体が乗せられていたという。現在、契約の箱がある場所は「アークの番人」と呼ばれる者が見張っており、誰も確認することはできない。

ゴースト・ヒッチハイカー

種別 幽霊 地域 世界

世界中で目撃されている幻のヒッチハイカー

深夜に人気のない道路を車で走っているところにヒッチハイカーらしき人物が現われたら、あなたはどうするだろう。困っている人を助けるために停まってあげようと思うかもしれないが、ちょっと待ってほしい。その人物は、もしかしたらこの世の者ではないかもしれないのだ。

日本でも事故現場や殺人事件の現場でタクシーに乗り込んできた人を目的地まで送ったところ、姿が消えていたという怪談がたびたび報告されている。東日本大震災においても同様の噂が被災地の各所で発生したのは記憶に新しい。

実はそうしたゴースト・ヒッチハイカーの目撃談は世界でも数多く報告されている。

ポルトガルのシントラ市郊外の4号線では、深夜に若い女性のゴースト・ヒッチハイカーが多数目撃されていて、実際に車に乗せたという報告もある。この幽霊は、目撃者が語った容姿から、1983年に自動車事故で亡くなった10代の少女ではないかといわれている。

イギリスのケント州メイドストーン近郊のブルーベル・ヒルでよく目撃されているのは、1965年11月9日に結婚式に向かう途中で交通事故に遭い、この世を去った花嫁とそっくりだといわれている幽霊である。

消えるヒッチハイカーは洋の東西を問わず、日本を含めた世界各地で報告されている。

File No. 152
本日のテーマ
宇宙・自然の神秘

モンスの天使

種別 奇跡　地域 ベルギー王国

モンスの戦場に現れた天使の軍隊。

戦場に突如現われた天使の援軍

第１次世界大戦が開戦して間もない1914年8月23日、イギリスとフランスの連合軍は、ベルギーのモンスでドイツ軍の総攻撃を受けた。ドイツ軍は連合軍の３倍の戦力を有し、装備もはるかに充実。イギリスとフランスの連合軍は、撤退もままならない状況で、もはや全滅を覚悟しなければならない状況に陥った。

しかしその時、奇跡が起きた。光に包まれた兵士の大軍が突如現われ、ドイツ軍へ弓矢を射かけたのである。その兵士たちは、中世の騎士のような甲冑をまとっていたという。

驚いたドイツ軍は動けなくなり、イギリス・フランスの連合軍はその隙に撤退することができたのだ。

兵たちにとって、突然現われた兵士の大軍が天使のように見えたことから、1915年春くらいから、イギリス国内で「モンスの天使」として有名になり、イギリス国民の誰もが知る奇跡となったのである。

ただし、この話が作家のアーサー・マッケンが書いた短編小説『弓兵』と内容がそっくりなことと、本が出版されたのが、モンスの噂が広まったのと同じ1915年春だったことなどから、彼の小説をモチーフにした都市伝説だともいわれている。

とはいえ、ドイツ兵からもモンスの天使を見たという目撃談もあり、イギリス軍の旅団長ジャン・チャタリスが、小説が発刊される２週間前に書いた手紙にもモンスの天使の奇跡についての記述がみられるという。やはり都市伝説として片づけるには証言が揃い過ぎているようだ。

ヒトラー生存説

種別 死にまつわる謎　地域 ドイツ連邦共和国

ナチス総統アドルフ・ヒトラーの南米逃亡伝説

EXTRA THE STARS AND STRIPES EXTRA

PARIS EDITION

Wednesday, May 2, 1945

HITLER DEAD

Fuehrer Fell at CP, German Radio Says; Doenitz at Helm, Vows War Will Continue

Churchill Hints Peace Is at Hand

ヒトラーの死を伝える『星条旗新聞』号外。ヒトラーは陥落寸前のベルリンを脱出して生き延びていたのだろうか。

ナチス総統であるアドルフ・ヒトラーは、ベルリンの陥落を目前にした1945年4月30日、総統官邸の地下壕で拳銃自殺を遂げた。その遺体は側近たちが中庭で焼き尽くし、遺骨に土をかけた。遺骨は数日後に踏み込んできたソ連軍が持ち去ったという。

こうしてヒトラーは死んだと目されているが、ヒトラーは南米アルゼンチンへ逃れて生存していたという伝説がある。なぜアルゼンチンなのかというと、それは当時のアルゼンチンにナチス崇拝者のペロンが君臨していたからだ。ヒトラーは事前に自分の資産をアルゼンチンへ運び出し、自身はスペイン経由でノルウェーにわたり、Uボートでアルゼンチンへ逃れたというのだ。

このようにヒトラー生存説が出るのはヒトラーの遺骨が特定されていないからである。2000年になってようやくロシアがヒトラーの遺骨を公開し、頭部のレントゲンや義歯鑑定でヒトラーのものと特定したと発表した。しかしこの遺骨も、銃創が大きすぎることや義歯を鑑定できるあごの下の骨を公開しないことから、本物かどうか物議をかもすこととなった。

サバト

File No.154
本日のテーマ
都市伝説と陰謀論

種別 都市伝説　地域 ドイツ連邦共和国

実際に開かれていた？ おぞましき魔女集会の実態

魔女たちが集まる魔女集会を「サバト」と呼ぶ。本当にあるのかどうか疑う人も多いだろうが、ドイツのバーデン＝ヴュルテンベルク州には近年、魔女集会に遭遇した旅人の話が伝えられている。

その旅人は農家の納屋に泊まっていたが、そこで魔女たちが食事と酒を楽しみながら、魔女集会を開く場面に遭遇する。

やがて旅人に気づいた魔女たちは、寝る前に祝福されなかった子供をさらってきて殺すと告げると、数分後には赤ん坊を連れ込み、足を引き裂こうとしたのである。驚いた旅人はとっさに神の加護を叫びながら、魔女たちのもとに飛び込んでいった。

すると一瞬にして魔女たちの姿は消えた。気づけば子供だけが残され、魔女たちの宴の席にあった盃は馬の蹄に、食事は家畜の糞に変わっていたという。

恐ろしいことに、この赤ん坊はかなり遠くの国からさらわれてきたようだ。その証に新聞を通して赤ん坊の両親を探したが、見つかるまでに1年もかかったといわれている。

フランシスコ・デ・ゴヤ『魔女のサバト』(1789年)。赤子を生贄に捧げようとする魔女が描かれている。

ロマノフ家のイースター・エッグ

種別 ミステリー遺産　地域 ロシア連邦

一家の悲劇とともに失われた華麗な卵はどこに

キリスト教社会では、春を告げる復活祭に、美しく彩った卵をイースター・エッグと称して親しい人に贈る習慣がある。卵をかたどったお菓子や装飾品の中に、小さなプレゼントを入れたりして楽しむこともある。

その豪華さで知られるのが帝政ロシアのロマノフ朝のもので、特別に「インペリアル・イースター・エッグ」と呼ばれている。1886年、時の皇帝アレクサンドル３世が皇后に贈るため金銀細工師のファベルジェに作らせたものから数え、次の皇帝ニコライ２世の代まで、合わせて50個の様々なイースター・エッグが作られた。材質は金やプラチナ、それに宝石や真珠を用いた装飾がふんだんに施され、精緻な彫刻で飾られている。なかには愛する人のミニチュア画や時計が隠されているという優美さである。

しかし、1917年に勃発したロシア革命によって皇帝一家は殺害され、ほかの財産と同様イースター・エッグはソヴィエト政府に接収された。

当初は国の資産としてクレムリンに保管されていたのだが、これを持ち出す者がいて次第に国外に流出し、売買されるようになった。なかにはスターリンが外貨獲得のため売り払ったものもあり、オークションで高額な値段がつくと好事家たちは競って買い求めたのである。

現在、所在がわかっているのは42個で、８個は所在不明のまま、どこかでひっそりと輝きを放っているのだろう。

世界各地の美術館に展示される「インペリアル・イースター・エッグ」。

ブラック・アイド・キッズ

File No.156 本日のテーマ UMAと怪人

種別 怪人　地域 アメリカ合衆国

ブラック・アイド・キッズは、アメリカ各地で目撃されているが、その正体は不明。悪魔の化身でないことを願う。

 真っ黒な眼を持つ子供たちは、悪魔の化身？

1998年、アメリカ、テキサス州に住むジャーナリストのブライアン・ベセルが駐車場にいたとき、ふたりの少年にドアを叩かれ「家まで送ってほしい」と頼まれる。ところがその少年たちを見たベセルは仰天する。少年の目は白目がなく真っ黒だったのだ。ベセルがドアを開けずにいると、少年たちは「中に入れろ」と叫び出したという。

こうした少年少女はアメリカ各地で目撃されており、やがて目が真っ黒という特徴から、ブラック・アイド・キッズと呼ばれるようになる。

子供たちの正体はキリスト教では真っ黒な目は邪悪を意味することから、悪魔の化身ではないかと囁やかれた。そのためこの子供たちを中に入れると、悪魔に洗脳されてしまうとも……。

一方で悪魔説に懐疑的な人たちは死んだ子供の霊、あるいは宇宙人ではないかと唱えたが、その真相はいまだ闇の中である。

そんな大人たちをあざ笑うかのように彼らは今なお各地に出没し、大人たちを慄(おのの)かせているという。

第4の巨大ピラミッド

種別 古代遺跡の謎　地域 エジプト・アラブ共和国

父クフ王のピラミッドをしのぐ世界一のピラミッド建造を目指した王がいた？

エジプト・ギザの3大ピラミッドは、第4王朝のクフ、カフラー、メンカウラーという偉大なファラオが築いたものだ。これらのピラミッドはあまりに有名だが、実はギザから北へ8kmのアブ・ロアシュという土地に、もうひとつ巨大なピラミッドが築かれていたことはあまり知られていない。

そのピラミッドを建造していたのは、クフの2番目の息子で、カフラーの兄・ジェドエフラーだ。残念ながら建設は途中で断念され、基底部と神殿の遺構が残っているだけだが、20世紀初頭に行なわれた調査によれば、ギザより標高が高い場所に築かれていたため、頂上部の高さはクフ王のそれより40mほども高いものになっていたという。ジェドエフラーは、父のそれより高い世界最大のピラミッド建造を目論んでいたのだ。

それならば、標高に頼らず、さらに巨大なピラミッドを作ればいいようなものだが、20歳で王位についたジェドエフラーは、当時の寿命を踏まえると、自分にはあまり時間が残されていないと考えたからではないかと推測されている。

しかし、ピラミッドは完成しなかった。理由は、弟のカフラーが兄を抹殺し、その痕跡を消し去ったためだとされてきた。しかし近年、クフ一族の不和説が否定されたことで、理由はわからなくなってしまった。

完成しなかったジェドエフラーのピラミッド。一帯が軍事的な理由で調査ができなくなったこともあり、いまだ真相はわかっていない。

エジプトのシンボルともなっているギザの三大ピラミッド。

ブルー・レディ

File No.158
本日のテーマ
幽霊・呪い

種別 幽霊 地域 アメリカ合衆国

カンザス州トピカの街には不幸な最期を遂げたアルビノの女性が今も彷徨うという。

墓場で犬を散歩させている孤独な女性の幽霊

アメリカ・カンザス州の都市トピカ北部にあるロチェスター墓地に、「ブルー・レディ」と呼ばれる幽霊が出没している。

その幽霊は、白い髪、青白い肌、ピンクの目が特徴で、この墓地の近くに住んでいたアルビノの女性だといわれている。

彼女は地域の人々に溶け込めなかったばかりか、時にひどい仕打ちも受けていて、孤独な人生を送っていたという。しかも、最期はならず者によって生き埋めにされて殺されたというのだから、あまり幸福な人生ではなかったらしい。

生前、夜に犬を散歩させていた姿がよく目撃されていて、幽霊となってからも犬を散歩させている姿で目撃されることが多いが、興味本位で見物にやってきたカップルは、突如現われたブルー・レディに襲われたという。また、ブルー・レディは墓地近くのデパートの売り場でも目撃されるなど、墓地だけでなく、周辺の地域にも出没している。トピカに行けば、街角でブルー・レディに出会えるかもしれない。

第23週 第5日目

聖母マリアの顕現

種別 奇跡
地域 クロアチア共和国、ベルギー王国、スペイン王国

『聖ベルナルドゥスの幻視』(フラ・バルトロメオ／ウフィッツィ美術館)。聖母マリアは現代に至るまで多くの人々の前に現われ、奇跡を起こしてきたという。

子供たちの前に頻繁に現われる聖母マリア

聖母マリアの顕現は世界中で多数報告されている。

目撃談をいくつか紹介しよう。クロアチアのメジュゴレでは、1981年6月から18か月間にもわたってほぼ毎日、灰色のドレスと白いベールを身に着けて聖母マリアが顕現した。1932年にはベルギーのボーラーンで、5人の子供の前に32回も現われており、1961年にはスペインのガラバンダルに現われ、4人の子供が目撃者となった。この時、聖母マリアは4年間にわたり2000回以上も現われたという。

このように、聖母マリアの顕現の多くは子供たちの前であり、聖母マリアは子供たちを通じて世界へメッセージを伝えようとすると考えられている。また、登場の仕方としては、まず光として現われ、のちに人の姿をとるパターンが多いという。聖母マリアが子供たちの前に多く顕現するのは、子供たちの多くが、そう思い込んだだけだったり、他人から思い込まされたのではないかとする否定的な説もある。しかし、子供は無垢であるがゆえに霊的な存在を感知する能力が高く、聖母マリアの姿を見ることができたとも考えられる。

ドレイクの幽霊

種別 死にまつわる謎　地域 イギリス

首のない馬が引く馬車に乗って現れる海賊の亡霊

フランシス・ドレイクは海賊として名をとどろかす一方で、1588年のアルマダの海戦においてスペインの無敵艦隊を破る立役者となった名将でもある。また、イングランドで初めて世界周航という快挙を成し遂げた人物としても有名だ。

イギリスにはそんなドレイクの幽霊が現われるという場所がある。それはデボン州にあるダートムーア国立公園。ドレイクは首のない馬がひく黒い馬車に乗って現われ、馬車の前に12人のゴブリン､後ろには猟犬を従えて公園を横切っていく。何とも気味の悪い一行だが、何より人々を震え上がらせたのは、猟犬がこの世の物とは思えないおぞましい声を出し、これを聞いた犬を即死させるという噂だ。

こうした奇妙な姿はドレイクがスペインの無敵艦隊を破るために、悪魔と契約した伝説に基づくものともいうが、彼は死後も現世を彷徨っているのだろうか。

そんな彼は死の直前、ともに世界を回った太鼓を故郷に送り、イングランドの危機にこれを鳴らせばいつでも自分が駆けつけると言い残した逸話もある。人一倍愛国心の強い海賊だった。

イギリスの発展に大きな功績を残した海賊フランシス・ドレイク。エリザベス１世には､「私の海賊」と呼ばれて親しまれた。

『苦悶する男』

種別 都市伝説　地域 イギリス

画家の血を混ぜて描かれた肖像画が起こす怪奇現象

画家が精魂込めて描いた絵画には情念が宿るとされるが、2010年に動画投稿サイトYoutubeに投稿された『苦悶する男』はその最たる例かもしれない。その作品は、真っ赤な皮膚の男が口と目を見開いて悲鳴を上げている姿を描いたもので、見るからに不気味である。しかも画家が自分の血を使った絵の具で描いたものだと聞けば、その赤い皮膚はまさに画家の血の色そのものともいえるだろう。

そのせいかどうかはわからないが、この絵の持ち主であるショーン・ロビンソンは様々な怪奇現象に見舞われているという。

もともとこの絵画はショーンの祖母が25年間保存していたが、その時も祖母から怪奇現象が起きていたと聞いていた。

祖母の死後、この絵を引き取ったショーンはこの絵を地下室に保存したのだが、それ以降、奇妙な音や叫び声などが聞こえるようになったという。

絵から抜け出したような男が現われることもあるとも証言しており、強い怨念が込められていることがうかがえる。

まさにこの絵は画家の思いと生き血が通った作品なのかもしれない。

2010年にその存在が世界に知れわたり人々を震撼させた『苦悶する男』。

ダ・ヴィンチの鏡文字

File No.162
本日のテーマ
ミステリアス遺産

種別 ミステリー遺産　地域 イタリア共和国

何のために左右逆転した文字を書いたのか？

イタリア・ルネサンスの天才、レオナルド・ダ・ヴィンチは、自分のアイデアや研究を大量に書き残し、その自筆の文は“手稿”と呼ばれている。ところが、その多くは鏡文字で書かれているのだ。

鏡文字とは、左右が反転した文字のことである。少し見ただけでは暗号のようだが、鏡に映せば誰でも簡単に読むことができる。左利きの人は文字を覚える過程で鏡文字を書くことがあるといい、ダ・ヴィンチも左利きだったため鏡文字を書いたと思われる。

しかし、ダ・ヴィンチほど器用な人間ならば、通常の文字を書くのも簡単なはず。力学、光学、天文学など多くの分野に関心を抱き、軍事顧問としても職を得ていたダ・ヴィンチは、その秘密が漏れることを恐れて、一見しただけでは読みにくい鏡文字を書いたという説もあるが、本当に隠しておきたいなら、鏡に映せば簡単に読める文字ではなく、暗号を使うはずだ。

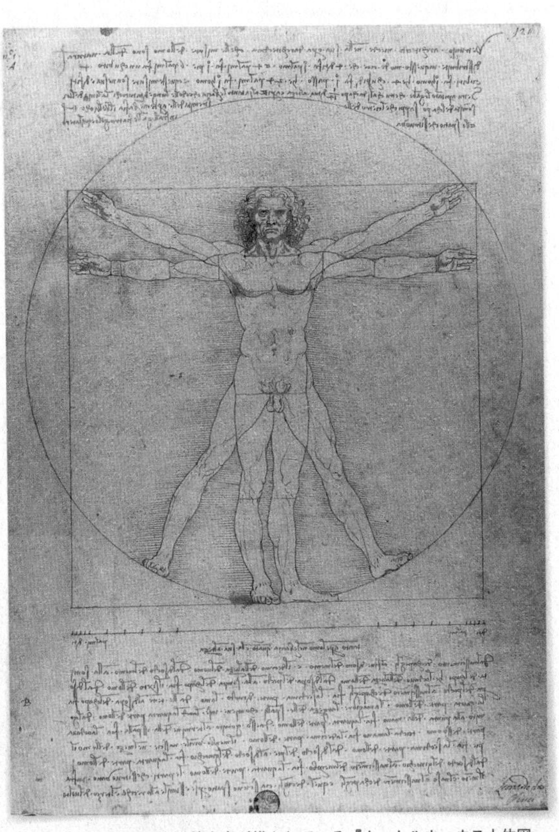

ダ・ヴィンチによる鏡文字が描かれている『ウィトルウィウス人体図』。

ダ・ヴィンチは、後の世に発明される印刷術を先取りしたという説がある。鏡文字なら、印刷に原版としてそのまま用いることができるからである。しかしダ・ヴィンチは、鏡文字の中にあっても数字だけは通常のものを書いているので、この説は当たらないし、生活上のささいなメモまで鏡文字で書いている。ダ・ヴィンチの身近な人にとっても、鏡文字は読みにくかったはずで、それでも書き続けたことに、果たしてどのような意図があったのだろうか？

第24週 第2日目

フックマン

種別 怪人　地域 アメリカ合衆国

密会のふたりを狙う
身の毛もよだつ金属製のフックを持つ怪人

1950年代のアメリカでティーンエンジャーを恐怖に陥れたのが、フックマンと呼ばれる森の怪人の都市伝説である。

ティーンエンジャーのカップルがある森に車を停め、事におよぼうとした時、ふと車の外から奇妙な物音が聞こえてくる。

音の正体を確かめようと彼女を残して車の外へ出た少年であったが、なかなか戻らない。不安に駆られた少女は、車の外に出るや、フックマンに胸を突かれて死んでいる少年を発見し、悲鳴を上げる。さらに彼女は木の枝からぶら下げられた別の少年の遺体を見つけ、その足が車の屋根をこすって奇妙な音を出していたことを知る……。

ほかにも、フックマンに関する言い伝えがある。

若いカップルが森の傍らに停めた車内のカーラジオから、金属製のフックのついた右手を持つ殺人者が脱獄したというニュースが流れてきた。その直後、車体をひっかく音が……。ふたりはこの森がその刑務所の近所だと気づき、車で逃げ出した。安全な場所まで逃れて車を降りた瞬間、目に飛び込んできたのは助手席の取っ手に取りつく血まみれのフック。ふたりは顔から血の気が引いたという。

これらふたつのパターンは、ともにティーンエイジャーの密会という場面設定がなされており、フックマンの存在は若いカップルの安易なセックスに対する警告から生まれた都市伝説といわれている。

しかしアメリカでは真実味をもって語り継がれているという。

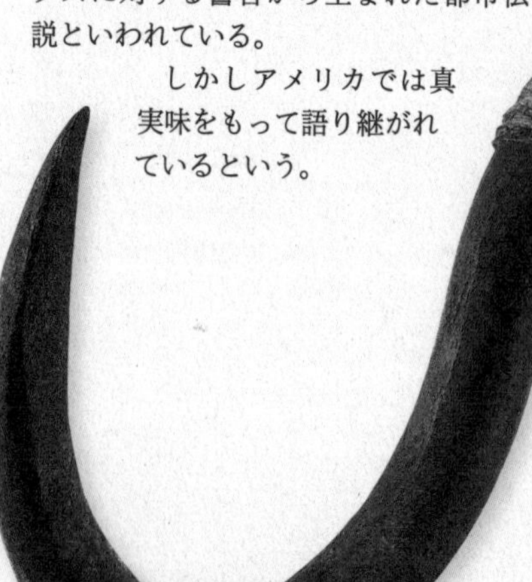

クレオパトラの宮殿の行方

File No.164
本日のテーマ
古代文明

種別 古代遺跡の謎　地域 エジプト・アラブ共和国

19世紀の画家カバネルの『奴隷に毒薬を試すクレオパトラ』。近代になると、クレオパトラは男性を破滅に導く美女“ファム・ファタル”と位置づけられるようになった。

プトレマイオス朝の栄華を伝える女王の宮殿は海底に眠っている!?

紀元前30年の古代エジプト――。ローマに敗れた女王クレオパトラが命を絶ち、プトレマイオス朝が滅亡した。絶世の美女と伝えられた彼女が宮殿を構えていたのが、現在エジプト第二の都市として栄えるアレクサンドリアである。

アレクサンドリアは紀元前332年にエジプトを征服したアレクサンドロス大王により建設された都市で、紀元前1世紀頃には自由市民30万人を抱える巨大都市へと成長。歴史家ストラボンの記録には、「街の4分の1が王宮で占められている」とある。

クレオパトラの宮殿は果たしてどこにあったのか。しかし、その遺体もミイラも墓すらも発見されていない。実は、かつてのアレクサンドリアは、海に向かって伸びる細長い隆起地をいくつも持っており、そのうちのひとつであるアンティロドス島にクレオパトラの宮殿があったと推測されている。それが4世紀の大地震で引き起こされた大津波によって、島自体が宮殿諸共地中海に沈んでしまったのだ。

そうしたなか、1996年11月、エジプトのアレクサンドリア港内の水深8mの海底で、プトレマイオス朝期の宮殿が発見された。浅い海底にもかかわらず長く発見されなかったのは、湾内の海底は堆積物の浮遊が激しく、視界が非常に悪いからである。

海底からは多くの遺構や遺物が発見されたが、残念なことにクレオパトラの宮殿の確証はなく、墓などの痕跡もまだ見つかっていない。彼女の宮殿は濁った海底に今も眠っているのか、それとも人知れず地上のどこかに埋もれているのだろうか。

ハンプトン・コートの幽霊

種別 幽霊 地域 イギリス

王の身勝手に振り回されてこの世を去った妻たちは、ハンプトン・コートに今も留まり、無念を訴え続けているのだろう。

 王宮を彷徨い続けるヘンリー8世の妻たち

イギリスの首都ロンドンの南西部、テムズ川の上流にあるハンプトン・コートは、英国国教会の基礎を築いたテューダー王朝のヘンリー8世が居城とした宮殿だ。現在は一般公開されていて、多くの観光客が訪れている。

広大な庭園を持つ非常に美しい宮殿だが、実はこの宮殿は、ヘンリー8世の3人の妻の幽霊が出ることで知られる。ヘンリー8世は王妃を次々と取り替え、生涯に6人もの妻を持った人物である。理由は男子の世継ぎが欲しかったからで、願いが叶わないとなると理由をつけて離縁し、妻を取り替えたのだ。なかには罪を着せられて処刑された女性もいる。

幽霊として出没するのは、ヘンリー8世によって処刑されたふたり目の王妃アン・ブーリンと、5人目の王妃キャサリン・ハワード、男児を産んだものの産後すぐに亡くなった3人目の王妃ジェーン・シーモアの3人。特に劇的なのが、密通が発覚し処刑されたキャサリン・ハワードで、ロング・ギャラリーと呼ばれる廊下を泣き叫びながら走り抜け、王に命乞いする姿で現われるという。

ファティマの聖母

File No. 166
本日のテーマ
宇宙・自然の神秘

種別 奇跡　地域 ポルトガル共和国

太陽の奇跡を7万人が目の当たりにしたファティマの奇跡

1917年5月13日、ポルトガルのコバ・ダ・イリアの高台で、３人の牧童が聖母マリアと出会った。

牧童たちは、まず虹色の光球が空に浮かんでいることに気づき、その光球はやがて18歳ほどの年齢の女性の姿に変わったという。そして、女性は自分が天国から来た存在であると伝え、10月になるまで毎月この場所に現われること、自分のことは誰にも言わないこと、毎日欠かさずにロザリオの祈りを捧げることなどを告げたという。しかし、牧童のうち最も幼い少年が、このことを話してしまい、翌月13日にはコバ・ダ・イリアの高台に多くの人が集まったのである。

それでも聖母マリアは約束どおりその場に現われ、以降、10月13日まで７回にわたって高台に現われて様々な予言を残した。最後の顕現となった10月13日には、太陽がねずみ花火のように回転し、地表に急降下したり７色の光を放つなどの奇跡が起こり、その場にいた７万人もの群衆が目撃したという。

この奇跡はヴァチカンで公認され、聖母マリアが出現した場所にはファティマ聖堂が建てられた。また、5月13日はファティマの聖母の記念日と定められている。

O MILAGRE DE FÁTIMA

Varios aspectos do povo ajoelhado e orando no momento de descobrir o sol e de se dar o fenomeno que tanto impressionou a multidão.

(Carta a alguem que pede um testemunho insuspeito).

Quebrando um silencio de mais de vinte anos e com a invocação dos longinquos e saudosos tempos em que convivemos n'uma fraternal camaradagem, iluminada então p la fé comum e fortalecida por identicos propositos, escreves-me para que te diga, sincera e minuciosamente, o que vi e ouvi na charneca de Fátima, quando a fama de celestes aparições congregou n'aquele desolado ermo dezenas de milhares de pessoas mais sedentas, segundo creio, de sobrenatural do que impelidas por mera curiosidade ou receosas de um logro... Estão os catolicos em desacordo sobre a importancia e a significação do que presencearam. Uns convenceram-se de que se tinham cumprido prometimentos do Alto; outros acham-se ainda longe de acreditar na incontroversa realidade de um milagre. Foste um crente na tua juventude e deixaste de sel-o. Pessoas de familia arrastaram-te a Fátima, no vagalhão colossal d'aquele povo que ali se juntou a 13 de outubro. O teu racionalismo sofreu um formidavel embate e queres estabelecer uma opinião segura socorrendo-te de depoimentos insuspeitos como o meu, pois que estive lá apenas no desempenho de uma missão bem dificil, tal a de relatar imparcialmente para um grande diario, *O Seculo*, os factos que diante de mim se desenrolassem e tudo quanto de curioso e de elucidativo a eles se prendesse. Não ficará por satisfazer o teu desejo, mas decerto que os nossos olhos e os nossos ouvidos não viram nem ouviram coisas diversas, e que raros foram os que ficaram insensiveis á grandeza de semelhante espectaculo, unico entre nós e de todo o ponto digno de meditação e de estudo...

O que ouvi e me levou a Fátima? Que a Virgem Maria, depois da festa da Ascenção, aparecera a tres crianças que apascentavam gado, duas mocinhas e um zagalete, recomendando-lhes que orassem e prometendo-lhes aparecer ali, sobre uma azinheira, no dia 13 de cada mez, até que em outubro lhes daria qualquer sinal do poder de Deus e faria revelações. Espalhou-se a nova por muitas leguas em redondeza, voou, de terra em terra, até os confins de Portugal, e a roma-

353

ファティマの聖母の顕現を伝える当時の新聞。

ボルジア家の毒薬

種別 狂気の人物 地域 イタリア共和国

政敵を思いのまま葬り去った 悪名高き名家の恐怖の毒薬

ルネサンス末期のイタリアに咲いた“美と悪の華”ボルジア家。教皇アレクサンデル6世とその長子であるチェーザレ・ボルジアがイタリア制覇を狙い、手段をえらばぬ勢力拡大を図った。特にチェーザレは、政敵となった弟のホアン、従兄ボルジア枢機卿などの身内、ナポリ王国の皇子アルフォンソなど邪魔者を次々と暗殺する非情さを発揮している。

ボルジア家の人々が暗殺に用いたとされるのが毒薬である。

ボルジア家には古代の薬物学を参考に開発した「カンタレラ」が伝わっており、ボルジア枢機卿暗殺の際に用いられたとされている。その性質については「真っ白で味の良い粉薬」としか伝わっていないが、屍毒の研究から生まれたものという。

桐生操『世界史怖くて不思議なお話』によると、撲殺した豚の内臓に亜砒酸（あひさん）を加えて粉末状にしたもので、調合次第でジワジワ殺すこともできれば、即死させることも可能だった。その症状は全身の力が抜け、体がやつれて息苦しくなり、狂ったように苦しみながら死んでいくのだという。ボルジア家への恐怖をかき立てたカンタレラであるが、その製法はボルジア家の衰退により失われている。

ボルジア家の人々を描いた『チェーザレ・ボルジアと一杯のワイン』（ジョン・コリア）。左からチェーザレ、ルクレツィア、アレクサンデル6世。

ドッペルゲンガー

File No. 168
本日のテーマ
都市伝説と陰謀論

種別 都市伝説 地域 世界

心霊や超常現象の類ではないかともいわれるドッペルゲンガー。

死の予兆ともいわれたもうひとりの自分の幻

ドッペルゲンガーといえば、世界中で広く知られた超常現象である。自分自身の姿をした幻、つまり自分の生霊(いきりょう)を見る現象で、日本では離魂病とも呼ばれる。

ただしその現われ方は様々だ。本人の前に現われることもあれば、本人には見えず第三者の前に現われることもある。または本人、第三者ともに見えることもある。

多くの場合、死の予兆と考えられており、ドッペルゲンガーの出現は不吉な現象ともいわれてきた。

実はドッペルゲンガーに遭遇した著名人は多く、ロシアのエカテリーナ２世やアメリカ大統領のリンカーン、芥川龍之介などがいる。特にエカテリーナ２世は自分が玉座に座っているのを目撃し、衛兵にそのドッペルゲンガーを撃たせた。この一件の後まもなくエカテリーナ２世本人が亡くなったといわれている。

ドッペルゲンガーは精神や脳の疾患が原因となって目撃するものという説もあるが、エカテリーナ２世のように複数の第三者が目撃している例も多い。そのため心霊や超常現象の類ではないかともいわれている。

ロンギヌスの槍

種別 ミステリー遺産　地域 オーストリア共和国

ヒトラーが手に入れた大いなる力をもたらす槍

キリストが処刑された時、その生死を確かめるために使われたのが、ロンギヌスの槍である。ロンギヌスとは槍を持っていたローマ軍の兵士の名で、槍はキリストの血がついた聖遺物として崇められた。ロンギヌスの槍とされる聖遺物は4本伝わるが、聖なる力が最も強いとされるのはハプスブルク家に伝わるもので、これを手に戦ったフランク王国のカール大帝、神聖ローマ皇帝のフリードリヒ1世らは、次々に敵を打ち負かしたという。

そのため多くの者がこれを手に入れようと躍起になっていた事実があり、アドルフ・ヒトラーもそのひとりである。1938年、オーストリアを併合してハプスブルク家の財宝を奪ったヒトラーは、その中に含まれていたロンギヌスの槍をも我が物とした。ヒトラーが槍をドイツに持ち去り、ニュルンベルクの聖カタリーナ教会に納めると、ナチス・ドイツは第2次世界大戦の開戦後、すさまじい勢いで勢力を広げた。

しかしロンギヌスの槍を失った時、持ち主には死が訪れるという。1945年4月、アメリカ軍に包囲されたニュルンベルクが陥落し、地下保管庫に隠されていたロンギヌスの槍は接収された。ヒトラーがベルリンの地下室で自殺したのは、それと時を同じくしていたという。

聖槍を持つ聖ロンギヌス像
(ジャン・ロレンツォ・ベルニーニ
／サン・ピエトロ大聖堂)。

ジャージー・デビル

File No.170
本日のテーマ
UMAと怪人

種別 UMA
地域 アメリカ合衆国

コウモリの翼と馬のような顔を持つ悪魔の子

最初の報告から100年が過ぎた今もジャージー・デビルは目撃されている。

1753年、アメリカのニュージャージー州、森林が広がるパインバーレンズ近郊に暮らす魔術好きのリード夫人が、まだ赤ん坊のわが子を抱いて魔術を行なっていた。すると腕の中の赤ん坊が突然ムクムクと巨大化する。そして顔は馬のように伸び、肩から背中にかけてコウモリのような長く黒い翼が生え、足は伸びて蹄のような形に変わった。青い瞳がピカッと黄色に変わり、怪物へと変身すると、母親を含むこの場にいた人々を食らい尽くして空へと消えていったという。

以来、この悪魔ことジャージー・デビルは翼の生えた馬のような怪獣としてたびたび目撃され、時には家畜を襲うなど凶暴さを恐れられるようになる。

1900年代に入るとアメリカ全土で目撃談が発生。「デビルズ・ハンター」と呼ばれるジャージー・デビルを捕獲しようとする団体まで生まれたほどだった。2010年になってもかつてのリード家近くで、飛行中の怪物の姿が撮影されるなど、いまなおその存在が囁かれる怪物である。

ミロのヴィーナスの疑惑

種別 古代文明の謎　地域 フランス共和国

実はヴィーナスの確証なし！ルーヴルのシンボルは、別の女神かも!?

パリのルーヴル美術館に展示される『ミロのヴィーナス』は、両腕を欠損しているにもかかわらず、完璧な八頭身のプロポーション、逆S字型の優雅なたたずまい、かすかに浮かべた微笑など、人々を魅了する美しさを備え、世界で最も美しい彫像と讃えられている。

この像は、1820年4月8日にエーゲ海に浮かぶミロス島で発見された。その後の調査で像は紀元前100年頃に造られたものと判明。この像の主題はギリシャ神話に登場するアテナ、ヘラ、ヴィーナスのいずれかではないかと推測された。

つまり、当時はこの像が誰なのかは、はっきりしていなかったのだ。特定する手掛かりとなるのはアトリビュート（持物）で、リンゴならばヴィーナス、柘榴（ざくろ）ならヘラ、楯ならばアテナだと確定できるのだが、両腕欠損のため、持物が何かわからないのである。

しかし、フランスに像が渡るや、美の女神ヴィーナスであることが既成事実となってしまった。その背景には、当時、ナポレオン戦争の敗北で、『メディチのヴィーナス』をイタリアに返還したばかりのフランスにとって、威信回復のために新たなヴィーナスの名作を獲得することが求められていたという経緯がある。

つまり、ルーヴルのシンボル的存在である『ミロのヴィーナス』は、もしかすると、別の女神像である可能性があるのだ。

実は碑文と台座に加え、付属の武器も発見されていたのだが、碑文と台座は紛失。付属の武器の存在は無視され、ルーヴル美術館はアトリビュートの議論を放棄したまま現在に至っている。

シュノンソー城

File No.172
本日のテーマ
幽霊・呪い

種別 幽霊　地域 フランス共和国

場内を彷徨う白い女性の幽霊

フランスの中部を流れるロワール川の流域に点在する古城のひとつシュノンソー城。周囲を山に囲まれた白亜の城は、ロワール川の支流シェール川の中に浮かぶように建っている。華麗な建物は水面に美しく映え、庭には13万本の季節の花が咲き乱れるこの城は、高貴な女性の幽霊が出没することでも知られている。

城に出る霊は、アンリ3世の妻のルイーズ・ド・ロレーヌ王妃といわれる。

アンリ3世は武人として名を馳せた人物だが、カトリックとプロテスタントの宗教戦争のなかでカトリックを弾圧したために、その恨みを買って暗殺されてしまう。

妻のルイーズはこの時、世継ぎが生まれないことで、精神的に追い込まれ、心の病を抱えていた。そんな時に夫の悲報が重なり、彼女の心はついに壊れた。

誰とも会わずに部屋に引きこもり、深夜になると白い喪服を着て、城内をフラフラと彷徨い歩いた。彼女の服には、されこうべの刺繍が施されていたという。

そんな生活が12年も続き、彼女は孤独のまま、1601年、48歳で生涯を閉じた。

ルイーズ王妃の死後、シュノンソー城には庭番の夫婦だけが残った。

ある夜のこと、橋のたもとにゆらゆらと動く光を見た庭番は確かめに走ったが、そのまま生きて戻ることはなく、目と口を大きく開いたままこと切れていたという。

村の人たちが霊を見るようになったのは、それ以降のことである。

透けるような白い肌の女性が、白い服を来てたたずんでおり、しばらくするとスッと消えるという。その白い服は、ルイーズが生前によく着ていたされこうべの刺繍入りのものと噂された。

彼女は400年以上経った今も、深い悲しみを抱え、夫を探し続けているのだ。

孤独な王妃の霊が彷徨う
シュノンソー城。

File No. 173

本日のテーマ

宇宙・自然の神秘

アリューシャンの幻

種別 奇跡　地域 アメリカ合衆国

奇跡の撤退成功を後押しした幻の日本艦隊

第2次世界大戦最中の1942（昭和17）年、日本軍はアリューシャン列島のアッツ・キスカ両島を無血占領した。しかし、翌年の5月12日には4倍ものアメリカ軍が上陸し、5月29日にアッツ島守備隊は玉砕。アメリカ軍の艦隊に取り囲まれて孤立したキスカ島守備隊の命運も風前の灯となった。ところが、7月26日、キスカ島の守備隊約5200名が全員救出されたのである。まさに奇跡の撤退成功だった。

その成功の裏には、不思議な出来事があった。アリューシャン列島は夏は霧、冬は雪と強風にさらされる苛酷な気象で、この日も濃霧が出ていた。そうした中、アメリカ軍はキスカ南方洋上に日本艦隊らしき姿をレーダー・スクリーン上で探知し、その日本艦隊を約30分にもわたって猛攻撃したのである。ところが、あるはずの日本艦隊の残骸はどこにもない。実際、その場所に日本艦隊は存在していなかったのだが、日本艦隊がいると信じて戦闘を行なったアメリカ軍は、その後、補給のために島の囲みを一旦解除しなければならなかった。その隙を狙い、濃霧に紛れてキスカ島に接近した日本艦隊が、守備隊を収容したのである。

レーダー・スクリーン上に現われた日本艦隊は、東のアムチトカの島影の反映ではなかったかといわれているが、いまだ正体ははっきりしていない。

そして、この撤収成功の際には、もうひとつ、不思議なことがあった。キスカ島の守備隊を救い出した艦隊がアッツ島沖を通過した時、同胞が玉砕したアッツ島から「万歳！万歳！」という声が聞こえてきたのを、何人もの将兵が耳にしたというのだ。この声を、アッツ島の英霊たちの声だと信じた人は多かったという。

1943年6月、幌筵沖に停泊する特設潜水母艦平安丸と伊号第171潜水艦。彼らの作戦成功を助けたのは、アッツ島で玉砕した英霊たちだったのかもしれない。

File No. 174
本日のテーマ
歴史のミステリー

女教皇ヨハンナ

種別 狂気の人物 地域 ヴァチカン市国

教皇ヨハンネス８世は、ミサの最中に出産したという。

 恋人の子を産み落として素性がばれた幻の女教皇

ローマ教皇は男性というのがカトリック教会の原則である。ところがただ一度だけ女性が教皇になったことがあるという。

その教皇とは854年から２年間、教皇の座にあったヨハンネス８世である。その前身はイギリス出身のヨハンナという女性だった。修道女となるも若い修道士と恋に落ちたヨハンナは恋愛を続けるため男装して修道士となり、やがてアテネに渡ると、学問に打ち込んで様々な知識を身に着けていった。ギリシャ語やラテン語はもちろん、ギリシャ哲学まで吸収し、アリストテレスの講義まで行なったという。

彼女の噂は教皇庁にまで届き、その博識に感心した教皇レオ４世の秘書官に選ばれた。ついには、レオ４世の没後、教皇に選出されたのである。もちろんこの時は男だとみなされていた。

ところが、在位中に別の恋人の子を妊娠。そしてあろうことかミサの最中に祭壇の前で子を産み落としてしまったのだ。同時に女性であることが発覚。ヨハンネス８世は担ぎ込まれた別室で出血多量で死んだとも、前代未聞のスキャンダルを隠蔽するために撲殺されたともいわれる。

しかし歴代教皇のリストに彼女の名前はなく、実在したかどうかも疑わしい。プロテスタントがローマ教皇庁を貶めるために捏造したという説が有力だ。ただしトスカーナの町の教会にある歴代教皇の頭部の彫刻に、16世紀までヨハンネス８世のものが存在していたという。

アガサ・クリスティ失踪事件

種別 未解決事件　**地域** イギリス

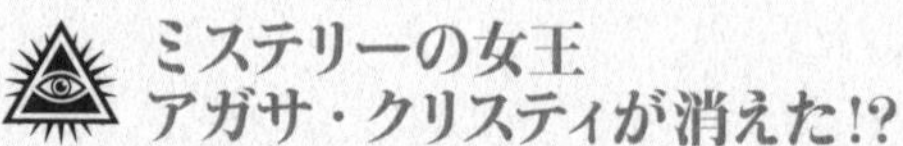

ミステリーの女王 アガサ・クリスティが消えた!?

ミステリーの女王とされるイギリスの作家、アガサ・クリスティは、自らが小説さながらの失踪事件を起こしている。しかもいまだにその時に彼女がたどった足取りすらわかっていないのだ。

1926年12月3日、アガサは自宅からドライブに出たまま行方不明になった。彼女が運転していた車は藪の中に突っ込んだ状態で発見されたが、そこにアガサの姿はなかった。夫のクリスティ大佐も情報提供者には報奨金を出すと発表したが、手掛かりはつかめなかった。

ところが失踪から11日後、自宅から約400km離れたノース・ヨークシャー州ハロゲートのホテルで彼女は発見される。ホテルでテレサ・ニールと名乗っていた彼女は記憶喪失に陥り、失踪時のことは覚えていないと主張した。

実は当時、アガサの夫には愛人がおり、その名がナンシー・ニールだった。離婚を言い渡されていたアガサはその精神的苦痛から躁鬱（そううつ）に苦しんでおり、こうしたストレスが記憶喪失を引き起こしたと推測された。

一方ではアガサが当てつけのようにニールという名前を使っていることや、事件翌日に指輪をハロッズ百貨店に預けたうえで、それをハロゲートのホテルのテレサ・ニールに送るよう指示しているので、自作のPRのために行なった自作自演の失踪という説もある。

しかしアガサは事件の真相を語らないまま亡くなり、空白の11日間の謎は迷宮入りしてしまった。

ミステリアスな失踪事件を起こしたアガサ・クリスティー。

バイユーの
タペストリーの最後の場面

種別 ミステリー遺産　地域 フランス共和国

華麗なラストシーンが失われたのはなぜか？

フランスの都市バイユーにあるタペストリーは、ノルマンディー公ウィリアム（ギョーム）がイングランドを征服した1066年の大事件“ノルマン・コンクエスト”を描いた、史料としても美術品としても超一級の作品である。長さはなんと70m以上あって、宮廷の出来事や戦闘など、58もの場面が絵巻物のように展開される中に、人物の生き生きした動きが描かれる。ラテン語の銘文がストーリーを補い、動植物の文様で飾られているという見事さだ。

ただ不思議なことにこのタペストリー、ラストシーンがない。ウィリアムの軍が勝利し、敵兵が逃げまどう場面で、タペストリーはいきなり終わっている。ウィリアムはこの後、ウェストミンスター寺院で戴冠式を挙行し、イングランドの王として即位。ノルマン朝を創始した。いわば最高の山場となる栄光に満ちた華やかなラストシーンがあるはずなのだ。

まず考えられるのは盗難である。もしくは、その価値を知らない者がただの古い布の端っこだとばかりに切り取ってしまったのかもしれない。また、タペストリーの端は、切断されたのではなく朽ちてしまったという説もある。タペストリーが製作されたのは11世紀のことで、18世紀に注目を浴びるようになるまでの長い間、聖堂の保管庫にあったため、その可能性も高い。タペストリーのクライマックスが永久に失われてしまったとしたら、たいへん惜しいことである。

バイユーのタペストリーのヘイスティングズの戦いにおけるハロルド2世の戦死の場面。この後に続くウィリアム1世の栄光を描いた場面は永久に失われている。

トコロシ

種別 モンスター 地域 南アフリカ共和国

人の夢を食らう 呪われた精霊はゾンビなのか？

南アフリカを代表するUMAがトコロシと呼ばれる精霊である。子供と遊ぶことを好むとされ、学校での目撃例も多い。

こう聞けば子供たちに愛される無邪気で善良な精霊を思い浮かべるかもしれない。しかしその実態は悪魔のような呪われた精霊である。子供が眠っている時に爪で傷が残るほど引っかいたり、人の夢を探って悪さをしたりする。さらに小さいわりに力が強く、頭部の突起を使って頭突きをしてくるというから油断ならない。

近年では2015年には南アフリカでトコロシに襲われているという女性も現われた。トコロシはなんと10年以上も前から彼女のピーナッツバターを食いあさり、金を盗み、鏡を割るといったイタズラを繰り返しているという。

このトコロシの正体については呪術師が作りだした悪魔の子供、または死人から作られたゾンビという説もあるが、いまだ謎に包まれている。ただし唯一の救いがレンガを敷いてベッドを高くしておけば侵入を妨害できるといわれていることだろう。

トコロシは、体長約30cmの黒い肌をした小人で、頭部には固い突起があるのが特徴だ。

File No.178
本日のテーマ
古代文明

楼蘭(ろうらん)の美女の謎

種別 古代遺跡の謎　地域 中華人民共和国

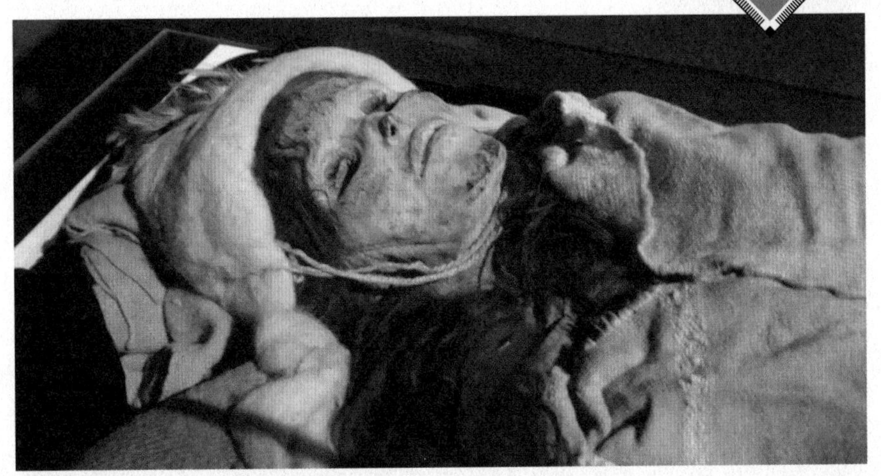
3800年前に生きた女性のミイラ「楼蘭の美女」。（写真：ロイター／アフロ）

歴史に登場するはるか以前から楼蘭には人類が住んでいた!?

古代中国の歴史書に名を残す楼蘭王国は、中国新疆ウイグル自治区の一隅、タクラマカン砂漠の東にあったオアシス王国のひとつである。その名が中国の史書に初めて登場するのは漢代の紀元前176年のことで、シルクロードの交通の要衝として栄え、2～4世紀に全盛期を迎えた。しかし、その後、楼蘭王国は廃墟となって砂に埋もれ、伝説の国となったのである。

この楼蘭王国が存在していたと考えられる一帯からは、1000体を超えるミイラが出土しており、いずれもコーカソイド（白色人種）の特徴を持っていることから、彼らはヨーロッパから移り住んだ人種と考えられている。

そうしたなか、何より人々を驚かせたのは1980年に発見された女性のミイラだ。「楼蘭の美女」と名付けられたミイラは、乾燥した砂漠地帯で眠っていたために非常に保存状態が良く、栗色の髪、高い鼻、彫りの深い顔立ち、長いまつげまでが残っていて、毛織物のスカートとモカシンを身に着け、毛足の長いブランケットに包まれたその姿は、発見当時、まるで生きているように見えたという。

さらに驚くべきことは、棺の木材や身に着けていた毛織布などの放射性炭素年代測定を行なったところ、女性が葬られたのは3800年前だとわかったことだ。それどころか、この女性のミイラは6412年前のものだとする測定結果もある。この測定結果は物議を醸しているが、どちらにせよ、楼蘭の名が歴史に登場するはるか以前から、楼蘭近辺には人類が存在し、高度な文明を築いていたことになる。

File No. 179
本日のテーマ
幽霊・呪い

ソチミルコの人形島

種別 呪い 地域 メキシコ合衆国

ただならぬ雰囲気が漂うソチミルコの人形島。

少女の霊を慰めるために人形を飾り続けた男

メキシコシティからおよそ20km南下したところに、ソチミルコという町がある。アステカ文化の雰囲気が残り、メキシコの花であふれる美しい町である。そのソチミルコにあるのが「ソチミルコの人形島」だ。その名の通り人形がいっぱい飾られている島なのだが、名前から感じるかわいらしさは全くない。なにしろ、島の人形はすべてボロボロで、虫に食われていたり、朽ちかけているものばかり。その数は数千体にもおよび、すべての人形が首を紐でくくられて、森の木々１本１本にぶら下げられているのである。

島に入ると、何者かの視線を感じたり、囁くような声が聞こえたりと、不気味な噂も後を絶たない。この大量の人形は、ドン・ジュリアン・サンタナという男が飾ったものだ。1950年代のある日、運河でひとりの少女が溺死しているのを発見したサンタナは、少女の霊を慰めるために人形を島に飾り始めたのである。

2001年にサンタナはこの世を去ったが、奇しくも死因は少女と同じ溺死であった。しかも、遺体が発見されたのも、少女の遺体が発見されたのと同じ場所だったという。

原爆にまつわる謎

種別 奇跡　　地域 日本

原爆投下で壊滅した放送局から流れた謎の声

太平洋戦争末期の1945年8月6日8時15分、広島に原子爆弾が投下された。

爆発とともに空中には摂氏数100万度に達する火球が生じ、1秒後には最大直径280mの大きさに成長。爆心地周辺の地表面の温度は3000〜4000度に上昇した。

街は熱線と爆風によって破壊され、火災によって市内の約13㎢が灰燼に帰した。同年12月末までに、約14万人が亡くなったと推計されている。

原爆投下の直後、ある不思議な放送が流れたという噂がある。

白井久夫著『幻の声』（岩波新書）によると、「こちらは広島中央放送局でございます。広島は空襲のため放送不能となりました。どうぞ大阪放送局、お願いいたします」と、美しい女性の声の放送がラジオで流れたのを聞いたという証言が複数挙がっているのだ。その放送は30分ほど続いて途絶えたという。

広島中央放送局は、爆心地からわずか1kmほどしか離れておらず、一帯は全焼全壊圏に含まれ、一瞬で壊滅したはずだ。そんな場所から、どうやって放送を流すことができたのか？　その女性が誰なのか、実在した女性の声なのか？　すべては謎のままとなっている。

爆心地から1km。焼野原となった広島から
発せられたアナウンスの主は誰だったのか？

ルイ17世生存説

種別 死にまつわる謎　地域 フランス共和国

ダンブル塔で死んだはずの ブルボン家の後継者にまつわるミステリー

フランスのルイ17世は、ルイ16世と王妃マリー・アントワネットの間に生まれた王太子である。しかし革命で一家はダンブル塔に幽閉され、家族と引き離されたルイ17世は1795年、わずか10歳で病死した。

ところが1833年、ドイツに住むノーンドルフという男が、自分はルイ17世だと名乗り出る。ダンブル塔で誰かと入れ替わり、自分は箱に入れられて逃亡したのだという。最初は誰も信じなかったが、その顔立ちや当時の詳しい記憶に加え、王子と同じ傷痕を持つうえに20人以上の元従者が本人であると証言したのである。ノーンドルフは国王一族に身分要求の訴訟を起こしたが当時のフランス国王に捕らえられ、イギリスに送られた。

ノーンドルフはその後オランダで最期を迎える。さらに20世紀に入ると、ルイ17世とノーンドルフの毛髪が別人であることが確認され、ルイ17世自身も確かにタンブル塔で死亡した少年であることが確定した。ノーンドルフの主張は完全な虚偽だったのだが、果たして彼がなぜ生き残りを自称したのか、その謎は解けていない。

生存説が囁かれてきた
ルイ16世の子ルイ17世。

ディアトロフ峠事件

File No. 182
本日のテーマ
都市伝説と陰謀論

種別 未解決事件　地域 ロシア連邦

9人のスキーヤーが雪山で遭難死したワケとは？

「ディアトロフ峠の遭難」は1959年、ソ連の若い男女9人が、ウラル山脈でスキー登山中、不可解な遺体で発見された事件である。1月27日に出発した彼らが2月1日、ホラート・シャフイル山の東側でキャンプを設営したことまではわかっている。ところがそれきり連絡が途絶え、20日になっても連絡がないことから捜索が始まった。

まもなく発見されたキャンプ地のテントは内側から切り裂かれ、荷物は残されていた。そして数百m離れたところで5人の遺体を発見。彼らは服をろくに着ておらず、裸足か靴下のまま低体温症で死んでいた。

やがて5月に雪の下から4人の遺体が発見される。彼らは初めに発見された4人に比べまともな服を着ていたが、頭部や胸部にひどい損傷があり、致命傷となる損傷が残されていた。ひとりの女性に至っては舌がなかったのである。

人や動物に襲われた形跡もないにもかかわらず何かから逃れようとしていた不可解な遺体。さらには高濃度の放射能汚染が発覚した遺体もあったことから、様々な憶測が流れ、UMAや宇宙人による襲撃説のほか、ソ連のミサイル実験に巻き込まれたという説も浮上した。

しかし事件はそのまま迷宮入り。2019年、捜査を受け継いだロシア警察は雪崩に巻き込まれたものと発表。彼らのテントが雪崩に押しつぶされ、テントから逃げ出したところ、4人が渓谷に滑落。残りの5人はそのまま低体温症で死亡したと推定している。もっとも好都合な説をとったわけであるが、多くの疑問が残されたままである。

惨劇の舞台となった若者たちのテント跡。

第27週 第1日目

フライド・チキンの味付け

種別 ミステリー遺産 地域 アメリカ合衆国

気軽に口にしていたのは門外不出の企業秘密だった！

特別のおいしさだとファンが多いのが、ケンタッキー・フライド・チキン。だが自分で鶏の唐揚げを作ってあの味を再現しようとしても、うまくはいかない。味付けの方法を知りたいところだが、『絶対に見られない世界の秘宝99』（ナショナルジオグラフィック）を見ると、それは不可能に近いことがわかるだろう。

あの味は、1939年にケンタッキーおじさんことカーネル・サンダースが考案したもので、11種類のハーブとスパイスをブレンドしてある。当時、そのレシピを知っているのはサンダースとその妻、それにビジネスパートナーの3人だけだった。

時は流れ、ケンタッキー・フライド・チキン（KFC）は国際的大企業となった。サンダースがレシピを記録し、署名した文書はケンタッキー州の本社で厳重に保管され、そこにはハーブとスパイスを入れたガラス瓶も収められている。

金庫はコンピューター制御で、開けるには複数の鍵と複数の暗誦番号が必要だし、ひとりで開ける権限を持つ人間はいない。ふたりの役員だけはレシピを知っているとされるが、それが誰かは公表されておらず、彼らは事故や産業スパイを警戒して一緒に移動しないほどの徹底ぶりである。

実際に商品を製造する時は、レシピの半分をひとつの会社が、残り半分をもうひとつの会社がブレンドし、さらに別の会社がそれらを混ぜ合わせるのである。誰もが気軽に口にできる味は、これほど厳重に守られている企業秘密。誰も知ることのできない味のミステリーである。

ニンキ・ナンカ

種別 UMA　地域 ガンビア共和国

恐ろしい力を持つニンキ・ナンカは、恐竜の生き残りか、それとも未知の巨大生物なのか……。

 その姿を見ただけで命を落とす西アフリカ魔の龍

その姿を目にしただけで命を落とす……。そんな恐ろしい伝承を持つのが西アフリカのガンビア川流域に棲息する「ニンキ・ナンカ」である。

現地語で「悪魔の龍」という名前の通り竜のような怪物で、頭部にトサカか3本の角があり、長い首と馬のような顔を持ち、全身は鱗で覆われている。

翼を持つケースもある。体長は9m余りとされるものの、2003年にはキエン・ウエスト国立公園内の沼地に、体長50mで胴体の幅が1mという超巨大なニンキ・ナンカが現われたという。

何より恐ろしいのはその姿を目撃すると、たちまち食われるか、病気になって死んでしまうことである。2003年の目撃者はイスラーム教の聖者からもらった薬を飲んだため、ニンキ・ナンカの死の呪いを免れたという。

2006年にはイギリスの調査チームがニンキ・ナンカの調査をしたが、その存在を裏付ける確証は得られずいまだ未知のままである。

正体についてはオオトカゲやワニではないかともいわれる一方、病の呪いをかけられるという言い伝えから、太古の病原菌を持つ古代生物の生き残りではないかともいわれている。

第27週 第3日目

ネアンデルタール人滅亡の謎

種別 消えた民族の謎　地域 ヨーロッパ

痕跡は現生人類のDNA？ 旧人はいったいどこへ消えたのか？

かつて人類は「猿人」「原人」「旧人」と進化し、現生人類である「新人」にたどり着いたと教えられてきた。しかし現在では、旧人と位置づけられていたネアンデルタール人（ホモ・ネアンデルタレンシス）は、現生人類への進化の過程にあるのではなく、新人と同時期に生きた別の人類種だったという説が有力視されている。

理由は、1980年代にホモ・サピエンスの化石の一部が、ネアンデルタール人より古い年代のものだとわかったからで、その結果、ネアンデルタール人とホモ・サピエンスは、 共通の祖先から枝分かれした別人類だと考えられるようになったのである。

ネアンデルタール人は、組織化された集団で暮らしており、狩りの名手だったと推定されている。彼らは家族単位で生活し、衣服を着ていた可能性も高い。

ではネアンデルタール人が姿を消してしまったのはなぜか。

7万～5万年前頃、ヨーロッパに現生人類が進出すると、共存の過程を経つつも次第に圧迫され始める。石器製作の技術などを現生人類から学んだと思われる例も見られ、生存の道を模索していた痕跡も見られるが、やがて吸収され、2万8000年前頃に消滅したと見られている。彼らの最終期の住居跡はイベリア半島南端で発見されている。

ただし、ネアンデルタール人が完全に消滅したわけではない。ネアンデルタール人との交配種と思えるホモ・サピエンスの化石が発見されているし、現生人類のDNAには1～4％の割合でネアンデルタール人のゲノムが伝わっているのである。

狩猟の名手だった
ネアンデルタール人。

ツタンカーメンの呪い

File No. 186
本日のテーマ
幽霊・呪い

種別 呪い 地域 エジプト・アラブ共和国

関係者が次々と死んでいく恐怖の連鎖

エジプト第18王朝のファラオ・ツタンカーメンの墓が発見されたのは1922年11月4日のことである。墓泥棒に荒らされた形跡がないツタンカーメンの墓からは、ツタンカーメンのミイラをはじめ、黄金のマスクや黄金で飾られた大量の副葬品が発見され、「世紀の大発見」として世界的な注目を集めた。

しかし、これは不幸の連鎖の始まりでもあった。発見した考古学者ハワード・カーター率いる調査隊のパトロンだったカーナヴォン卿が、発掘から半年後に突然亡くなったのを皮切りに、カーナヴォン卿の弟、専任看護師、カーターの秘書と助手、立会人の考古学者、王墓を見学したアメリカの富豪など、1930年までの8年間で20人以上の関係者が次々に命を落したと報道された。

しかしこれは当時のマスコミの過剰な報道により、呪いの犠牲者とされる人数が次々と増えたことに起因している。ただし、今でもツタンカーメンの呪いがその死に関係していると語られている人物はカーナヴォン卿をはじめ8人ほどいる。

果たしてツタンカーメンは、長く安らかな眠りを妨げた人々に呪いをかけたのか？　ただ、呪いだとすれば、最も恨まれそうなカーターに何も起こらなかったのは不自然である。

ツタンカーメンの黄金のマスク。若くして命を落としたファラオの呪いはあったのか？

涙を流すマリア像

種別 奇跡　地域 アメリカ合衆国、カナダ、日本ほか

人間の体液と同じ成分の涙を流す奇跡のマリア像

「聖母マリアの像が涙を流す」というと、誰もが耳を疑うことだろう。しかし、その奇跡が世界中で報告されている。

たとえば、1981年3月13日、アメリカのカリフォルニア州ソーントンの教会で、マリア像が祭壇の脇に自ら移動して涙を流したという。しかもその後毎月13日にマリア像が移動して涙を流すようになったというのだ。

他にもフロリダ州やニューヨーク州、カナダ、イタリア、オーストラリアなど、様々な場所でマリア像が涙を流す事例が報告されている。

日本でも同様の奇跡が起きている。秋田県にある「聖体奉仕会」という修道院のマリア像が、1975年1月に初めて涙を流して以来、1981年までの6年間に101回も涙を流し、延べ2000人に目撃されているのだ。しかも、この修道院のマリア像の涙を分析した岐阜大学法医学教室の教授が、血液型はO型の人の体液であると報告しているのである。

聖体奉仕会のマリア像は、1963年に製作された桂の木の一刀彫りで、十字架の前で微笑みながら両手を差し出している。マリア像は、我々に何を訴えようとしているのだろうか。

マリア像は涙によって何を伝えようとしているのだろうか？

ルートヴィヒ2世怪死事件

File No.188 本日のテーマ 歴史のミステリー

種別 死にまつわる謎　地域 ドイツ連邦共和国

湖畔で遺体があがった狂王の不可解な最期

1886年6月13日夜、ドイツ、南バイエルン地方のスタルンベルク湖にふたりの男性の遺体があがった。ひとりは元バイエルン国王のルートヴィヒ2世、そしてもうひとりはその侍医を務めていたグッデン博士である。調査の結果、王が博士の首を絞めて殺害し、王自身は水中で心臓麻痺により死んだと推測された。

ルートヴィヒ2世といえば、音楽家のワーグナーを愛し、白亜の城として名高いノイシュバンシユタイン城を建設した王である。しかし重臣らは浪費する王にクーデターを決行し、6月12日に王を廃位に追い込んでいた。その翌日に、その王とクーデターに加担して王を狂人と診断した博士が尋常でない死に方をしたのである。憶測が憶測を呼び、3つの仮説が浮上した。

ひとつ目は王が発作的にグッデン博士の首を絞め、その後博士と揉み合いになった事故説、ふたつ目は王の自殺説、三つ目は逃亡説である。王は博士を殺して逃亡を試みたが、自らも心臓麻痺を起こして死んだという。逃亡の手助けをしたのは王がひそかに愛したオーストリア皇后エリザベートだったともいわれる。皇后はその日、湖の近くのホテルにいたという。

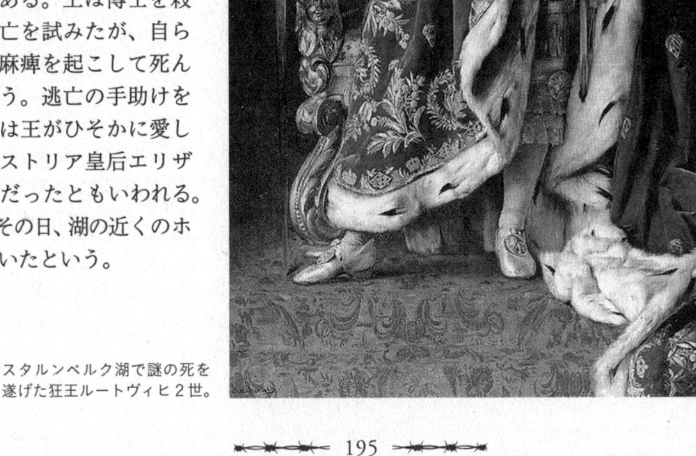

スタルンベルク湖で謎の死を遂げた狂王ルートヴィヒ2世。

ゾディアック事件

種別 未解決事件　地域 アメリカ合衆国

 謎の連続猟奇殺人事件　犯人の正体

1969年から70年代にかけてアメリカのカリフォルニア州で恐怖の連続殺人が発生。犯人は銃やナイフを用いて次々とカップルやタクシー運転手などを襲い、少なくとも5人を殺害した。犯人を捕えることはできなかったが、事件の犯人の名前だけはわかっていた。それは犯人がゾディアックと名乗って警察やマスコミに犯行声明文を送ったからである。

犯人はいたずらではないと証明するため、非公開の現場の様子を描いていたという。そしてマスコミに送られた声明文には、暗号文を解読すれば自分の正体が明らかになると書かれていたが、誰も暗号文を解いて犯人にたどり着くことはできなかった。

しかもその声明文には、全部で37人を殺したと書いてあるではないか。犯行動機はあの世の自分の奴隷たちを手に入れるためだというから何ともおぞましい事件である。

目撃証言から眼鏡を着用した白人男性の似顔絵が描かれ、様々な容疑者が上がったが、21世紀になっても犯人逮捕には至っていない。しかし、ゾディアックの正体について世間の関心は高く、2014年にも「友人が死去する前に犯罪を告白した」と名乗り出た男や、父親がモンタージュに酷似しており、暗号作りを趣味としていたことを根拠として告発した人物もいた。

果たして残酷な犯人の素顔が暴かれる日は来るのだろうか。

ゾディアック事件の犯人のモンタージュ。犯人が生きていたとしても老人であり、残された時間は少ない。

ダマスカス鋼

種別 ミステリー遺産　地域 シリア・アラブ共和国

戦士たちが剣として愛用し、ステイタスシンボルにもなった鋼

強靱で弾性に富み、剣やナイフにすると鋭い切れ味を発揮する鋼鉄がダマスカス鋼である。繰り返し使っても硬度は衰えず、鍛えた刃は美しい波模様を描くことから中世の戦士たちが愛用した。繊細な細工を施すことも可能なため、ダマスカス鋼の製品は芸術品としても価値があり、それを持つことが地位の象徴となった。

原材料はインドで製造されたウーツ鋼といわれるが、４世紀頃から中東の都市ダマスカスで盛んに製造・売買されたことからダマスカス鋼と名が付いた。デリーにある1500年以上錆びない鉄柱も、このダマスカス鋼が用いられていると考えられている。

ところが18世紀の中頃に、ダマスカス鋼の製法は途絶えてしまったのである。原因としては、製法を秘密にし過ぎて後継者がいなくなった、インドで原材料の鉄鉱石が涸渇した、ウーツ鋼をインドから運ぶ交易ルートが断絶した、戦争で実際に用いる武器が銃や大砲などの火器となったため需要がなくなった、ほか様々な要因が考えられる。

現在、大学や企業の研究室では最先端の技術でダマスカス鋼を再現する試みがなされ、ほぼ同じものが高級ナイフなどに加工されている。

File
No. 191
本日のテーマ
UMAと怪人

グリーンマン

種別 怪人 地域 アメリカ合衆国

グリーンマンは暗いトンネルの中に潜んでいるという。

 トンネルに住む怪人のモデルは心優しき青年か

グリーンマンはアメリカのペンシルバニア州ピッツバーグに現われるとされる緑色の怪人である。夜になると体を緑色に光らせながら通りを徘徊し、人間を見つけると棲処であるトンネルに引きずり込み、顔をつぶして絞め殺すという恐怖の怪人である。

現在も倉庫となっている現地のトンネル内に潜んでいるというから、恐ろしい話である。「顔なしチャーリー」とも呼ばれていて、雷にあたって顔が醜くつぶれ、体が緑色に発光するようになった人物だという。周りから醜い顔を嫌われたことを恨み、夜な夜な人を襲うようになったともいわれていたが、驚くことにこの怪人にはモデルがいたのである。

それは1910年生まれのレイモンド・ロビンソンという人物。レイモンドは子供の頃電線に絡まる事故に遭い、顔に大やけどを負って、鼻が焼け落ち、両目も腫れ上がるなど醜悪な顔になってしまった。以来彼は人の目に触れない夜の散歩を好んだが、心ない人からは醜い顔を嘲笑されたという。

ただし、レイモンドはグリーンマンとは違って心優しい人物で、求められれば一緒に写真を撮ったとも伝えられる。レイモンドにつらく当たった人々の悔恨がグリーンマンを生み出したのだろうか。

File No. 192
本日のテーマ
古代文明

天逆鉾

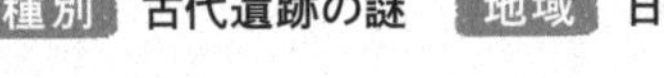

種別 古代遺跡の謎 地域 日本

霧島峰の山頂に突き立てられた鉾の謎

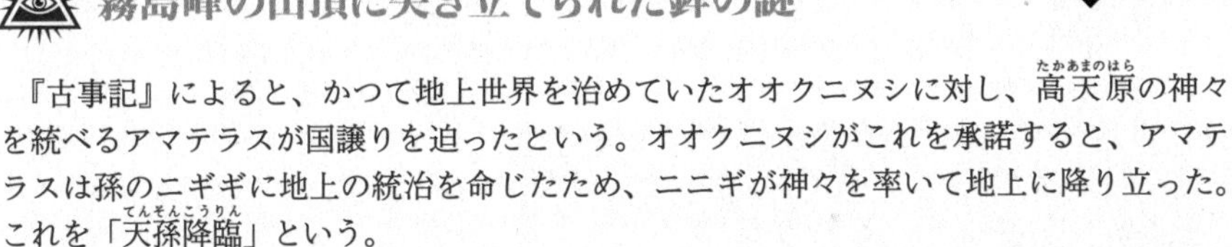

『古事記』によると、かつて地上世界を治めていたオオクニヌシに対し、高天原の神々を統べるアマテラスが国譲りを迫ったという。オオクニヌシがこれを承諾すると、アマテラスは孫のニギギに地上の統治を命じたため、ニニギが神々を率いて地上に降り立った。これを「天孫降臨」という。

では、ニギギが降り立った地はどこか？　その候補地は、宮崎県の高千穂、鹿児島県の黒瀬海岸、鹿児島県の霧島峰など多数あり、高千穂には「天孫降臨の像」、黒瀬海岸には石碑、霧島峰の「天逆鉾」と、それぞれの地に「この地こそが天孫降臨の地だ」と主張する記念碑が立てられている。そうした天孫降臨の記念碑の中で最も神秘的なのが、霧島峰の「天逆鉾」だろう。

天逆鉾とは、アマテラスの親神にあたるイザナキと、その妻イザナミが、日本列島を生み出した際に使ったとされる鉾のこと。それが霧島峰の山頂に、突き立てられているのだ。伝承によれば、鉾を突き立てたのはニギギであるという。現在突き刺さっているのはレプリカだが、実はこの鉾がいつからこの地にあったのかは今もわかっていない。幕末期、坂本龍馬が霧島峰に登った際に引き抜いたと証言しているが、鉾がレプリカとなったのはその後の噴火の際に折れたためで、龍馬が引き抜いたのは本物だったのかもしれない。

鹿児島の霧島峰の山頂に、突き立てられている天逆鉾。

瞬(まばた)きする少女のミイラ

種別 幽霊 地域 イタリア共和国

死後100年を経て今も美しさを保ち続ける少女の遺体

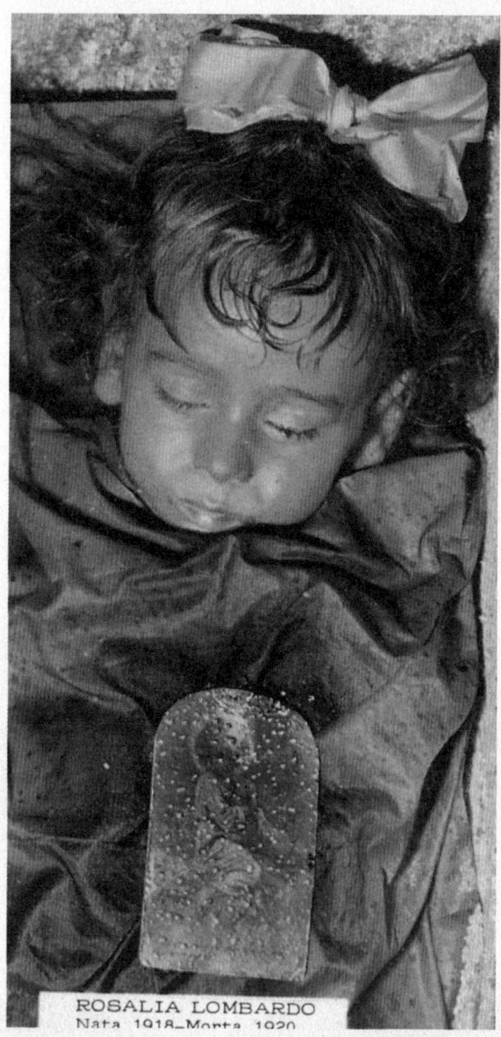

瞬きするといわれるロザリア・ロンバルドのミイラ。彼女の遺体は「世界一美しいミイラ」と呼ばれている。

イタリア共和国のシチリア島パレルモのカプチン・フランシスコ教会に、ロザリア・ロンバルドという2歳の少女の遺体が安置されている。まるで眠っているかのような姿だが、実はロザリアが神のもとに召されたのは1920年12月6日のこと。つまり死後100年以上も経ているのだが、両親の依頼によって特殊な材料を用いて防腐処理を行なった結果、今も生前の姿を保ち続けているのだ。

ロザリアのミイラは、ただ美しいだけではない。2014年6月、イタリアの研究者たちが、彼女のミイラが1日に数回ゆっくりと瞬きしていることを発見したのだ。映像には青い瞳も確認できるので、錯覚ではないことは確かだし、室温変化で瞼(まぶた)が動いたのではないかとする説も否定されている。

では、なぜ彼女は瞬きするのか？　その答えとして囁かれているのが、この教会の地下墓地に眠っている死者の霊が、彼女の遺体に宿ったのではないかとする説だ。地下墓地には約8000もの人々が埋葬されており、彷徨っている霊が美しい彼女の遺体に宿ったというわけである。

真相は明らかではないが、ロザリアの遺体に何か特別な力が宿っていることは間違いないだろう。

ルルドの泉

File No.194 本日のテーマ 宇宙・自然の神秘

種別 奇跡　地域 フランス共和国

 どんな病も治す奇跡の泉

フランスとスペインの国境近く、ピレネー山脈の麓にあるルルドという小さな町は、世界中から人々が訪れるカトリックの巡礼地だ。この町が有名になったのは、ルルドにある泉が、数々の奇跡を起こしてきたからである。

ルルドの泉は自然に存在していたものではない。聖母マリアが顕現し、彼女の言葉に従った少女が掘り出したものだ。

1858年のことだった。ルルドで暮らす14歳の少女ベルナデッタが、村の洞窟で聖母マリアと遭遇した。聖母マリアは礼拝堂を建立してほしいと頼む一方で、洞窟の土を掘るようにベルナデッタに伝え、彼女がその通りにすると、水が噴き出したという。

やがてこの泉の水で目を洗った盲目の人物が視力を取り戻すなど、多くの奇跡が起こり、ヴァチカンが調査に乗り出した。その結果、ヴァチカンはマリアの顕現と泉の特別な治癒力が本物の奇跡であると認定したのである。

ルルドの泉には、その奇跡を求め、世界中から年間500万人以上の人が訪れている。説明不可能とされた治癒例はおよそ2500にもおよんでおり、ヴァチカンが正式に奇跡として認定したものも70例（2018年）あるという。

ルルドの泉のベルナデッタと聖母マリアの像。

皇女アナスタシア生存説

種別 死にまつわる謎　地域 ロシア連邦

銃殺現場から生還した？ ロシア皇女を名乗った女性

ロシア帝国ロマノフ朝最後の皇帝ニコライ２世とその家族7名は、ロシア革命勃発後の1918年7月16日、エカテリンブルク近郊のイパチェフ館にて女中、医師ら4名とともに全員が銃殺されたとされている。

ところがこの一家惨殺には当初から奇妙な噂が飛び交っていた。

ソヴィエトの指導者レーニンは、ドイツとの外交取引のためドイツ人の血を引く皇后と皇女たちを生かしておいたというのだ。ただし反革命派を勢いづかせないため５人の死亡説を流したというのである。実際、西方へ移されたという５人を見たという証言も複数出て生存説は真実味を増した。

1920年には、皇帝の４女アナスタシアを名乗る女性アンナ・アンダーソンが現われ、姉の後ろに隠れて一命をとりとめ、救い出してくれた兵士とともに逃げてきたと告白した。その容貌はアナスタシアとの共通点が多く、本人でなければ知らない宮廷時代のことも語った。

その一方で兵士と別れてからのことを語らないなど怪しい点も少なくなかったため、ニコライ２世の親族も本物派と偽物派に分かれ、約50年にわたって議論が続いたのである。

1989年、ようやく一家のものらしき遺骨が発見され、DNA鑑定の結果、皇帝一家のものであると断定された。ただしこの時はまだ９人分の遺骨しか発見されておらず、生存説が根強く残ったが、2007年、遺骨発見現場から80m離れた場所から２体の遺骨が発見され、全員の死亡が確定した。アナスタシアを名乗った女性も、ポーランド人だったという説が高まり、決着の時を迎えようとしている。

生存説が囁かれ続けてきたニコライ２世の皇女アナスタシア（上）と、その名を語ったアンナ・アンダーソン（下）。

オーラン・メダン号

種別 未解決事件　地域 マラッカ海峡

謎のモールス信号とともに海中に消えた死の船

貨物船の乗組員が原因不明の理由で全員死亡……。このような不可解な結末で知られるのが1947年末から48年初頭に起きたオーラン・メダン号事件である。

事件は次のような経緯である。マラッカ海峡を航行していたこの船から「船長を含むすべての乗組員が死んでいる。自分も、死ぬ」というモールス信号が発せられた。その数時間後、メダン号に入った米国船船員らは凄惨な光景を目の当たりにする。乗組員が全員、顔をゆがませながら事切れていたのである。しかも、まもなく船は爆発してすべての手掛かりを抱えたまま、海底深く沈んでいった。

ところがそのあと、この船の登記記録がないことがわかり、事件は都市伝説として語られ始める。海底の割れ目から出たメタンガスに襲われた、船のボイラーの欠陥で一酸化炭素中毒になったとも推測された。さらに登記記録がないのは違法な目的で操業していたからと推測され、積んでいた生物兵器や化学兵器が漏れて乗組員の命を奪い、さらに引火して爆発へと至ったという物騒な噂も飛び出した。だが、物的証拠がすべて消滅した今では解明しようのない状況となっている。

オーラン・メダン号の遭難について、今ではそもそもこの船自体が存在していたのかどうかさえ証明できないという状況に陥っている。

第29週 第1日目

エルドラド

種別 ミステリー遺産　地域 コロンビア共和国

エルドラド伝説の基とされる黄金の儀式を模した装飾品。

男たちが命をかけて捜し求めた黄金郷

南米のどこかの山中に、黄金郷エルドラドがあって、そこを見つけたら富も名声も思いのままになる……。これが近世ヨーロッパ人の心をとらえたエルドラド伝説である。

本来のエルドラドとは地名ではなく、黄金を身に着けた人や黄金を用いた儀式を表わす言葉である。だがある時、現在のコロンビアの首都ボゴタの北方57kmのところにあるグアタビータ湖で黄金を用いた儀式が行なわれているのを見た者が、ヨーロッパに戻ってこれを喧伝すると、噂が噂を呼び、グアタビータ湖だけではないはずだ、もっと多くの黄金があるはずだと熱狂的に信じられ、「エルドラド」が黄金郷の代名詞になった。

折りしも大航海時代のさなかにあってスペインから一獲千金を夢見るコンキスタドールが次々に南米へ渡っていた。多くのならず者がエルドラドを探して、南米大陸の奥深くまで足を踏み入れた。彼らは現地の住民との衝突も厭わず、戦いや仲間割れで命を落とす者が多かったが、エルドラドは結局見つからなかった。

エルドラドの探索自体は最近まで行なわれており、グアタビータ湖では、水を抜いて湖底を露出させる探索が行なわれていた。だが少しばかりの黄金は出たものの、エルドラドの黄金と呼ぶにはほど遠い結果に終わった。現在、コロンビア政府はグアタビータ湖での黄金探しを禁止している。

ハーメルンの笛吹き男

File No. 198
本日のテーマ
UMAと怪人

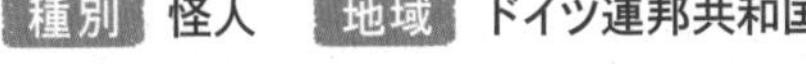

種別 怪人　地域 ドイツ連邦共和国

中世のドイツで発生した子供たちの集団失踪事件の犯人とは？

グリム童話の「ハーメルンの笛吹き男」は、中世ドイツのハーメルンの町で、ネズミ退治を請け負った男に人々が報酬を支払わなかったため、男が笛を吹いて町の子供たちを連れ去ったという、神隠しを思わせる話である。

しかしこれは単なる作り話とは言い切れない。「1284年6月12日に130人の子供が町から消えた」という記録が実際に残されているからだ。子供の集団失踪とは異様であるうえにその理由が記されていないため、いくつもの説が飛び交ってきた。

なかでも注目されているのが、ペストによる死亡説と集団移住説である。

ペストは中世ヨーロッパにおいて猛威を振るった疫病で、一度広まれば町の住人を根絶やしすると怖れられた。ペスト菌を媒介するのは男が退治したネズミである。そこから町の子供がペストに集団感染して死に絶えたことを伝えているのではないかと考えられた。

あるいは笛吹き男は若者たちに東方への植民を誘いに来た使者という説も取り沙汰された。その男の誘いに乗って、豊かな土地を求めて東方へと集団で移住した若者たちの姿を子供たちの失踪事件に投影したのではないかというのである。実際に当時はドイツ人によってエルベ 、ザーレ両川以東、現在のエストニア、スロベニアやトランシルヴァニアへの植民が積極的に行なわれており、多くの植民都市が誕生した時代であった。

ハーメルンのマルクト教会にあるステンドグラスから模写された、現存最古の笛吹き男の水彩画（アウグスティン・フォン・メルペルク／1592年）。

第29週 第3日目

邪馬台国の所在地

種別 古代文明の謎　地域 日本

弥生時代の日本を統べた女王国の所在地とは？

中国三国時代の歴史書『三国志』「魏書」の「烏丸鮮卑東夷伝倭人条」、通称「魏志倭人伝」によると、3世紀の日本には、女王・卑弥呼が治める邪馬台国を中心とした国家連合があったという。238年には魏に使者を送って朝貢し、卑弥呼は「親魏倭王」の印綬と銅鏡などを贈られている。

しかし、この邪馬台国が日本列島のどこにあったのか、今をもってはっきりしていない。

そうしたなかでも有力視されているのが、江戸時代の新井白石に始まる大和説と、本居宣長が唱えた九州説だが、この2説の間でどうしても決着がつかないまま現在に至る。

理由は、邪馬台国の場所を示す記述が「魏志倭人伝」にしかないからで、しかもその表記があまりに曖昧だからだ。「魏志倭人伝」には、福岡県宇美町付近にあったとされる不弥国から先の行程について「南、投馬国まで水行二十日、邪馬台国まで水行十日、陸行一月」とあるのだが、この通りに南に進むと、九州のはるか南方の海上に至ってしまうのである。そこで、九州説では「陸行一月」を「陸行一日」の間違いとして北九州に邪馬台国の位置を推定し、大和説では「南」を「東」の間違いと解釈して奈良に邪馬台国の位置を推定しているのである。

つまりは「魏志倭人伝」の曖昧な表記が、永遠に続く論争の始まり。何か決定的な証拠でも発見されない限り、邪馬台国論争は今後も続きそうだ。

邪馬台国九州説を後押しした
吉野ヶ里遺跡。

タイタニック号と巫女の呪い

File No.200
本日のテーマ
幽霊・呪い

種別 呪い 地域 イギリス

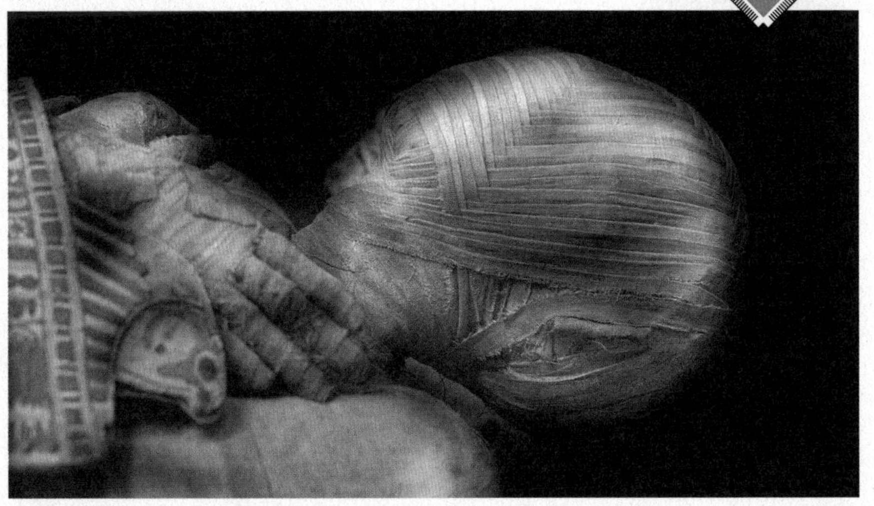
未曾有の海難事故はミイラの怒りが引き起こしたのかもしれない。

 沈没直前、船長がとった奇妙な行動のミステリー

1912年4月14日、2208名を乗せてイギリスからアメリカに向けて処女航海に出た豪華客船タイタニック号が、ニューヨーク目前のニューファンドランド島沖合で沈没した。この事故で犠牲になった人は1513名にのぼる。

沈没の原因は氷山に衝突したことだとされているが、実は“呪い”が原因だったのではないかという噂がある。公式な記録には残っておらず、あくまで都市伝説ではあるが、実はこの時、タイタニック号の甲板には、1体のミイラが積まれていたという話が語られているのだ。紀元前2世紀頃のテーベにいた女性のミイラで、彼女はアメンホテプ4世が尊敬した預言者であったという。

この女性は1910年に発掘されて永い眠りから目覚めると、その後様々な持ち主の手に渡ったが、次々に災いをもたらし、大英博物館に寄贈されてからも、怪奇現象を引き起こしていた。そこでニューヨークの博物館に引き取られることとなったため、イギリスの貴族によってニューヨークへ輸送される最中だったのだ。

実は、事故直前、普段は冷静沈着で経験豊富なスミス船長が、急に速度を上げたり減速したり、進路を変えたり固定したりと、奇妙な行動をとり始めたという証言がある。しかも、衝突後も救命信号の発信を拒み、沈没間際にやっと発信したというのだ。

こうした船長の奇妙な行動は、ミイラの呪いによるものだったのか。船長自身が船と運命を共にしたため、誰も知ることはできない。

サン・メダール教会の奇跡

種別 奇跡 地域 フランス共和国

サン・メダール教会で行なわれた激しすぎる治療の様子。

 悪魔の仕業か、神のご加護か!? 拷問的治療で病気が治る！

フランス・パリのセーヌ川左岸にサン・メダール教会がある。この教会は、16世紀に医学的治療を施さなくても病気が治る奇跡の教会として有名になった。

サン・メダール教会で奇跡が始まったのは、1727年に病を治す聖人として崇められていた神父フランソワ・ド・パリが亡くなり、葬儀が行なわれていた時のことである。多くの信者が神父の遺体を取り囲み、彼の死を嘆き悲しんでいる時、ひとりの少年が痙攣を起こして気絶したのである。少年は片方の足の筋肉がほとんどなく、普通に歩くことができなかった。ところが、痙攣が治まると少年は突然立ち上がり、スタスタと歩き始めたのである。

その後、教会には多くの信者が集まるようになったが、その治療はあまりに壮絶なものだった。横たわる女性を数人の男が棒で殴りつけたり、乳首を鉄の火箸で挟んで捻り上げたりといった具合で、人間の排泄物を食べている少女もいた。しかし、こうした拷問的な治療を受ける信者たちは誰ひとり苦しんではおらず、病気は瞬く間に治ったのである。

この奇跡については、何人かの知識人が調査に乗り出したが、誰もでまかせだと証明することはできず、状況を知って激怒したルイ15世により教会が閉鎖されるまで、1732年まで5年間にわたって奇跡が続いたのである。

それから約280年の時が過ぎたが、今もってサン・メダール教会と信者たちに起きた奇跡の力について、何ら科学的な解明はされていない。そこには魔力が存在したのか、それとも神のご加護だったのか？

《第九》の呪い

種別 死にまつわる謎　地域 オーストリア共和国

ベートーヴェンから始まった大作曲家たちの死の連鎖

偉大な音楽家ベートーヴェンは自らが作曲した《交響曲第九番ニ短調》の初演に際し、髪を振り乱す熱演で自ら指揮をとったという。ただし彼はすでに難聴で演奏を導くことはできない。そのため指揮台にふたりの指揮者立つという前代未聞の演奏だったのである。

この日から3年後、ベートーヴェンが亡くなったため、彼の交響曲は9作までとなった。ところが以降、「《第九》の呪い」という妙なジンクスが広まっていくのである。

それは大作曲家が交響曲を9曲作ると、じきに死んでしまうという内容である。何より奇怪にことにこのジンクスは次々と実現することとなった。ブルックナー、ドヴォルザーク、ヴォーン・ウィリアムズといった一流作曲家が交響曲の9作目を書き終えると、死んでしまうのである。そのためマーラーは第九交響曲を《大地の歌》と名づけたが、10番目の交響曲を作っている途中で亡くなり、結局ジンクスから逃れることはできなかった。

しかしシベリウスに至っては第8を作り終えると呪いを恐れ、楽譜を焼き捨てたからか、91歳まで長生きしている。

ベートーヴェン自筆の『第九』の楽譜。

第29週 第7日目

飛行船の消失

種別 未解決事件　地域 アメリカ合衆国

空飛ぶ飛行船からパイロットが消えた謎

船から船員が行方不明となった例は数多いが、空中で飛行船のパイロットだけが消えたという理解しがたい事件がある。

第2次世界大戦中の1942年、アメリカ海軍の訓練用飛行船L-8はふたりのパイロットを乗せてトレジャー島から離陸し、太平洋沿岸の警戒に当たった。途中で敵の潜水艦侵入を察知し、調査のため海に降下したのだが、しばらくしてから舞い上がると、空の彼方へと飛び去っていった。

その後、飛行船はサンフランシスコで海辺の崖にぶつかり着地した。

すぐに救助隊が駆け付けたが、なんとゴンドラの中はもぬけの殻でパイロットがいなかった。救助艇やパラシュートは残されていたが、飛行中にパイロットが着用する黄色い救命胴衣だけが見当たらない。そこでふたりは海上で潜水艦を探索中、海に転落したと考えられたのだが、現場にいた警備艇など複数の船の船員たちは、黄色い胴衣を着た人間が落ちたのを見ていないという。

その後の海と空の徹底捜索でもふたりの姿はどこにも見つからなかった。彼らは海に沈んだのか、空の彼方へと消え去ったのか。それとも……？

訓練飛行中にパイロットだけが消息を絶ったアメリカ海軍の訓練用飛行船L-8。

第30週 第1日目

ギリシア火の製法

種別 ミステリー遺産　**地域** トルコ共和国

1000年の帝国を支えたのは化学兵器だったのか

アジアとヨーロッパの中継地点にあって、多くの民族に攻撃されながらもそれを退け、1000年以上もの間、帝国として存続していたのがビザンツ帝国である。その軍事力を支えたのが、“ギリシア火”と呼ばれる兵器だった。

“ギリシア火”は、ことにイスラーム勢力との海戦において威力を発揮した。形状は液体だったようで、小さな瓶に入れて投げつけたり、船首に取り付けられた火炎放射器のような装置から発射したりすると、敵の上に降り注いで炎となる。粘着力があって払い落とすことはできず、水をかけても火は消えず、海の上でも燃え続けたという。

製法は秘密中の秘密で、天使がコンスタンティヌス帝に教えたものだとされていた。その時に天使は、これを誰にも教えてはならぬ、教えた者は炎で焼き尽くされると告げたといわれ、厳重に秘匿されている。その威力に恐れをなした敵対勢力は、自国でも“ギリシア火”を作ろうと試みたが、ことごとく失敗した。

おそらく“ギリシア火”は、石油を蒸留して抽出した成分に、樹脂を加えて粘度をつけ、硫黄などを加えたものだったと考えられる。だがビザンツ帝国の滅亡とともに、その詳しい製法を知る者はいなくなった。

ギリシア火を用いてイスラーム軍を攻撃するビザンツ帝国の軍船（『スキュリツェス年代記』の挿絵より）。

サン・ジェルマン伯爵

種別 怪人　地域 ヨーロッパ

正体は時空を自在に行き来したタイムトラベラー?

タイムトラベラー説が囁かれるサンジェルマン伯爵。

18世紀のフランス社交界で、時空を自由に行き来するタイムトラベラーとして一世を風靡したのが不老不死を自称したサン・ジェルマン伯爵である。

彼は1748年にはフランス国王ルイ15世に謁見してダイヤを贈り、1774年にはルイ16世夫妻と会ってふたりの不幸な未来を予言したという。当人はその後1784年にドイツで死去したとされている。

だが奇妙なことに、その後も伯爵と会ったという証言が伝えられている。なんとナポレオンばかりか20世紀のイギリスの首相チャーチルとも会談したという。

信じられない話だが、彼は豊かな知識と巧みな弁舌で人々を鮮やかに煙に巻き、不思議な説得力をたたえていた。何より18世紀に、誰も知るはずのない汽車や飛行機について詳しく語り、ヘブライ語、中国語、サンスクリット語、欧州の各国語と語学にも通じていた。しかも彼はイエス・キリストやシバの女王に会ったことがあると豪語していたというから驚きだ。

まさにタイムトラベラーと考えない限り、つじつまが合わないミステリアスな人物だったのである。ペテン師か歴史をまたにかけたタイムトラベラーか。今も伯爵はどこかで生きているかもしれない。

シャンバラ

種別 古代文明の謎 地域 中華人民共和国チベット自治区

地底深くにあるといわれる伝説の地底王国は実在するのか？

シャンバラとは、中央アジアのどこかに実在するとされる伝説の地下王国のことである。元々はチベット仏教の経典、『時輪タントラ』に記された理想世界の名前で、限られた者だけが到達できるとされる仏教徒のユートピアだ。シャンバラの伝説は、東洋に布教にやってきた宣教師や探検家たちによって西欧に紹介され、19～20世紀初頭までにはシャンバラという言葉がユートピアの同義語となったのである。

所在地は、ヒマラヤ山脈のチベット側だとか、崑崙（こんろん）山脈の中、アルタイ山脈の中など様々な場所が言い伝えられているが、西欧に伝説が伝わると、シャンバラは中央アジアのどこかの地下深くに存在する王国だという形に変化したのである。

この伝説を信じた多くの人々が実際に探検隊を組織してチベットやインドに出向き、ヒトラーも、1936年以降、毎年のように「アーネンエルベ」というナチスのオカルト局の科学者による探検隊を中南米やアジアに派遣して地底王国を探したのである。

シャンバラは、理想郷を求める人々の概念上の存在だとする説もあるが、実在しないという根拠もない。現在、シャンバラが隠れる地として最も有力視されているのはチベット東部のツァンポー渓谷。この渓谷内には未踏の場所が今も多く残されているのである。

シャンバラの候補地として最も有力視されている
チベット東部のツァンポー渓谷。

イングランドの呪いの石

種別 呪い 地域 イギリス

呪いの言葉が書き込まれた巨大の石が災いをもたらす!?

2011年11月18日、イギリス・カンブリア市議会議員のジム・トゥール氏が、透析治療中に心臓発作を起こして急死した。この突然の死には、呪いの石が関係しているのではないかと囁かれている。

呪いの石とは、北西イングランドのカーライル城の側にある地下道に置かれている巨大な石のことだ。ゴードン・ヤングという彫刻家の作品で、タリーハウス博物館ギャラリーの所蔵品のひとつ。巨大な花崗岩に文字がびっしり刻まれているものなのだが、実はこの文字は、1525年にグラスゴーの大司教ギャビッド・ダンバーによって書かれた呪いの言葉の一部。1069語からなる世界最長の呪いの言葉のうち300語が刻まれているのである。

石が設置されたのは2001年のことだが、その年に同地では口蹄疫（こうていえき）が蔓延し、2005年にはカンブリア洪水が起きた。トゥール氏は、これらの禍は石の呪いのせいだと考え、石を撤去するか破壊すべきだと提案していたのだ。

石は、今も地下道にある。トゥール氏が突然死したことで、誰もトゥール氏の意志を継ぐ勇気を持てないからだ。この先、呪いの影響が出ないことを祈るばかりである。

カーライル城の地下道に置かれた呪いの石。（写真：Alamy／アフロ）

聖痕現象

(せいこん)

種別 奇跡 地域 イタリア共和国ほか

イエスの磔の時と同じ部位に起きる謎の出血現象

聖痕現象とは、イエスが磔になった際に釘を打たれ、槍を刺されたのと同じ体の部位から出血する現象で、キリスト教にとって重要な意味を持つ聖なる日に起きるケースが多いという。キリスト教にまつわる不思議な現象は多く報告されているが、聖痕現象は特に報告例が多く、聖痕を受けた人の数は数百人にのぼるといわれている。

たとえば、1918年9月、イタリア南東部のサン・ジョバンニ・ロトンドの修道院の僧パドレ・ピオは、両手両足、さらに脇腹にも穴が開き、血が流れ出たという。それはイエスが磔にされた時と全く同じ部位で、医師の治療を受けても出血は止まらなかった。

こうした現象について、キリスト教ではその人物が敬虔な信者であると認められたために起こるもので、神からの祝福の証だと解釈されている。しかし、強い信仰心のために宗教的な洗脳状態に陥り、自ら傷を生じさせてしまうのではないかとする説や、血小板の異常によるフォン・ヴィルブランド病のせいだとする説など諸説ある。

しかし、どの説にも確たる証拠はなく、聖痕現象の謎は今も深まるばかりだ。

初期ルネサンスの巨匠ジョットが描いた『聖痕を受けるアッシジの聖フランチェスコ』。キリストと同じ場所に傷が現われる聖痕現象は、敬虔な信者の証とされる。

弥助（やすけ）

種別 ミステリアスな人物　地域 日本

本能寺の変後に姿を消した黒人武将

織田信長の家臣の中でもひときわ異彩を放つ人物に弥助がいる。

柴田勝家や明智光秀らとは異なり、大軍の指揮を任された人物ではないが、アフリカ南東部のモザンビーク出身の黒人奴隷で、宣教師とともに来日したという経歴の持主だ。

彼を気に入った信長は弥助と名付け、家臣に取り立てた。一説よると帯刀も許され、広い屋敷も与えられたという。

日本に到来したイエズス会宣教師などの南蛮人たち。

ところがこの弥助はそれから約１年半後、本能寺の変に遭遇。そのまま忽然と姿を消したのである。信長が本能寺の変で襲撃された際、弥助は寺を出て信長の長男・信忠のいる二条御所に駆けつけて明智勢と戦うも、明智勢に降伏。許されて南蛮寺（キリスト教会）に保護されたと伝えられる。

ところがその後、弥助がどこに行ったのか全くもって不明なのである。帰国したのか他家に仕えたのか、ようとして行方がわからない。国内にいれば目立つはずだし、帰国すれば宣教師らが何らかの記録を残したと考えられる。

ただこの後、九州の沖田畷（おきたなわて）の戦いで有馬軍に大砲を扱っていた黒人がいるという話が伝えられている。それが弥助だったかどうかは定かではない。

ロベルト・カルヴィの死

File No. 210
本日のテーマ
都市伝説と陰謀論

 変死した大銀行頭取の遺体が語る2の暗示

1982年6月18日、ロンドン市内のテムズ川にかかるブラックフライアーズ橋で、男性の首つり死体が発見された。彼の名はロベルト・カルヴィ。イタリアの大手銀行の頭取であり、渦中の人であったことから世界は騒然となった。

カルヴィはヴァチカンの資金を管理するアンブロシアーノ銀行の頭取である。そしてマルチンクス大司教と結んでマフィア絡みのマネーロンダリングと不正融資を行なった疑惑の人物で、死ぬ直前には不正が明るみに出て国際手配されていた。

そんななかでの首つりである。カルヴィの死体の首にはふたつの結び目があり、ポケットの中には2個の石が入っていた。自殺なら結び目はひとつでいいはずだ。そこで、「ふたつ」というのはフリーメイソンのイタリア支部P2の2を表わしたものだという指摘が挙がった。

カルヴィはフリーメイソンの会員で、そのロッジのひとつロッジP2を介して黒い人脈とつながり、その関係を駆使してのし上がった人物でもある。

警察ですべて暴露されるのを恐れたP2が口封じのために殺したという説もある。カルヴィと親しいヴァチカンの財政顧問も青酸中毒死しており、背後に何か黒い力が蠢いていた可能性は捨てきれない。

不可解な死を遂げたロベルト・カルヴィ。

アーサー王の墓

種別 ミステリー遺産 地域 イギリス

英雄の終焉の地アヴァロン島はどこだったのか

アーサー王は、6世紀頃のブリテン島に登場し、多くの敵を退けて国を守った英雄で、没後はアヴァロン島に葬られたと伝えられてきた。あくまで伝説上の存在に過ぎないはずであったが、そのアーサー王の墓が12世紀になって、イギリス西部のグラストンベリー修道院で発見されたのである。

イングランド国王リチャード1世の支援によって行なわれた発掘で見つかったのは、大小2体の遺骨と黄金の髪の束、そして十字架である。十字架には、ここがアヴァロン島でアーサー王と王妃グィネヴィアが眠っていると刻まれていたという。その文体は12世紀より古く、6世紀まではさかのぼらないものだったらしい。また、グラストンベリーはかつて湿地で、点在する丘が島のように見えたというから、立地的には符合しなくもない。

ところがその後ほどなくして、遺骨は再び埋葬され、肝心の十字架を紛失してしまったという。あっけないほどの幕引きだった。

アーサー王にまつわる伝承や物語は数多いが、実在の証拠は現代に至るまで何ひとつ見つかっていない。グラストンベリーには、アーサー王伝説のほかにもキリスト教の聖人にまつわる言い伝えがいくつもある。王家と修道院がアーサー王の墓伝説を加えることで、多くの寄付を集めることができると、新たな物語を創作した可能性も指摘されている。

アーサー王の墓が発見されたと伝わるグラストンベリー修道院。

ブルードッグ

File No.212 本日のテーマ UMAと怪人

種別 UMA 地域 アメリカ合衆国

ブルードッグは、21世紀に入り新たに認識されたUMAである。

青みがかった体をした吸血動物

2005年頃からアメリカのテキサス州とその周辺では、羊や鶏などの家畜が奇妙な動物に襲われるという事件が相次いだ。しかも食われるというよりも喉笛をかみ切られてその生き血が吸われており、まさに吸血動物の仕業であった。

その謎の動物の姿がビデオで撮影され、その姿がさらされると、さらに人々の恐怖をかき立てることとなる。その動物はコヨーテか野犬のような姿で、何とも妖しい青みがかかった色をした未知の動物だったのである。その青い体から、この動物はブルードッグと呼ばれるようになった。

ブルードッグの正体について、動物学者の間ではコヨーテの変種であるとか、未知のオオカミ種ではないかという意見がある。テキサス州には実際、青いオオカミや赤いオオカミが生息しているため、そのオオカミなどが変異して誕生したとも考えられたのだ。

ところが2010年には、前足をあげて2足歩行で歩くブルードッグが撮影された。コヨーテもオオカミも2足歩行をすることはない。まして動物を食らっても血を吸うこともないはずだ。それを考えれば、今までの動物とは違う生態を持つ未知の動物なのかもしれない。

カッパドキア核シェルター説

種別 古代遺跡の謎　地域 トルコ共和国

岩山の地下に広がる広大な地下都市は古代核戦争で誕生した!?

トルコ東部のアナトリア高原にあるカッパドキアは、キノコのような形の岩山がいくつも連なる世界に類を見ない奇岩群だ。この岩山は、300万年ほど前に起こった火山噴火によって堆積した凝灰岩や溶岩層が、長い年月をかけて浸食されて形成されたものである。

その景観だけでも十分珍しいのだが、カッパドキアにはもっと驚くべき事実がある。この岩山の中に10万人を超える人々が生活できる都市が整備されていたことが、1965年以降の調査でわかったのである。地下都市はこれまでに5つ判明しているが、その中でも比較的調査が進んでいるカクマイルは8層構造の地下都市で、住居はもちろん、食糧貯蔵庫やワイン醸造所、家畜小屋などが整備されていたことがわかっている。また、2013年には地下都市同士が通路でつながっていたことも判明した。

なぜこれほどまでに壮大な地下都市を形成する必要があったのか。

その理由については、キリスト教徒が迫害から逃れるべく移り住んだためという通説がある一方、実は古代の核シェルターだったのではないかという説がある。実際にモヘンジョ・ダロでも核攻撃を受けたかのような痕跡が発見されており、すでに古代に核、もしくはそれに匹敵する兵器が存在していた可能性も捨てきれない。人々は地上を業火に包む兵器の攻撃から逃れるべく、地下都市を建設したのかもしれない。

カッパドキアの岩山の地下には、通路でつなげられた無数の空間が存在している。

File No. 214
本日のテーマ
幽霊・呪い

ベル家の魔女

種別 幽霊　地域 アメリカ合衆国

ベル家を襲ったのは、付近の洞窟に暮らした魔女だったのかもしれない。

ポルターガイスト現象が頻発する恐怖の洞窟

アメリカ・テネシー州北部のロバートソン郡に、「呪われたスポット」として有名な「ジョン・ベル・ファーム」という場所がある。

この地で起こった怪現象がローズマリ・E・グィリー著『妖怪と精霊の事典』に記されている。

発端は、1817年にこの農場を所有していたジョン・ベルという男性が、大きな犬のような怪物や巨大な七面鳥を目撃した事件である。その後、まもなくベル家がポルターガイスト現象に襲われる。

娘のベッドカバーが引きはがされたり、突然平手打ちされたりといったことが続いた。やがてこの怪現象を引き起こしていた精霊は、ケイト・バッツの魔女と名乗ると、ジョンが生きている限り彼を苦しめ続けると語った。ジョンは1820年に死亡したが、その際には薬瓶が発見され、ケイトは自分が用意したものであると告げている。1828年、精霊ケイトは107年後の1935年に戻ってくることを宣言し去っていったが、宣言通り戻って来たのか、現在も周辺では怪異が出現するという。

この農場の付近には「ベル・ウィッチ・ケイブ」と呼ばれるなんとも不気味な雰囲気を醸し出している洞窟がある。不気味な声が聞こえ、写真には奇妙な霊や怪光が写り込むなど、怪奇現象が頻発していることから、現在は立ち入り禁止とされている。実はこの洞窟はかつて魔女の集会所であり、迫害を受けた時の避難所だったという伝承がある。ケイトと名乗った精霊もこの洞窟内を漂う魔女の亡霊だったのかもしれない。

File No. 215
本日のテーマ
宇宙・自然の神秘

モーセの奇跡

種別 奇跡　地域 エジプト・アラブ共和国

チャールトン・ヘストン主演『十戒』における海を割るモーセ。

海が割れた！ モーセ一行を絶体絶命のピンチから救った奇跡の真相

旧約聖書に記されている様々な奇跡の場面の中でも、特に有名なのがモーセの奇跡だろう。モーセは古代イスラエルのカリスマ的指導者で、「出エジプト記」によれば、エジプトで奴隷扱いされていたイスラエルの民を救うために、神のお告げを受けてエジプト脱出を計画したという。しかし、モーセ一行は、エジプトのファラオの軍勢の追撃を受けたうえ、行く手を葦の海（紅海といわれる）に阻まれてしまったのだ。

奇跡はその時に起きた。モーセが杖の空に向けて振り上げると、目の前の海が真っ二つに割れ、海底が出現したのだ。一行はその割れ目を歩いて向こう岸に無事に渡ることができたが、その後でやってきた追手のエジプト軍が同じように海底を通って海を渡ろうとすると海は元通りになり、エジプト軍は全滅したという。

この奇跡については、様々な解釈がされている。たとえば、地震の前兆であり、地震が起きる直前に断層の端に亀裂が入り、海水がそこに吸い込まれたために海が割れ、海底が現われたのだとする説、さらに超強力な風が吹くことによる海水の後退だったとする説などだ。

このように多くの学説が提示されているが、すべて仮説にすぎない。真実は、モーセと神のみが知るばかりである。

始皇帝出生の秘密

File No.216 本日のテーマ 歴史のミステリー

種別 スキャンダル　地域 中華人民共和国

中国を統一した秦の始皇帝にまつわる驚くべき出世の秘密

秦の始皇帝には出生にまつわるとんでもない秘密が隠されていた。なんと始皇帝は秦の王族の血を引いていないというのである。

そのいきさつは次のようなものだ。

秦の太子の子である子楚（しそ）は敵国の趙（ちょう）に人質に出されていた。これを見出した商人の呂不韋（りょふい）は一計を案じ、子楚を秦へと戻す策略をめぐらし、母国へと帰還させると、子楚の兄弟を陥れて子楚を秦王に即位させたのである。

そうしたなかで起こった誤算が、子楚が呂不韋の愛人を気に入ったことである。呂不韋は子楚の愛人を譲り受けたいという願いを承諾したところ、この時すでに彼女は政（せい）（のちの始皇帝）を身籠っていたという。

こうして政は子楚の子として生まれ、子楚の没後、秦王となったというのだ。この話は『史記』や『漢書』に書かれており、当時から信じられていたことがわかる。呂不韋は秦王となった子楚のもとで宰相となり、13歳で父の跡を継いだ政を支えながら、専横を極めた。政も自身の疑惑を知っていたという。やがて成人した政は呂不韋を粛正し、自害に追い込む。王族としての資格を覆しかねない人物を生かしておくわけにはいかなかったのだろう。

出生の秘密を抱える始皇帝。新しい血の持ち主であった始皇帝だからこそ、中国の世界観を決定づける、統一事業を達成できたのかもしれない。

第31週 第7日目

1ドル紙幣の謎

種別 秘密結社　地域 アメリカ合衆国

紙幣に隠されたアメリカ建国の秘密とは

アメリカが独立した時に考案されたアメリカの1ドル紙幣には、建国にまつわる秘密が暗示されているという。

それは秘密結社・フリーメイソンが指導的立場に立つことを暗示した暗号である。

たとえば紙幣の左側にあるピラミッドの上部に目が描かれた「全能の目」と呼ばれるデザイン。全能の目はフリーメイソンのシンボルなのである。しかもこのピラミッドの上にユダヤ人の印「ダビデ」の星を重ね描くと「MASON」の文字列が浮かびあがるのだ。

さらに紙幣には13という数字が暗示されている。星、矢、オリーブの数、ピラミッドの段数……。これらは独立13州を示したものという人もいるだろう。実はそれは表向きで実際はメイソンの中の秘密結社メイソン・ソサエティの13階位「ロイヤルアーチ・オブ・ソロモン」を指すものだという。13階位は初めて神の文字が明らかにされたという意味を持つ重要な階位で、独立を果たしたアメリカ国民を讃えているのだとか。

このデザインを決めた時にはワシントン大統領のほか、議員の大半がフリーメイソンの会員だったと聞けば、この暗号にも納得できるだろう。

アメリカ建国の背後にあるフリーメイソンの存在を暗示するといわれる1ドル紙幣。

File No. 218
本日のテーマ
ミステリアス遺産

殺生石

種別 ミステリー遺産　地域 日本

九尾の狐が変じたといわれる殺生石。今でもうかつに近づくと命を落とすことになる。

今もなお妖気を発して近づく者の命を奪う石

多くの行楽客が訪れる那須高原の湯本温泉、その遊歩道の奥に「殺生石」という岩が祀られている。これは九尾の狐の怨念が、石となったものなのだ。

天地開闢とともに生まれた九尾の狐は、その名のとおり９本の尾を持つ狐の化物で、絶世の美女に化けては権力者をたぶらかしてきた。中国やインドなどで数多くの国を滅亡に追い込んだのち、奈良時代の日本にやって来て、平安時代末期に玉藻前という女性の姿で鳥羽上皇の寵愛を得ると、上皇を衰弱させていった。

だが陰陽師によって正体を見破られて那須に逃げ、ついに関東の武士らによって退治された。それでもなお大きな岩に姿を変え、近づく者を殺し続けたので、玄翁という僧侶がその怨念を浄化し、岩を３つに打ち砕いたが、九尾の狐の霊力はまだ消えなかった。江戸時代の松尾芭蕉は、『奥の細道』の途上でここに立ち寄り、「石の毒気いまだほろびず」と記している。

この殺生石は、ただの伝説でも迷信でもない。現在でも、石の下から有毒ガスが噴出しているため、柵が巡らされて人間が近づけないようになっている。しかし哀れなことに、何も知らずに近づいてしまった鳥や昆虫の死骸が、しばしば見られるそうである。

第32週 第2日目

ドラゴン

種別 モンスター　地域 イギリス

たびたびドラゴンが現われるコーンウォールの近くには、まだ発見されていないドラゴンの巣があるのかもしれない。

コーンウォール地方に出没した幻の怪竜

西洋の竜はキリスト教の影響で悪の化身、異教の象徴として、邪悪な存在の代表とみられてきた。イギリスでは古くからドラゴンの伝説が多数囁かれ、ドラゴンが実在するという記録もいくつか残されている。15世紀にはイギリスのピュレスという町にピュレスドラゴンが出現。太い胴体と長い尾、鋭い歯を持つ凶暴な怪竜で、家畜を襲うなどしたため、矢で追い払ったという記録が残されている。

しかもドラゴンの伝説は過去の話ではなく、現代においてもその実在を示すような目撃情報が相次いでいる。

1976年にはコーンウォール地方に大きな翼を広げて空を飛ぶ奇怪な動物が現われ世間を騒がせ、2012年にも同じくコーンウォール地方で撮影されたというドラゴンの映像が世界中を駆け巡ったのである。大きな爪を持つ翼を広げて空を飛び、頭部にはトサカ、胴体には長い尾がついたその生物のリアルな映像は、まさに伝説のドラゴンが存在した！ と世間を騒がせるものとなった。

やはり幻のドラゴンは実在するのか、正体が判明するまでロマンは尽きない。

バビロンの空中庭園

File No. 220 本日のテーマ 古代文明

種別 古代遺跡の謎　地域 イラク共和国

高層の庭園にどうやって水を引いていたのか？

近年、都会の商業施設などのビルの屋上に緑あふれる庭園が広がっているのをよく目にするようになった。屋上であれ、たっぷりの水を用意できる現代ならではの都会のオアシスといえそうだが、実は古代にも建物の高層階に緑豊かな庭園を配した巨大建築が存在していた。それがイラクの首都バグダッドから南に80kmほど、バビロン遺跡内にあったとされる「バビロンの空中庭園」だ。

空中庭園という名だが、浮いているわけではなく、高さ25m、60㎡の階段状の立体式庭園で、壇ごとにナツメヤシやザクロ、イチジクなどの植物が生い茂っていたと考えられている。現代ならば別段驚くことではないが、この庭園が造られたのは、新バビロニア王国時代の紀元前600年頃の話である。

この時代にどうやって高さ25mの場所まで水を汲み上げていたのか。調査により、汲み上げ式の井戸によって上方から灌漑（かんがい）する仕組みだったと考えられていて、現代のバケツ式昇降機によく似た技術が導入されていたのではないかと推測されている。だが、遺構も発見されておらず、正確なことはわからない。

バビロン空中庭園の想像図。16世紀のオランダ人画家マルティン・ファン・ヘームスケルクによる油彩画で、新バビロニアの王都バビロンを描いている。画面奥にバベルの塔のモデルとなったジッグラトも見える。

ゾンビ・ロード

種別 幽霊　地域 アメリカ合衆国

鉄道事故の犠牲者!? 怪奇現象が頻発する林道

アメリカ・ミズーリ州のロウラー・フォード・ロードは、森や丘、墓地などを抜ける3.2kmの林道で、のどかな雰囲気が漂う道路なのだが、実は「ゾンビ・ロード」という不気味な別名のほうがよく知られている。

理由は、1950年代からこの道路で怪奇現象が頻発しているからだ。その特徴は、影のような黒い人の姿が頻繁に目撃されていることで、影なのに妙に存在感があり、写真にも数多く撮影されている。

2005年3月にトム・ハルステッド氏が撮影した写真には、木々の中に12人もの人影が映り込んでいた。この地で怪奇現象が頻発しているのは、1853年に敷かれた鉄道が関係していると考えられている。この鉄道は人身事故が多かったうえ、鋭いカーブで脱線事故も多発していたというのである。

現在は鉄道も廃線となり、線路の多くも撤去されているが、鉄道との関係を示すかのように、怪奇現象はかつての線路付近に集中しているという。

ゾンビ・ロードには今も事故の犠牲者の霊がさまよい続けているのかもしれない。

臨死体験

File No. 222
本日のテーマ
宇宙・自然の神秘

種別 奇跡　地域 世界

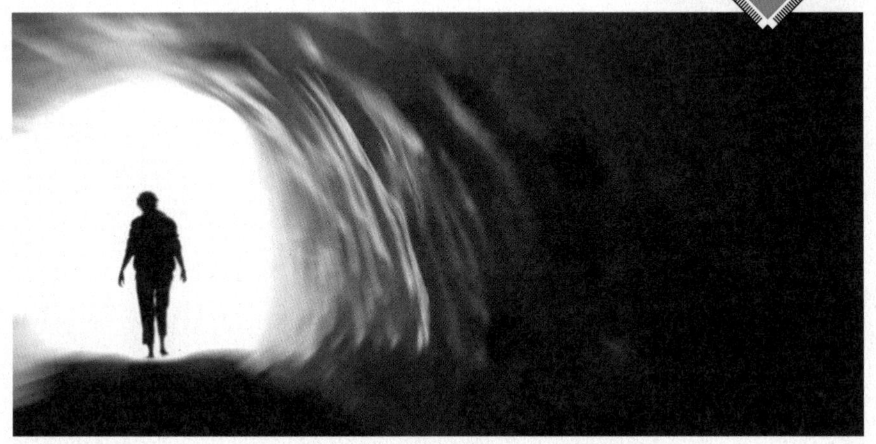
臨死体験をした者は、そろってトンネルを光の方へ向かって歩いて行ったという証言を残す。

 臨死体験は、死後の世界の体験か、幻覚現象か!?

心停止した後に蘇生したり、奇跡的に死の淵から生還した人の多くが臨死体験をしている。それはなぜか洋の東西、人種、性別、年齢を問わず内容がよく似ていて、体験中は死への恐怖感や痛みを感じず、安らぎや幸福感を抱くという。さらに、暗くて長いトンネルを抜けると、突然明るい光の世界に入り、そこで先に亡くなった家族や友人と出会った、美しい花園を見たという報告もある。

死後の世界については、宗教では説明できても、科学的にはいまだ解明されていないが、こうした臨死体験こそ、死後の世界についての謎を解く鍵になる可能性があるとして、様々な研究が続いている。その結果、幻覚説、夢説、集合的無意識説などいろいろな仮説が出ているが、現在、主流となっているのが現実体験説と脳内現象説だ。

現実体験説とは、臨死体験者が実際に死後の世界を見てきたとする説で、脳内現象説は、脳内で起こる特異な幻覚現象だとする説である。人間は死が間近に迫ると、脳内にエンドルフィンという脳内麻薬が分泌される。このエンドルフィンには非常に強い鎮痛作用があるため、大量に分泌されると至福感が生まれ、その安らぎの中で光や楽園を垣間見るというわけだ。

また、近年浮上したのが二酸化炭素過剰説だ。血液循環と呼吸が停止すると、血液中の二酸化炭素の濃度が上昇することがあり、臨死体験は二酸化炭素濃度が高くなった人に多いことが報告されているのである。

これらの説は、すべて仮説に過ぎないが、死後の世界の謎の解明に繋がる可能性が高いだけに、今後のさらなる研究に期待したい。

第32週 第6日目

キリスト教公認の裏事情

種別 歴史の闇　地域 イタリア共和国

ジュリオ・ロマーノ『ミルウィウス橋の戦い』。ミルウィウス橋の戦いでコンスタンティヌス帝は神の啓示を受けて勝利したとされ、これを機にキリスト教公認へ動いたという伝説がある。

迫害から一転、キリスト教を公認したコンスタンティヌス帝の思惑とは？

イエス・キリストが興したキリスト教は長い間、ローマでは皇帝崇拝を拒むことなどから迫害されていた。ところが4世紀のローマ皇帝コンスタンティヌス1世は一転、ミラノ勅令を発布してキリスト教を公認したのである。

なぜこれまで弾圧してきたキリスト教をローマ皇帝が公認したのだろうか。

伝説上では、ライバルとのミルウィウス橋の戦いで、キリストが皇帝の夢の中に現われて十字架に軍旗をつけるよう命じ、それを実行したところ、奇跡の勝利を得たことが、キリスト教を認めるきっかけになったといわれる。

しかし、本来はコンスタンティヌスス1世自身がキリスト教を信仰したなどという個人的な理由ではないと指摘がある。ならばなぜ、キリスト教公認という大胆な方針転換を図ったのか。

その背景には政治的な意図が隠されていたという。コンスタンティヌス1世は分裂していたローマ帝国を再統一し、ローマからコンスタンティノープルに遷都した皇帝である。

その過程で無視できない存在になっていたのが「キリスト教」だった。ローマ帝国が迫害してもキリスト教の勢力は拡大の一途をたどっていた。とくにキリスト教会がローマ領内に築いていたネットワークは侮りがたいものがある。ここに至り皇帝も味方につけて利用するのが得策と考えたのだと思われる。

アメリカ建国

種別 秘密結社 地域 アメリカ合衆国

世界を支配する超大国を築いた秘密結社フリーメイソン

中世の石工組合を起源とし、18世紀初めのイギリスで結成されたフリーメイソンは、平和人道主義を掲げた秘密結社である。そしてアメリカ独立に影にはこのフリーメイソンがあったという。

アメリカに初めてロッジが開設されたのは1733年のこと。30年後にはアメリカ全土に広がった。そして会員になったアメリカの有力者たちがロッジに集まり、交流や情報交換を図ることで、アメリカの独立が動き出したといわれている。

やがて1776年、ベンジャミン・フランクリン、ジョージ・ワシントンらによる独立宣言が完成。なんと宣言書に署名した56人のうち、53名、2年後に成立した合衆国憲法の議決における代表者55名中、32名がフリーメイソンの会員だったという。

ワシントンは初代大統領に就任すると、国務長官、財務長官などの官僚をフリーメイソンで固めた。また、歴代アメリカ大統領のうち少なくとも15名は会員とされる。

こう見てくれば、アメリカはフリーメイソンが建国して指導してきたとも言える。その証として自由の女神には、完成当初「フランスのフリーメイソンがアメリカの独立を記念してメイソンの同胞に送った」と書かれた石碑があったという。今や世界はアメリカなくしては動かない状態。フリーメイソンが世界を動かしているといっても過言ではないのかもしれない!?

アメリカ合衆国の中枢「ホワイトハウス」。その設計者であるジェイムズ・ホバーンもフリーメイソンの会員だった。

ファスナハト

種別 ミステリー遺産
地域 ドイツ連邦共和国、スイス連邦

街を練り歩いて大騒ぎしている悪魔や魔女の正体は!?

ドイツ南部やスイスで行なわれるファスナハトという祭りは、肉を食べることが禁じられる春先の四旬節の前に行なわれる。謝肉祭、いわゆるカーニバルとほぼ同じだが、もっと土俗的、呪術的で、民間信仰の雰囲気を色濃く残している。住民たちは悪魔や魔女、死神、怪物、ピエロなど思い思いの不気味で大きな仮面をかぶって、呪文を唱えたり、ほうきを振り回したり、紙吹雪を撒き散らしたりして街を練り歩く。そしてブラスバンドの音楽が大音量で流れる中、歌って踊って肉を食べたり酒を飲んだりするのである。

とはいえ、キリスト教にとって忌むべき存在である悪魔や魔女に喜々として扮するのは、なぜだろうか？

実はそれらが恐ろしい忌むべき存在というだけでなく、人間に取り憑いた悪を追い払う一面もあるからだ。祭りのクライマックスに、魔女の人形の首を切り落とし、焼き払う寸劇が演じられる地域もあるが、それすらどこかユーモラスである。ファスナハトとは成長する聖なる夜という意味で、厳しい冬を送り出して春を迎え、豊穣を祈る祭りなのである。

ドイツで行なわれるファスナハトの祭り。

File No.226 本日のテーマ UMAと怪人

モスマン

種別 UMA 地域 アメリカ合衆国

目撃者を呪うともいわれる蛾人間モスマン。

姿を見た者を呪い殺す？ 空飛ぶ蛾人間

空を飛ぶ人間といえば昔から民間伝承の形で世界中に伝わり、近年では『バットマン』や『スーパーマン』など、ヒーローも空を飛んでいる。

そうしたなかでも1966年から翌年にかけてアメリカ中の話題をさらった「蛾人間」という名前の「モスマン」は、人々を恐怖に陥れた存在として有名だ。全身が灰色の毛で覆われた身長2m以上の怪物で、ギラリと光る赤い目がぞっとするほど恐ろしい。背中に大きな翼を持ち、鳥のように翼を広げるが、はばたかずにまっすぐ上空に飛ぶという。そのスピードは自動車よりも速いため、目撃者の多くは、モスマンを一瞬しか見ていないようだ。

ただし、モスマンの恐ろしさは遭遇したあとにある。

最初の目撃情報から2年間で100人以上の人がモスマンに遭遇したが、気味の悪いことに目撃者の中から半年以内に亡くなったり、神経衰弱に陥ったりする人が続出したというのだ。2002年に公開されたモスマンを題材にした映画『プロフェシー』が作られた際にも、プロデューサーや役者などこの映画関係者が次々亡くなっている。

これらが単なる偶然か、それともモスマンが呪いのような超自然的な力を持っていたかどうかは不明だが、2007年にもアメリカで人間大の怪物が急降下したのを見たという報告がされており、今もモスマンは活動をやめていないようだ。

File No. 227
本日のテーマ
古代文明

バールベクの巨石

種別 古代遺跡の謎 地域 レバノン共和国

世界最大級の巨石を古代人はどうやって運んだのか?

レバノン東部のベガー高原に、1世紀頃に建造されたとされるバールベク遺跡がある。この地は元々フェニキア人の聖地で、その後、ローマ人に征服され、3つの神殿が建築された。その中のひとつ、ユピテル神殿は、6本の列柱が残っているだけだが、柱の高さは20m以上、直径も2.2mもあり、アテネのパルテノン神殿を超える巨大さだった。

さらに驚くのは、神殿の土台となっている石床である。ローマ時代以前に巨石で構成されたもので、石床の南東の壁にある9つの石塊は、それぞれ10m×4.3m×3mの大きさで、重さはひとつにつき300t。さらにそれと隣り合った南西面には同じ高さに300tの石が6つ並び、その上に800tの巨石が3つ乗っている。これらは付近の石切り場から切り出されたとみられるが、さらにそこには重さ約2000tという世界最大の切り石が置かれている。

それにしても当時の人力で一体どうやってこれらの巨石を運んだのか……。それは全くの謎に包まれている。

考えられるのは木のローラーを使う方法だが、800tもの巨石を運ぶのはかなり無理があり、当時の技術では説明できないのである。

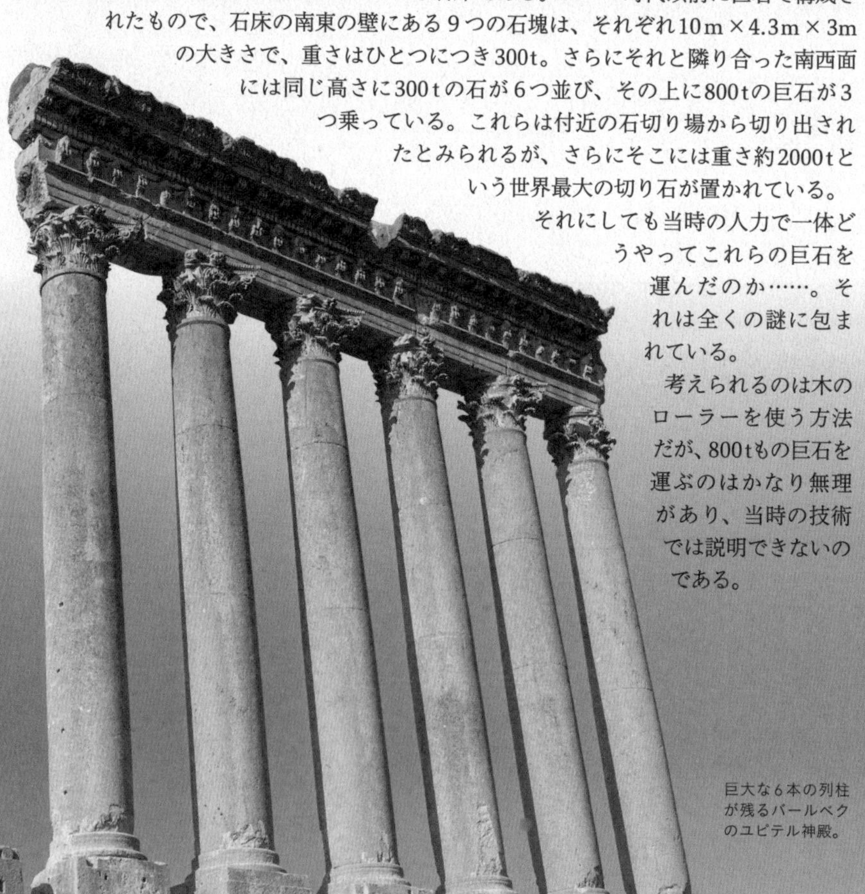
巨大な6本の列柱が残るバールベクのユピテル神殿。

フライング・ダッチマン

File No.228 本日のテーマ 幽霊・呪い

種別 幽霊 地域 大西洋

航海し続ける17世紀のオランダ船

フライング・ダッチマンこと「彷徨えるオランダ船」は、世界的に有名な幽霊船である。荒天の日にアフリカ南端の喜望峰沖に出現するといわれ、遭遇した船にとっては遭難の前触れになるという。

1881年、当時王子だった後のイギリス国王ジョージ5世もこの幽霊船と遭遇している。海軍時代に英国軍艦インコンスタント号に海軍少尉候補生として乗り込んでいた時のことで、「奇妙な燐光を発し、中央の180mほど離れた2本マストの円材や帆をくっきりと浮かび上がらせながら、左舷前方に出現した」と、航海日誌に遭遇時の様子を記している。

では、一体いつの時代の船がフライング・ダッチマンとして今も彷徨っているのか？説はいくつかあるが、オランダでは喜望峰を回っての航海を試み、神の怒りを買ったファン・ストラーテン船長とその部下が乗り組んだ船とされている。

ほかにもドイツでは北海を航海していた際に、悪魔との賭けに負けて魂を奪われたフォン・ファルケンベルクの船、またはファン・ストラーテン船長同様、神の怒りを買ったヘンドリック・ファン・デル・デッケン船長の船とされるなど、はっきり特定はされていないようだ。

20世紀になってからも、喜望峰沖などで妖しく光る帆船の目撃例などが報告されている。

生まれ変わり

種別 奇跡 地域 世界

輪廻転生は事実なのかもしれない。

 子供が前世の記憶を語る! 生まれ変わりは事実なのか!?

2005年、ネパールに「ブッダの生まれ変わり」と称する青年が現われた。ラム・バハドゥール・バムジョンという当時18歳の青年で、彼は数か月にわたって水も食糧も口にせず、睡眠もとらずに瞑想を続けたのである。

さらにこの青年は、2008年にカトマンズの南方60kmのバラ地区に現われ、数千人と集会を開いた。信者は誰もが彼をブッダの生まれ変わりだと信じていたという。

彼の言葉が真実かは不明だが、生まれ変わりの事例自体は少なくない。

アメリカ・ヴァージニア大学精神科教授で、生まれ変わり研究の第一人者であるイアン・スティーブンソン博士は世界中から2000件以上の事例を集め、分析調査を行なっている。その調査結果によると、2～5歳の子供が前世の記憶を話し始める事例が多く、5～8歳になると前世の話をしなくなるという。

これは、その年齢になると周囲の環境に順応しなければならなくなるため、前世の記憶が消えてしまうのではないかと推測されている。

この調査結果からすれば、人は生まれ変わっているが、成長するにつれ記憶を失ってしまっている可能性が高いということになる。

確かに、「デジャ・ヴ」を経験する人も多く、これも前世の記憶のかけらではないかと考えられているのだ。

楊貴妃渡来伝説

File No.230
本日のテーマ
歴史のミステリー

種別 死にまつわる謎　地域 日本

中国の絶世の美女、楊貴妃の墓がなぜか日本の山口県に存在した!?

山口県長門市の二尊院には150cmほどの五輪塔がある。この塔が実は唐の皇帝・玄宗の寵妃だった楊貴妃の墓と聞けば誰しも驚くのではなかろうか。

中国の妃の墓がなぜ日本にあるのか、それは次のような理由があった。

唐が最盛期を迎える中、玄宗は絶世の美女の楊貴妃に夢中になるあまり政務に無関心となり、安史の乱を招いてしまう。玄宗は楊貴妃を連れて首都長安を脱出したが、途中で皇帝を守る近衛兵が楊貴妃の処刑を主張しボイコット。玄宗もやむなく受け入れ、妃は殺害された。

その楊貴妃が生き延びて日本に渡っていたというのである。

替え玉とすり替わったのか息を吹き返したのかわからないが、中国本土にいては見つかる可能性があるため、玄宗もしくは妃の一族が彼女を遣唐使船に乗せて日本に逃したのだという。

にわかには信じられない話だが、玄宗が楊貴妃を殺害した場所に建てた墓を掘り起こしたところ、地中から香袋だけが出てきたという逸話もある。

苦労の末に日本にたどり着いた彼女だったがほどなくして病死し、哀れに思った村人たちが二尊院に墓を建立したと伝わっている。

楊貴妃はなんと日本に渡来していたという説がある。

第33週 第7日目

マーシー・ブラウン事件

種別 未解決事件 地域 アメリカ合衆国

少女の遺体の変化は人々を戦慄させた。

19世紀に吸血鬼の再来と恐れられた少女

1880年代から90年代にかけて現代の吸血鬼と恐れられたのが、アメリカのロードアイランド州に住むブラウン一家である。

ブラウン家は妻、そしてふたりの娘たちが次々と結核にかかって他界し、息子のエドウィンも同じ病気にかかってしまう。当時、この地域では結核は悪の力が生命力を奪うものと恐れられていたため、ブラウン家は周りから悪魔に取り憑かれていると噂された。

父ジョージは息子を助けたい一心で調査のために妻と娘の遺体を掘り起こす。ところが死後2か月が経過していた下の娘マーシーの遺体を見た一同は驚愕した。遺体の肌にはつやがあり、髪や爪が伸びていたのである。また、遺体の位置も埋葬した時とは変わっていた。あげく彼女の霊が墓地を徘徊したという話も出て、マーシーは人の生き血を吸い永遠の生命力を手に入れる吸血鬼であるとみなされたのだ。その後、人々は吸血鬼を処刑する方法に則ってマーシーの心臓を取り出して焼き、その灰をエドウィンに飲ませたという。

この吸血鬼事件については、埋葬前に冷凍庫のような地下聖堂に保存された結果、遺体の腐敗が遅れたにすぎず、髪と爪も、体から水分が抜け皮膚が縮んだ結果、伸びたように見えただけという科学的な分析もある。遺体の移動も腐敗が始まる時、時折みられる現象だという。

File No. 232
本日のテーマ
ミステリアス遺産

死海文書（しかいぶんしょ）

種別 ミステリー遺産　地域 イスラエル国

聖書成立の謎を解き明かす20世紀の大発見

第２次世界大戦が終わって間もない1947年、死海の畔に住むヤギ飼いの少年が、岩山の洞窟で偶然に羊皮紙の巻物を見つけた。

ふたつきの円筒形土器に入っていた７巻は、古物商からヘブライ大学の教授の手に渡り、紀元前３世紀から後１世紀に制作されたものと判明した。これをきっかけに周囲の洞窟や廃墟の調査が行なわれた結果、羊皮紙やパピルスの巻物の断片が次々に発見された。これらが死海文書である。

内容は、ヘブライ語やアラム語でつづられた旧約聖書やその外典、偽典、それにクムラン教団の文書や儀式書だった。クムラン教団とはユダヤ教の分派エッセネ派に属する人々と考えられ、厳格な戒律のもとで修行し、荒野で集団生活を送っていたとされる。そんな彼らが、これほど貴重な文書を洞窟に隠した理由はわかっていない。

死海文書は、イエス・キリスト時代のユダヤ教を知る貴重な手がかりで、新約聖書の成立にも影響を与えたと考えられる。

それどころか、「戦争の法」と呼ばれる文書には、「メシアが裁きを受けて殺される」というキリストの最後を予言するような一節も登場するのだ。新約聖書にはキリストがエッセネ派とされる洗礼者ヨハネから洗礼を受けたり、荒野で断食生活を送ったりする描写があり、キリスト自身もエッセネ派に属していたという説もある。そうなると、キリストはエッセネ派のメシア観を踏襲する形で生涯を歩み、完結させた可能性さえ推測できるのだ。

死海文書は歴史上でも宗教上でも20世紀最大の発見とされているが、保存状態がよくないものが多いため、翻訳や分類が慎重に続けられている。

死海文書のレプリカ。

ネッシー

種別 UMA 地域 イギリス

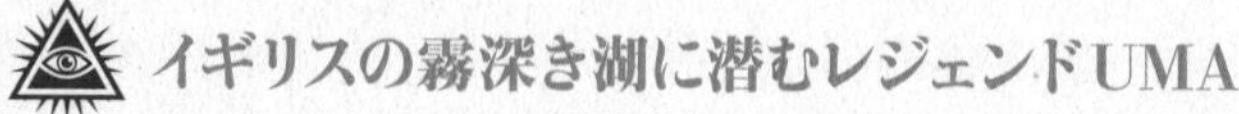

イギリスで最も有名な未確認生物といえば、スコットランドのネス湖に棲むというネッシーだろう。

1930年代から目撃例が相次いでいるネッシーだが、遭遇の記録は古く、565年に聖職者の聖コロンバが人を食い殺すネス湖の水獣を退治したという話が最初である。

1933年頃にネッシーと名付けられると、目撃談が相次いで写真にも収められてその実在性が高まった。そもそもの火付け役となった1934年撮影の首長竜を思わせる写真こそ、捏造説が有力となったものの、1975年に撮影されたネッシーは、首の長さが3.6m、体長19.5mという巨大なもの。水面から出た長い首と、太い胴体がいかにもネッシーらしい。2000年代には湖中の目や口が映し出されるなど、現代においてその存在を裏付ける情報が続々と集まっている生物である。

その容姿からジュラ紀に棲息していた首長竜プレシオサウルス、または竜脚類の生き残り説、巨大な蛇や魚の新種という説もあるが、いまだその正体は判然としておらず、新たな未知の生物の可能性も捨てきれない。

ネス湖の水底には今もネッシーが潜んでいるのだろうか。

ネッシーを一躍有名にした1934年の写真。ロンドンの外科医が撮影したものであるが、のちにフェイクであったことが判明した。

ギョベクリ・テペ

File No.234 本日のテーマ 古代文明

種別 古代文明の謎　地域 トルコ共和国

発掘が進むギョベクリ・テペ遺跡。人類の宗教史を覆す発見がさらに出土するかもしれない。

人類の文明の定説を覆した世界最古の遺跡

トルコ南東部、シャンルウルファの丘の上にギョベクリ・テペ遺跡がある。この遺跡は約1万1500年前の古代遺跡で、最も古い構造物は1万2000年前に建造されたものとされている。最古の文明とされていたメソポタミア文明より7000年も古いもので、世界最古の遺跡であることがわかっている。

この遺跡は、1960年代に発掘調査が行なわれ、その実態が明らかになったのだが、この遺跡の発見は、人類の精神史を覆すものだった。それまで人間は定住して農耕や牧畜を行なうことで階級を生じさせ、宗教や神殿が誕生したと考えられていた。しかし、ギョベクリ・テペの遺跡には複数の巨大な神殿跡が発見されているというのに、周辺に住居跡が全く見つからないのだ。狩りをしていたことは石柱や石壁に刻まれた動物のレリーフからわかっているが、牧畜も農耕も、定住をしていた痕跡もないのである。

つまり、この遺跡が私たちに告げているのは、牧畜や農耕といった文明が始まる前の狩猟時代からすでに宗教が存在していたということであり、この遺跡の年代が正しいのであれば、これまでの定説が覆されてしまうのだ。果たして人類は、いつから宗教を持つようになったのだろうか。

メアリー・セレスト号

種別 呪い 地域 大西洋

乗組員が忽然と姿を消した19世紀の貨物船

1872年11月、ベンジャミン・スプーナー・ブリッグスを船長とするメアリー・セレスト号は、妻と2歳の娘、7名の船員と共に、工業用アルコールを積んで、ニューヨーク港を出発した。しかし、目的地であったイタリアのジェノヴァに着くことなく、船出から3週間後の12月5日、アゾレス諸島とポルトガルの間の北大西洋上を、無人状態で漂っているのを発見されたのである。

発見したディ・グラシア号の船長と船員が船内を調べたところ、帆と策具が嵐で傷んでいたものの、船はほとんど無傷で、航海に支障のない状態だった。しかし、脱出用の小型帆船、経線儀、六分儀がなくなっていたことから、乗組員たちが自主的に船を離れたのではないかと考えられているが、航海日誌は11月25日を最後に途切れており、理由などは何も書かれていなかった。

原因については船員が反乱を起こして殺し合いになり相討ちになった、何らかの事故が発生して救命ボートで脱出したものの、そのまま漂流してしまった、など、多くの説が出されたが、真相の解明へ向かうことはなかった。

メアリー・セレスト号の船種はブリガンティン。まだ航海可能な状況にもかかわらず、忽然と姿を消した乗組員たちは、その後、どこにも姿を現わしていない。

File No.236
本日のテーマ
宇宙・自然の神秘

リンカーンの予知夢

種別 予言　地域 アメリカ合衆国

自らの死を夢で知ったアメリカ大統領

1865年4月14日、アメリカの第16代大統領エイブラハム・リンカーンが、ワシントンにあるフォード劇場で暗殺された。突然の出来事に全米が驚愕したが、実はリンカーン本人は、自分が暗殺されることを予知していたといわれている。

それは暗殺される10日ほど前のことだった。その日、リンカーンは重要な電報が届くのを、ホワイトハウスの執務室で待っていた。すると、どこからか数人の泣き声が聞こえてきた。不審に思い、泣き声が聞こえる部屋を探して入ってみると、部屋の中央に棺が置かれ、大勢の人々が棺を囲んで泣いていたのである。

「誰が亡くなられたのだ？」とそこにいた兵士に聞くと、「大統領が暗殺されたのです」と答えるではないか。驚いたリンカーンが棺をのぞき込むと、そこには自分の遺体が横たわっていたのである。

そこで、リンカーンは飛び起きた。全身汗びっしょりだったという。つい執務室の机で眠ってしまっていたのだ。

リンカーンは、これを単なる夢ではなく、正夢ではないかと思ったようで、その後、ボディーガードのウィリアム・クロックに「どうも近々、私の暗殺が行なわれる気がする。それは恐らく避けられないだろう」と語ったという。

かくしてリンカーンの夢は現実のものとなった。

自分の死を予知していたリンカーン。

File No.237
本日のテーマ
歴史のミステリー

トロイア遺跡の疑惑

種別 スキャンダル 地域 トルコ共和国

トルコのチャナッカルに展示される、映画『トロイ』の撮影で用いられた木馬。

シュリーマンのトロイア遺跡発掘に関する疑惑

1873年、ドイツのシュリーマンがトルコのヒッサリクの丘で、ギリシャ神話に登場するトロイ遺跡を発見したというニュースが世界中を駆け巡った。

これは巨大な木馬に兵を隠す奇策を使ってトロイを陥落させた逸話で有名な神話の舞台である。空想の産物と考えられていたトロイが実在していたことに誰もが驚いたのだ。

ところがまもなくこれが本当にトロイの遺跡だったのか、彼の輝かしい功績について疑問が呈されるようになる。そもそも発掘者のシュリーマンは考古学者ではなくトロイに憧れた商人に過ぎず、発掘を手伝った人たちも専門家ではなかったのだ。しかも様々な出土品がある中で、そこがトロイであることを示す碑文や文書も見つかっていない。そのため名誉欲にかられたシュリーマンが捏造したのではないかと邪推される始末だった。

そして現在、ヒッサリクの丘には時代の異なる9つもの遺跡が重なっていたことが判明している。シュリーマンは大量の装飾品や宝石類が発掘された第2市をトロイ遺跡だとしたが、その後の調査で上層の第7市が大規模な戦争があったとみられる紀元前1250年頃、もしくは紀元前1700年から紀元前1200年頃の遺跡だと判明した。つまりシュリーマンは、発掘過程で上層にある第7市をかなり破壊してしまったことになる。この乱暴な発掘により、トロイア戦争の痕跡が破壊され永久に失われてしまった可能性があるのだ。

ブラック・ダリア殺人事件

File No.238 本日のテーマ 都市伝説と陰謀論

種別 未解決事件 地域 アメリカ合衆国

切断された凄惨な女性死体のミステリー

1947年1月15日、アメリカのロサンゼルスの空き地で女性の全裸死体が発見された。彼女はエリザベス・ショートという22歳の女性。安宿の宿代にも困るような無名の女優だったが、その猟奇的な殺害方法から一夜にして世間の注目の的となったのである。

何しろその殺され方が尋常ではなかった。彼女の遺体は腰の部分で真っ二つに切断され、血液は一滴残らず抜き取られていた。体には縛り上げられた跡が残り、口は耳まで切り裂かれるという凄惨な状態だったのである。顔面からの出血と頭部の殴打が死因と特定された。

この残酷な現場に世間は衝撃を受け、当時人気だった犯罪サスペンス映画『ブルー・ダリア』にちなんでブラック・ダリアの名前で呼ばれるようになる。警察は彼女と最後に会った人物、元恋人、流れ者など片っ端から捜索したが犯人はわからなかった。

ただ死体の扱い方から犯人は医師という説が根強く、1997年には記者がエリザベスの妹の友人の父である医師を、21世紀に入ってからも元刑事が自分の父で医師のジョージ・ホーデルを告発したが、もはや当事者は死に絶えており、解明しようもない。真相は闇の中である。

事件の被害者となったエリザベス・ショート。その猟奇的な殺害方法の影響もあり、伝説的な未解決事件として語り伝えられている。

第35週 第1日目

「主の戦いの書」

種別 ミステリー遺産　地域 イスラエル国

 発見されていないのに重要な文書とは？

神学者たちが探し続け、内容も極めて重要なことがわかっているのに、その断片すら見つかっていない古代イスラエルの年代記が「主の戦いの書」である。

手掛かりとなるのは、「主の戦いの書」の存在を示した旧約聖書の「民数記」。「民数記」は古代イスラエルの民がシナイ山を出てモアブの平地に至るまでの旅を描いており、「主の戦いの書」には、おそらくモーセまたはヨシュアが、紅海やアルンの奔流の谷などで戦って勝利したことが書かれていると思われる。アルノン川は死海の東を流れる川で、大部分は深い渓谷を通るため流れが激しい。両側の断崖は高さ500mにおよぶところもあり、ここでの戦いは、さぞ困難を極めただろうと思わせる。

だが、「主の戦いの書」は、どれほどの長さがあるのか、詩歌なのか散文なのか、体裁すら明らかでない。発見される可能性も、今のところ全くない。それでも死海文書がほんの偶然から発見されたように、「主の戦いの書」もどこかの洞窟に放置されていた書庫の中から、ある日突然発見されるかもしれないのだ。

死海文書が発見されたクムランの洞窟。「主の戦いの書」もクムランのどこかに眠っているかもしれない。

スカイフィッシュ

種別 UMA 地域 世界

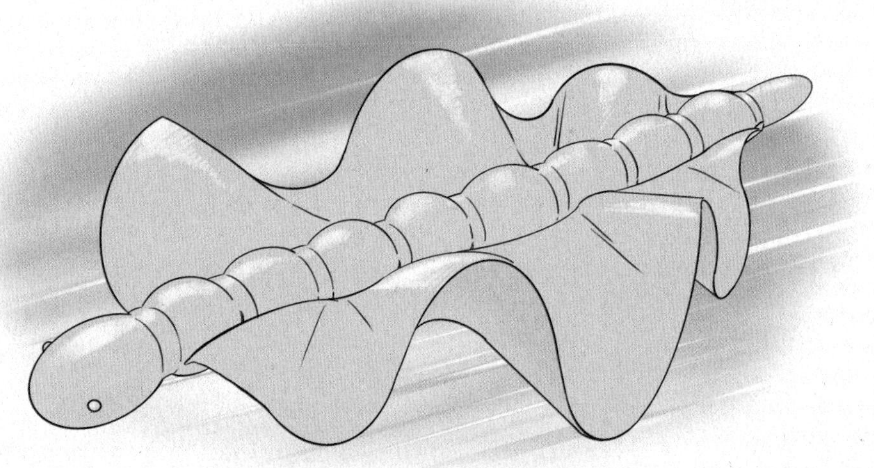

肉眼では捉えられないほどの高速で空を飛ぶスカイフィッシュ。

 肉眼では見えない高速で世界各地を飛び回る“空飛ぶ魚”

肉眼ではほとんど見ることのできない不思議な飛行生物。それがアメリカでは「ロッド」とも呼ばれる棒状の生物「スカイフィッシュ」である。

肉眼で見ることができないのは時速200kmという目にもとまらぬ速さで空中を飛び回るからだ。人の目ではピカッと何かが光った程度にしか確認できず、ビデオ撮影などのスロー再生でようやくその姿を見ることができるという。

その形態は大きさが50cmの細長い棒状で、羽がついているか、または半透明の皮膜がついた奇妙な生物だ。

その正体については、プラズマ生命体説や5億年以上前に生まれた古代魚アノマロカリスを起源とする生物説などがいわれてきた。アノマロカリスであれば、5億年の間に海洋生物から空飛ぶ生物へと進化したということになる。

ただ近年では虫などを撮影した時のブレ映像の際に生じる残像説もいわれており、生物かどうかも不明なのだ。

とはいえこのスカイフィッシュはアメリカで1994年に映像に捉えられて以降、世界各地に現われている。日本でも兵庫県の六甲山に頻繁に出没するなど、たんなるブレ映像とはいえない面もある。

ナン・マドール遺跡とムー大陸

種別 古代遺跡の謎　地域 ミクロネシア連邦

ナン・マドール遺跡は海底に沈んだムー大陸の首都だった!?

ムー大陸の伝説を聞いたことがある人は多いことだろう。1931年、アメリカのジェームズ・チャーチワードが著書『失われたムー大陸』で提唱したもので、かつて太平洋のど真ん中に、東西8000km、南北5000kmにもおよぶ巨大なムー大陸があったというのだ。ムー大陸には7つの大都市があり、10種類の民族が暮らし、最盛期の人口は6400万人。航海術や建設術に優れた高い文明が栄えた大陸だったが、約1万2000年前のある日、突然起こった大地震と噴火と津波によって一夜にして海に沈んだという。

そのムー大陸の首都だったとチャーチワードが主張しているのがナン・マドール遺跡だ。

ナン・マドール遺跡はミクロネシアのポンペイ島の南東沖にある巨石海上遺跡で、玄武岩で作られた大小92の人工島で構成されている。海面からの高さは平均1～2mで、高いものでも9m程度。建設目的もはっきりしていない。

ナン・マドールは、500年頃から1500年頃までの間、長い年月をかけて造成されたとされているので、ムー大陸が存在したとされる時代とは合致しないが、付近の海底からは、ナン・マドールが建設された時代より古い時代の石像建築物も発見されている。もしかしたら、ナン・マドールの下には、ムー大陸の痕跡が眠っているのかもしれない。

ナン・マドールの成立について、島の民話ではオロシーパとオロショーパという兄弟が街を作ろうとしたのが始まりだったとされている。ただし、島には文字がなく、口伝で伝えられているだけである。

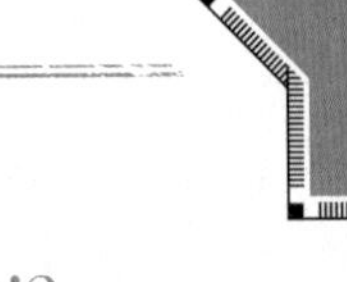

File No. 242
本日のテーマ
幽霊・呪い

古戦場の幻

種別 幽霊　地域 アメリカ合衆国

戦死者の霊魂か、タイムスリップか!?
古戦場に現われる幻の軍隊

古来、人類は多くの戦闘を繰り返し、多くの犠牲を生み続けてきた。そこには多くの無念や苦しみが渦巻いていたことだろう。戦闘で潰滅した軍隊も少なくない。戦場に倒れた兵士たちの怨念が生み出したものなのか、世界各地の古戦場では戦闘を再現する幻が目撃されている。

有名なものを紹介しよう。まずは1642年10月23日に起こったエッジヒルの戦いだ。議会派と王党派の軍隊が激突した清教徒革命の緒戦で、両軍合わせて1000人の犠牲者が出た戦いだが、この戦いから1か月後、付近で牧畜を営む羊飼いたちが、その戦場で再び戦いが始まったのを目撃した。彼らは慌てて避難したが、戻った時には軍隊の姿は跡形もなく消えていたという。

また、1815年6月18日、ナポレオンの百日天下に終止符を打ったワーテルローの戦いの古戦場でも、同様の現象が報告されている。会戦から1か月後、こちらは戦場から100km も離れたベルビエの上空に、ワーテルローの激戦が再現されたと伝わる。

戦死者の霊魂が再び戦いへと向かったのか、それとも目撃者のタイムスリップなのか、いや、集団ヒステリーだなど様々な説があるが、その原因ははっきりしていない。

エッジヒルの戦いを避難所から眺める皇太子のチャールズ王子（のちのチャールズ２世）とヨーク公（のちのジェームズ２世）と、ウィリアム・ハーヴェイ。

太古の殺人ウイルス

種別 自然の神秘　地域 ロシア連邦

シベリアの凍土から発見された太古の天然痘ウイスルが復活

2020年は新型コロナウイルスの出現により世界中が大混乱し、世界を大きく変えてしまった。このような人類とウイルスの戦いは、今に始まったものではない。古代から人類は様々なウイルスと戦ってきたのである。

たとえば天然痘（てんねんとう）だ。天然痘は紀元前から世界中で死の病として恐れられていた病で、ワクチンの誕生により死の病ではなくなり、1980年に地球上から根絶されたと発表された。しかし、実は天然痘との戦いは、また新たな局面を迎える可能性がある。2014年3月、シベリアの永久凍土の地下30mから3万2000年前の古代種の天然痘ウイルスが掘り出され、しかもそのウイルスが再活性化したという論文が、ある科学専門誌に発表されたのだ。

3万5000年を経て復活した古代の殺人ウイルス。もし、この天然痘ウイルスが蔓延したり、テロに使われるなどの事態に陥れば、人類は再び天然痘との戦いを余儀なくされることになるかもしれない。

ウイルスは宿主を求めて今も進化を続けている。殺人ウイルスの出現は必然といえるだろう。

エジソンの霊界通信機

種別 ミステリアスな人物　地域 アメリカ合衆国

霊と交信する通信機を開発しようとしていた発明王

19世紀に1300件もの発明品を生み出したアメリカ稀代の発明家トーマス・エジソン。彼は鉄道の電信係を務めて身に着けた知識を生かし、電信機、電話機、電球、蓄音機などの数々の機器を発明して、人類の生活を大きく変えた。

そんな彼は晩年、なんと霊と通信する「霊界通信機」の発明に没頭していたのだという。科学者がオカルトとは奇妙な組み合わせだが、エジソンは「人間の魂は肉体が滅びた後も存在し、それまでの記憶（知恵）を持ちながら次の肉体を探す」という考えに至っていた。エジソン自身も蓄音機を発明した頃から「この知恵が次々と発明を成功させている」と考えていたという。

そしてエジソンは、この知恵の電子生命体と交信して、未知の情報や過去の記憶を引き出そうと考え研究を続けたが、開発前に他界した。

ところが20世紀後半、アメリカの超能力者たちが遠隔地の情景を知る実験で、電気の来ていないテレビに一瞬エジソンの笑顔が映ったと報告した。これは自らが『電子生命体』となったエジソンの知恵が現われたのではないかともいわれている。

発明王エジソンは電子生命体と交信して、未知の情報や過去の記憶を引き出そうと考え研究を続けていた。

第35週 第7日目

イルミナティ・カード

種別 秘密結社　地域 アメリカ合衆国

 世界の出来事を予言するイルミナティ・カードは謀略を予告？

カードゲームとして人気を博しながら、世界の出来事を予言しているという都市伝説が噂されるのがイルミナティ・カードである。

本来は自分の支配組織を拡大していくゲームで、秘密結社や陰謀などをネタにしていた。1990年に制作されたものだが、権力者から圧力がかかって中止となり、1995年に改めて発売されたといういわくつきのカードである。

それから次々と新作が発売され、2015年には500枚以上になった。

このカードには、2001年のアメリカ同時多発テロ、2011年の東日本大震災、最近では東京五輪に絡む混乱など、以降の世界の出来事を暗示させる内容が収録されてきた。そのため近い未来を予言をしているのではないかといわれたのである。実際にコロナ禍によって東京五輪は翌2021年に延期となり、現在（2021年7月）をもっても混沌とした状況であることを見れば戦慄を感じずにはいられない。

しかもこのカードは単なる予言ではなく、さらに裏があるともいわれている。実はこれらの世界の出来事は国際謀略機関が計画書に従って実行しており、その情報を入手した作者がカードに暗示しているというのだ。

もしこれが事実であれば、予言ではなく予告である。このカードには世界の歴史の予告が詰め込まれているのだろうか。

フルカネリ

種別 ミステリー遺産　地域 フランス共和国

20世紀の錬金術師は不老長寿の肉体を得たのか!?

名前は偽名で、出身も生没年も不明、もちろんその容姿もわからない。それが20世紀の錬金術師フルカネリである。表立った活動は、1926年に『大聖堂の秘密』、その後に『賢者の住居』を出版したことだけである。これらは大聖堂と城館の、彫刻やステンドグラスに見られる錬金術のシンボルを研究したもので、西洋錬金術の原理を述べている。刊行年からフルカネリは遅くとも1900年頃には生まれていること、著述がフランス語なのでフランス人だろうということ、くらいしか推測できない。

実在したのかさえ疑わしいが、『大聖堂の秘密』の序文を書いたカンセリエという人物は、自分も錬金術師でフルカネリの弟子だと述べている。カンセリエによるとフルカネリは、いかなる金属をも黄金に変え、飲むと不老不死になるという物質“賢者の石”を作り出すことに成功し、不老長寿の肉体を得た。カンセリエもこの断片を譲り受け、100gの黄金を得たという。

フルカネリは、「自分はどこにもいないが、高次の空間のどこかで研究を続けている」と述べている。1937年にパリの物理化学研究機関を訪問して、「核兵器は人類を滅ぼしかねない。太古の人類は核エネルギーを濫用して自滅した」と警告した人物がフルカネリだったのではないかといわれる。

フルカネリの著作『大聖堂の秘密』。

File No.247 本日のテーマ UMAと怪人

チュパカブラ

種別 UMA 地域 南北アメリカ大陸

血を吸う動物の正体はコヨーテだった？

チュパカブラは南北アメリカ大陸で人々を震え上がらせている恐竜のような吸血怪物である。目は真っ赤で口からは牙が突き出ており、3本指の伸びたカギ爪がなんとも不気味だ。体長は90cmほどで6mもジャンプできるという。

その存在が報告されたのはここ二十数年ほどのことで、プエルトリコを皮切りに中南米やアメリカに出没している。恐ろしいことに、チュパカブラはヤギ、ヒツジ、ウシ、ニワトリなどの家畜をバラバラにして惨殺したあげく、血液をすべて吸い取るというのだ。チュパカブラの名もその生態に由来していて、「チュパ」はスペイン語で「吸う」、「カブラ」は「ヤギ」を意味する。

このチュパカブラの正体について様々な説が出ていたが、2010年には皮膚病に感染したコヨーテではないかという新説が発表された。コヨーテは疥癬（かいせん）という皮膚病に感染すると命を落とすこともあるという。疥癬にかかり野生の獲物を狩ることができなくなったコヨーテが家畜を襲い、それを見た人がチュパカブラだと思ったのではないかという。しかしコヨーテが血を吸うはずはない。チュパカブラがなぜ吸血動物と化したのかいまだわかっていない。

チュパカブラは鋭い歯を持ち、生き血をすするという。

File No.248
本日のテーマ
古代文明

恐竜土偶

種別 オーパーツ　地域 メキシコ合衆国

ミステリアスな恐竜土偶。
人類と恐竜の共存を示す
遺産なのだろうか？

巨大隕石衝突後も生き延びた恐竜が人類と共存していた!?

1945年メキシコシティから西に約100kmのアカンパロの町で、奇妙な形をした土偶が発見された。その姿は、恐竜そのもの。その後の発掘によって次々と恐竜土偶が発見されている。炭素年代測定の結果、土偶は紀元前4000～紀元前1000年頃に製作されたものであることが判明した。その土偶の形は、まさに我々が認識している様々な恐竜の姿そのものなのだが、だとすれば、当時の人類が恐竜の姿を認識していたことになる。

しかし、これでは話が合わない。

恐竜は、6600万年前に起きた巨大隕石の衝突とその後の長期的な寒冷期の中で絶滅したとされ、新世代に生き延びた可能性がほぼ否定されているからだ。

しかし、恐竜土偶の存在は、人間と恐竜が共存していた時代があった可能性を示唆しているのである。となれば、隕石衝突後の大量絶滅から運よく生き延びた恐竜がいたことになる。

ただ、この恐竜土偶は、その時代の土を用いて現代で捏造されたという説もあり、真実ははっきりしていない。

崇徳上皇の呪い

種別 幽霊 地域 日本

祟りが明治時代まで恐れられた上皇の深い恨み

日本史上で最大最恐の怨霊となったのが崇徳上皇だ。

75代天皇として即位した崇徳上皇であったが、父親である鳥羽上皇から疎まれていた。崇徳上皇は鳥羽院の父で73代天皇の白河院と、鳥羽院の妻・待賢門院璋子との間に生まれた子であるという噂が公然の秘密として流布していたからである。

崇徳上皇はのちに鳥羽上皇に譲位を迫られてこれを受けると、政治の舞台から排除されて実子を天皇にすることもできなかった。その後、崇徳上皇は、異母弟の後白河天皇と対立し、1156年、起死回生を狙って保元の乱を起こしたが、戦いに敗れて讃岐への流刑に処され、9年後の1164年、同地で没することとなる。

怨霊と化し日本の呪う大天狗となった崇徳上皇
(『百人一首之内』歌川国芳画)。

生前、上皇は京への帰還を願って写経を朝廷に差し出したが、「呪詛が込められているかもしれない」と恐れた後白河院によって送り返されてしまった。絶望し、憤慨した崇徳上皇は、写経に「日本国の大魔縁となり、皇を取って民とし民を皇となさん」と血で書いたと伝わる。上皇の遺体は没後、20日後に荼毘にふされたが、棺から辺りを真っ赤に染めるほどの血が流れ出し、荼毘の煙は風の流れに逆らって京の都の方向に流れ続けたという。

するとその後、京では政情不安が続いたため、崇徳上皇の呪いだと恐れられるようになった。崇徳上皇は名誉を回復され白峰神社に祀られるなどしたが、人々の怨念に対する恐れは、明治時代まで700年にもわたって続いたのである。日本史上、最も不幸な天皇といわれる崇徳上皇の魂は、鎮まってくれたのだろうか。

File No.250
本日のテーマ
宇宙・自然の神秘

アトランティス大陸

種別 自然の神秘　地域 大西洋、地中海

伝説の大陸はどこにあった!? 南極説も浮上

古代ギリシャの哲学者プラトンが紀元前355年頃に著した『クリティアス』と『ティマイオス』に、その昔、海神ポセイドンが造った「アトランティス」という地上の楽園があったという記述がある。国は繁栄を極めたが、次第に住民たちが堕落し、神を敬わず好戦的になったため、神々が怒り、地震と洪水を起こして１日と１晩で海に沈んだという。これが事実ならば、どこかにアトランティスの痕跡が存在するはずだ。

多くの研究者が注目したのは、プラトンがアトランティスの場所を「ヘラクレスの柱の向こう」と記していることだ。「ヘラクレスの柱」とは、一般的にヨーロッパとアフリカを隔てるジブラルタル海峡にある岬を指すため、大西洋を中心にアトランティス探しが始まった。しかしどこも決め手にかけるために探索の範囲が広がり、世界中のあちこちでこれまでに40か所以上も候補地が挙げられている。

そんな中、有力とされているのがエーゲ海に浮かぶサントリーニ島だ。現在は大小５つほどの島の総称となっているが、かつては円錐形のひとつの島で、紀元前1500年頃に火山の噴火でその土地の多くが海底に沈んだのである。

ジブラルタル海峡の西にあるアゾレス諸島も有力だ。１万年ほど前に地球の急激な温暖化で海面が上昇したために、大洪水が起こったという。

さらには、南極説もある。古代の南極は現在よりもっと温暖な場所にあったが、１万数千年前頃に寒冷な場所に移動。そのため文明が壊滅し、その遺跡は南極の氷床の下に埋もれているというのである。

さて、アトランティスはどこに存在していたのか、それともただの伝説なのか。幻の大陸探しは続く――。

プラトンによると、アトランティスはジブラルタル海峡のすぐ外側、大西洋上にあり、非常に広く豊かな島で、ポセイドンの末裔とされる王家が統治し、大西洋を中心に地中海西部を含む地域を支配していたという。

第36週 第6日目

ノストラダムスの大予言

種別 ミステリアスな人物　地域 フランス共和国

20世紀最後の年に世界を騒然とさせた大予言

世界の終末については古今東西様々な予言がなされてきたが、20世紀最後の年にセンセーションを巻き起こした、ノストラダムスの人類滅亡の予言を覚えている人は多いだろう。

この予言は、16世紀のフランスの予言者ノストラダムスが残した『諸世紀』にある「1999年第7の月に恐怖の大王が降りてくる」を元に解釈したものだ。『諸世紀』は、ノストラダムスが惑星の運動から導かれた予知と神霊によって世界の異変と世界終末を直感した内容を書いた予言詩である。

しかしそのひとつひとつがあいまいな表現だったため、何通りもの解釈がなされ、そのひとつとして「1999年に7月に人類が滅亡する」という解釈が生まれるに至る。これは恐怖の大王が降りてくる、すなわち核兵器や彗星などにより地球が滅亡すると考えられた。とくに日本では1973年に発行された『大予言』がベストセラーとなっており、この予言を信じた人もいたに違いない。

結局、1999年の人類滅亡はなく、ノストラダムスの予言は外れた。しかし、これ以外にも予言がなされているため、終末の予言はこれで終わりではない可能性が高い。

地球滅亡の大予言により20世紀末の世界を震撼させたノストラダムス。

メン・イン・ブラック

File No. 252
本日のテーマ
都市伝説と陰謀論

種別 都市伝説 地域 アメリカ合衆国

超常現象の目撃者の前に現われるという黒衣の男たち

「メン・イン・ブラック」というと、ウィル・スミス、トミー・リー・ジョーンズ主演の映画として知られるが、フィクションの中だけではなく実在が噂される人々である。

映画同様に、UFOや宇宙人など超常現象の目撃者や研究者の前に現われるのだが、他言しないようにと脅迫し、圧力をかける点が怖いところ。何かの組織に属しているのかもわからないが、連綿と語り継がれる都市伝説といえる。

男たちは黒い服を着て、帽子をかぶった出で立ちで現われ、テレパシーで何かを送ろうとするなど不思議な力を発揮することもあった。

黒ずくめの男たちの伝説で最も有名なのは、UFOに誘拐されたというスティーブンスという青年を催眠術にかけたホプキンズ医師の話だろう。

ある日、医師の前に黒ずくめの男が現われた。抑揚のない機械のようなしゃべり方をした男は、コイン消失という不思議な力を見せつけて恐怖を与えると、スティーブンスとの交渉の記録を破棄するよう命じたという。

このように黒ずくめの男たちは見たことを隠蔽しろと警告する一方で、彼ら自身が現われることでUFOなどが注目されるという逆転現象が起こっている。

UFOに遭遇しても、彼らによって記憶を消されている人が数多く存在するのかもしれない!?

ヴォイニッチ写本

種別 ミステリー遺産　地域 イタリア共和国

捏造にしては精巧で丁寧すぎる謎の文字とイラスト

1912年に発見されたヴォイニッチ写本。作者の博学ぶりが伺われる。

1912年にイタリアで発見された古文書が、ヴォイニッチ写本である。ヴォイニッチとは、これを発見した古書収集家の名前で、約240ページの羊皮紙が暗号のような文字と彩色された絵で埋め尽くされているのを見た彼は、専門家たちに調査を依頼した。

顔料や羊皮紙の状態、そして放射性炭素年代測定によって、写本は1400～1440年の間に制作されたものとされた。だが文字は、言語学者、歴史学者が見ても、いつ、どこの地域で使われた文字なのかもわからない。ただし、20～30個のアルファベットのような記号で構成された言語で、一定の規則性を持っている。これはでたらめでは起こりえないことだという。絵は植物が多く、天体や占星術に関するもの、精子のようなものまである。

当時、このような知識を持っていた人物はごくわずかである。作者については学者のロジャー・ベーコン（13世紀）や、レオナルド・ダ・ヴィンチ（15世紀後半～16世紀）の名まで挙げられたが、彼らとは時代が一致しない。所有者については、写本に挟まれていた手紙から、17世紀に奇妙なもののコレクターだった神聖ローマ皇帝ルドルフ2世の手に渡り、その後は錬金術師の手を経てイエズス会の司祭であるキルヒャーのものになったとわかっている。作者は、珍しいものを作って売りつけ注目を浴びようとしたのかもしれないが、捏造や悪ふざけにしては、精巧な出来映えで手間と費用がかかりすぎている。よほど学のある人間が、とても公表できないこと、たとえば異端として弾圧されかねない内容を、精魂込めて描いたとしか考えられないのだ。とはいえ、誰も読み解けた者はおらず、現在も、コンピューターの最新技術を駆使した解読が続いている。

大ウミヘビ

種別 UMA 地域 北大西洋

古くから海に住んでいると囁かれてきた大ウミヘビ

海にはとてつもない巨大な未知の怪物が生息している……。これは太古の昔からまことしやかに囁かれてきた噂である。

歴史上、いろいろな海洋生物が出没したが、1915年、北大西洋でイギリスの貨物船イベリアン号は最後の瞬間に不思議な生物と遭遇している。イベリアン号がドイツの潜水艦に撃沈されて船が海中で爆発した時、その衝撃を受けたのか、大きな生物が20m以上も空中に飛び上がって海中に消えたという。その生物自身も体長20mはあろうかという巨大さでワニに似たような細長い頭で水かき状の四肢を持っていたと伝えられる。

また、1917年アイルランドの海上を航行していたイギリスの武装商船「ヒラリー」が漂流物と思ったそれは、長い首、三角形の背びれを持つウミヘビだったという。ヒラリーがこれを砲撃したところ一発が命中し、その生物は海中に姿を消した。

海中には未知の生物ともいえる、とてつもなく大きい海蛇が住んでいるのだろうか。こうした数々の遭遇例によっていつかその謎が解き明かされるかもしれない。

第37週 第3日目

メスカルティタン

種別 古代消えた民族の謎 地域 メキシコ合衆国

アステカ族の故郷と伝わるメスカルティタン。湖上に浮かぶ人工島の上に町が築かれている。

 湖上に浮かぶ都市はアステカ族の故郷？

メキシコの国旗の中央には、サボテンの上にとまったワシがヘビをくわえている姿が描かれている。

これは、1091年に「ワシがヘビをくわえて湖沼の畔のサボテンにとまっている所に出会ったらそこに都を築け」という神ウィツィロポチトリの啓示を受けたアステカ族が故郷アストランを発って神託の地を求める旅に出、1345年、放浪の末にテスココ塩湖に浮かぶ小島で神託どおりの光景に出会って都を築いたことに因んだものだ。

アステカ族がたどり着き、築いた都とはテノチティトラン、すなわち現在のメキシコシティである。

そのアステカ族の故郷アストランではないかとされているのが、メキシコ南西部の湖上に浮かぶ人工島メスカルティタンだ。直径わずか400mほどの小島で、島内には狭い路地が通り、ひしめくようにびっしりと民家が立ち並んでいて、現在も800人程度の人々が暮らしている。この人工島がアステカ族の故郷なのかどうかは不明だが、アステカ族がたどり着いた理想郷テノチティトランも湖に浮かぶ島だった。彼らが、故郷のメスカルティタンをモデルにして新たな都を築いたとしても、決して不思議ではないのである。

平将門の首塚

File No.256
本日のテーマ
幽霊・呪い

種別 呪い　地域 日本

関東独立の英雄の無念が漂う首塚伝説

崇徳上皇と並んで、恐ろしい怨霊として語り継がれているのが平将門だ。

平将門は10世紀の下総の土豪で、一族の内紛から関東一円を手中に収めるほど勢力を拡大。ついには自ら新皇と名乗り、岩井（茨城県坂東市）で独立を宣言した。しかし、明確な反乱と見た朝廷の命を受けた追討軍に敗れ、940年2月、将門は討たれたのである。

将門の怨霊伝説が生まれるのはここからだ。将門の首は京都に運ばれて晒されたのだが、3日後、首が空に舞い上がり、胴体を求めて関東に戻ってきたという。その首が落ちた場所が、現在の東京都千代田区大手町にある「将門の首塚」である。

首塚のある場所はオフィスビルが建ち並ぶ東京経済の中心地だ。そんな一角に、広くはないとはいえ、今も首塚が残されているのは不思議に思う人も多いだろう。

しかし、関東大震災後に大蔵省がこの地に仮庁舎を建てたところ、役人が死亡するなどの不幸が起きる。さらに、第2次世界大戦後に進駐してきた連合国軍が、この地を駐車場にしようとしたところ、重機が横転するなどの事故が相次ぎ、工事は中止となったのである。

つまり、再開発したくても、怨念が恐ろしくてできないというのが現実。将門の首塚は、今後もこの地に残り続けていくことだろう。

『芳年武者无類 相模次郎平将門』（月岡芳年）。平安時代に散った将門の強い怨念は現代にも影響をおよぼしている。

地球空洞説

種別 自然の神秘　地域 地球

地球の内部は空洞になっていて、地底人が住んでいる!?

地球の内部は空洞になっていて、未知の知的生命体が住んでいるという伝説が、古代バビロニア時代から語られてきた。今でこそ地球は地表にあたる地殻があり、マントル、外核、内核などの層で構成されているというのが常識であるが、誰も地球の内部を確認したわけではない。そんな中、近年、地球空洞説が非常に注目を浴びるようになった。きっかけは、元CIA職員エドワード・スノーデンが「地球のマントルの中に人類よりも知能が高い種族が存在している」という機密文書の存在と中身をインターネットのニュースサイトで暴露したことだ。

地底への入り口は北極と南極にあり、通常は強力な磁場で封印されているという。実際、1967年1月にアメリカ気象衛星「ESSA3」が撮影した北極の中心の映像には、謎の大穴らしきものが撮影されていた。さらにアポロ11号と16号が撮影した北極点の画像にも、穴らしき丸い凹みがしっかり映っていたのである。グーグル・アースで北極の中心座標を打ち込むと、そこにも大きな丸い穴が開いているのが見えるし、南極の中心に穴が開いていて、内部に太陽らしき光が輝いている写真も公開されている。さらに南極は、UFOの出現多発地帯としても有名だ。これらは本当に偶然なのだろうか。

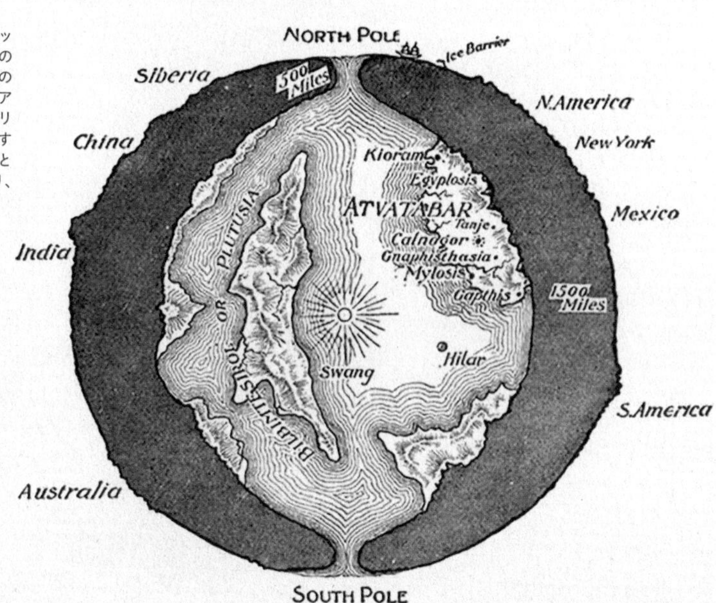

ウィリアム・R・ブラッドショーの1892年のSF小説『アバタバルの女神』に記載されるアバタバルの「インテリア・ワールド」を示す地球の断面図。北極と南極に巨大な穴があり、地下へと通じている。

漢 VS. ローマ

種別 知られざる歴史　地域 中央アジア

17世紀に描かれたローマ軍の亀甲隊形「テストゥド」。

東西の大帝国が紀元前の西アジアで戦っていた？

紀元前の古代中央アジアで中国兵とローマ兵が戦火を交えていたと聞けば、多くの人が驚くのではなかろうか。実は紀元前36年、中国の前漢が遊牧民の西匈奴（にしきょうど）を討伐した際、西匈奴軍の中になんとローマ兵がいたという。20世紀にこの仰天すべき説を唱えたのは、オックスフォード大学の中国史専攻ホーマー・ダブス教授である。

教授は西匈奴軍の「歩兵100人が魚鱗のように重なり合って立ち並んでいた」という記述に着目。これが、盾を連ねて密集する古代ローマ歩兵の亀甲隊形に類似する点から、西匈奴軍の中にローマ人の部隊、もしくは指揮官がいたと推測したのである。

教授はこの時のローマ兵は、紀元前53年にトルコ南東部のカラエで敗北し、捕虜としてトルクメニスタンに送られ定住した人たちであると指摘した。これは西匈奴の勢力圏から800kmほどの地。彼らが西匈奴の傭兵となり漢と戦ったのだという。

このミステリーには後日談がある。教授は西匈奴で捕虜になったローマ兵は現在の中国の永昌県に定住したと推測した。その村の住民のDNAを鑑定したところ、村民の3分の2に白人遺伝子が認められたという報道もある。

File No.259

本日のテーマ

都市伝説と陰謀論

第37週 第7日目

ビルダーバーグ会議

種別 秘密結社　地域 世界

ビルダーバーグ会議に反対するデモ。会議を、世界を都合よく操るものと考え、反対する人々も多い。（写真：ロイター／アフロ）

 ビルダーバーグ会議は新世界の秩序を築く秘密結社か？

欧米を中心とした首脳や財界人など各界の有力者が集まって、世界の問題について話し合う秘密会議と聞けば何やら怪しげな雰囲気が漂う。

そんな疑惑の目を向けられた会議が1954年から毎年1回開かれてきたビルダーバーグ会議である。自由な市場理念を進めるために開かれるというが、問題なのはかたくなまでの秘密主義にある。完全非公開で、誰がどんな発言をしたかを話すことは禁じられ、報道関係者も立ち入り禁止。これは参加者が自由に発言するためというが、密室の場で表沙汰にできないことを話し合っているのではないかと疑念が出るのも当然だろう。

さらに会議の参加者を見ればその疑惑は深まる。2019年（2020年はコロナ禍により中止）に至っては、アメリカのマイク・ポンペオ国務長官、ヘンリー・キッシンジャー元国務長官、フランスのブリュノ・ル・メール経済・財務大臣、ドイツのウルズラ・フォン・デア・ライエン国防相ら。そのほかグーグル、マイクロソフト、北大西洋条約機構（NATO）の代表・幹部らという顔ぶれ。

こうした背景からこの会議は新世界の秩序を築く秘密結社ではないかともいわれた。そして人知れず支配を強め、途上国における権益を拡大。数々の陰謀も行なって世界を動かしてきたのではないかと考えられたのだ。

そのひとつがアメリカのクリントン元大統領やイギリスのブレア元首相の存在である。会議はふたりがトップになる前に招待しており、その後のふたりの出世を見れば、この会議が彼らをトップにつけるべく暗躍したとも考えられるのではなかろうか。

富士の人穴（ひとあな）

種別 ミステリー遺産　**地域** 日本

5人の武士の命を奪ったものは何だったのか

鎌倉幕府の公式記録ともいうべき『吾妻鏡（あづまかがみ）』には、富士山の人穴で起きた不気味な出来事が記されている。人穴とは7000年ほど前の噴火でできた溶岩洞窟で、江ノ島まで通じていると伝えられてきた。

1203（建仁３）年、２代将軍の源頼家（みなもとのよりいえ）が、家臣の仁田忠常（にったただつね）にこの洞窟の探検を命じた。忠常は数々の手柄を立ててきた勇猛の士で、５人の武士を連れて洞窟に入った。なかには流れの激しい川があり、コウモリがたくさん飛んでいる。ふと川向こうに何かの気配を感じた一行が松明の火をかかげたところ、４人がたちまち急死してしまったというのである。武士たちは探検に抜擢されるほどだから屈強だったことだろうに、そんな彼らの命を奪ったのは何だったのだろう。

現代ならば４人の死の原因は、松明を焚いたことによる一酸化炭素中毒、洞窟内に吹き出ていた有毒ガスなどが考えられるが、この場所は富士の霊場であり神の怒りを買ったとしても不思議ではない。しかし、この事件を境に人穴に対する信仰が高まり、江戸時代の人穴は、富士信仰の修行の場となって、周囲には石仏や石塔が林立するようになった。

洞窟は全長83mほどで中央部がくの字型に曲がっており、頼家の家臣たちが見たような川は、今は流れていないし、最奥部は行き止まりで江ノ島までは通じていない。現在は、崩落の危険があることと文化財保護の目的から、立ち入り禁止となっている。

屈強な武士４人が一瞬にして命を奪われる事件が起こった富士の人穴。

File No. 261
本日のテーマ
UMAと怪人

キョンシー

種別 モンスター　地域 中華人民共和国

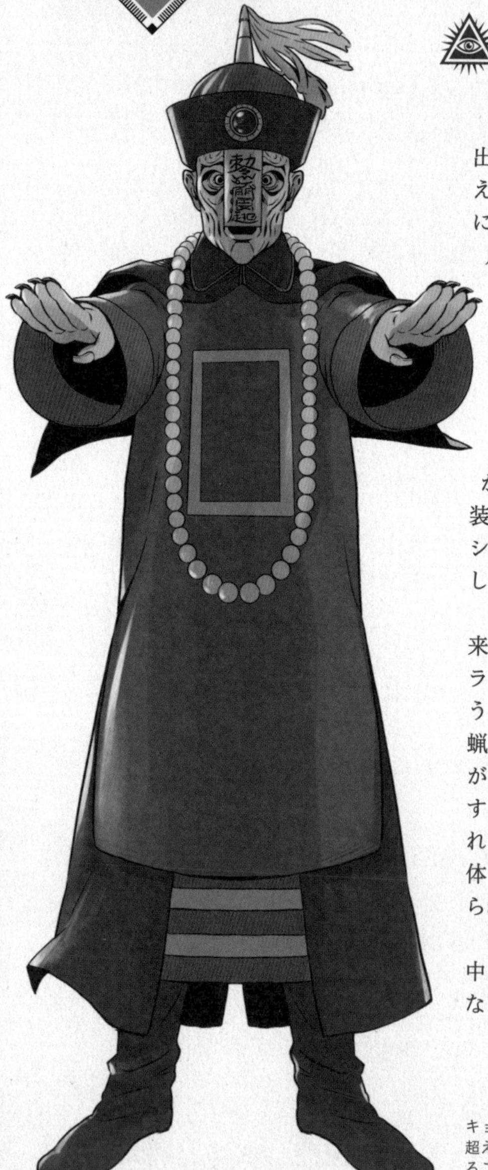

手足を伸ばしたまま飛び跳ねる、中国版の怪異

キョンシーは「僵尸」と書き、死体が動き出して人の血や肉を喰らう中国版ゾンビといえる妖怪である。日本では映画『霊幻道士』に登場するキョンシーの名で有名だろう。手足を伸ばしたままピョンピョン飛び跳ねる姿が印象的だが、これは死体となって関節が硬直しているためである。

台湾には次のようなエピソードがある。ある学校のパーティで、生徒全員が仮装し踊る中、キョンシーに仮装した生徒もいたが、その生徒は踊らず飛び跳ねてばかりいた。しかしパーティの後、そんな仮装をした生徒は存在せず、実は本物のキョンシーが紛れ込んでいたことがわかり、慄然としたという怪異譚である。

中国でキョンシー伝説が生まれたのは、古来中国では不老不死が信じられており、ミイラが盛んに作られていたことと関係があるようだ。ミイラは特殊な状況下においては「屍蝋」という遺体が腐敗しない状態になる場合がある。状態によっては毛髪や爪などが生長するため、まるで遺体が生きていると考えられても不思議ではない。こうした“生ける死体”からキョンシーの伝説が生まれたと考えられている。

キョンシーを追い払うには棗（なつめ）の種を7つ背中に打ち込む、赤豆や米粒をまく、箒（ほうき）で払うなどの方法があるという。

キョンシーは人の力をはるかに超える怪力を備え、術によって操ることもできるという。

クエバ・デ・ラス・マノス

File No.262 本日のテーマ 古代文明

種別 消えた民族の謎 地域 アルゼンチン共和国

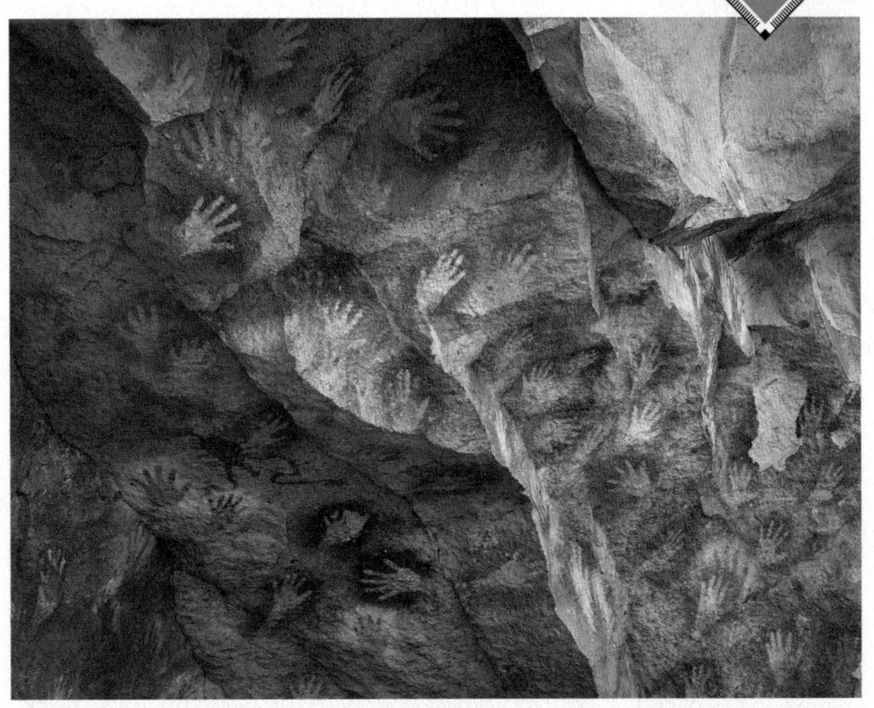

古代人の手形がくっきりと残るクエバ・デ・ラス・マノスの洞窟。

古代人はなぜ洞窟に手形を残したのか!?

クエバ・デ・ラス・マノスは、パタゴニア、ピントゥーラス川流域の渓谷に描かれた洞窟壁画である。クエバ・デ・ラス・マノスとはスペイン語で「手の洞窟」を意味し、その名の通り、この洞窟内には800以上もの人間の手形が描かれているのだ。描くといっても、手の平を壁に押し付けて顔料を吹きつけることで手形を残したものや、手に顔料をつけて押し付けたものなので、当時の人々の手形がそのまま象られている。紀元前1万1000年頃から紀元後700年頃までに描かれたものとされているが、天井にせり出した岩が雨風から壁画を守っていたため非常に保存状態が良く、手形が今もくっきりと残っている。

手形は大半が左手で、これは右手に顔料を持っていたからだと推測できる。

手形壁画は何かの祈祷か、成人の通過儀礼ではないかと考えられているが、はっきりしたことはわかっていない。ただ、同様の手形壁画はインドネシアやスペインでも発見されていることから、古代人の普遍的な芸術表現であることは間違いないようだ。

ペンドルヒルの魔女

種別 呪術 地域 イギリス

魔術の塔の遺跡を発見！ 魔女はイングランドに実在した!?

イギリスのイングランド北西部ランカシャー州ペンドルヒル。この町は、1612年に魔女裁判が行なわれ、女性10名、男性2名が魔女として処刑された地である。

よく知られる通り、魔女裁判は中世に盛んに行なわれた魔女狩りの一環として、魔女の疑いをかけられた人々を裁いたものであるが、実際に裁かれ、魔女として処刑された人々の多くは、無実だったり根拠のない密告で罪を着せられたりした人だったと考えられている。

しかし、2011年12月、同地で草地の下に埋まった「マルキン塔」の遺跡が、土地の保守管理を行なっていた作業員によって発見され、話題となった。マルキン塔とは、魔女が住んでいたとされる石灰石の塔で、壁にはミイラ化したネコの死骸が埋め込められていた。

このネコは、悪霊から身を守るために、住人の手によって生きたまま壁に塗り込められた生贄とみられている。だとすれば、この魔女の塔に住んでいたのは、本当の魔女だったのか？

事実は不明だが、ペンドルヒルには、農家の一家が悪魔と契約して人間の髪の毛と歯を使った粘土の呪いの人形を作り、10人もの人が呪い殺されたという言い伝えもある。

ペンドルヒルで行なわれた魔女裁判において告発されたふたりの魔女。アン・ウィットル（シャトックス）と彼女の娘アン・レッドファーン。

File No.264
本日のテーマ
宇宙・自然の神秘

ファフロツキーズ現象

種別 自然の神秘　地域 世界

空からあり得ないものが降って来る超常現象

空から降って来るものといえば、雨や雪、霰ぐらいのものだと思っていたら、突然、予想もつかないものが降って来ることがある。たとえば、1861年にはシンガポールの多くの地域で連続して魚の雨が降り、1873年にはアメリカのカンザスシティでカエルが大量に降り、一時地面がカエルで埋め尽くされた。

2015年4月には、ノルウェー南部の都市ベルゲン近郊の山で無数のミミズが発見された。当時、その場所には約50cmもの雪が積もっていて、地中から出てこられるはずがないのに、無数のミミズが生きたまま積雪の上に散らばっていたのである。

さらに、同国南部の多くの町や、スウェーデンとの国境近くの町フェームンデンにもミミズの目撃者がいて、なかには空からミミズが降って来る場面に遭遇した人もいた。

ファフロツキーズ現象は、古来洋の東西を問わず報告されている。

日本でも、884年に出羽国（現・秋田県）で、豪雨と共に石の鏃が降ってきたという記録があるし、2009年には石川県でオタマジャクシが降った例がある。1980年には、イタリアで血の雨が降ったこともある。

ほかにも、様々なものが時代や洋の東西を問わずに空から降っており、このように通常では考えられないものが空から降って来る現象をファフロツキーズ現象と呼んでいる。

竜巻などの上昇気流に巻き上げられた物が、別の場所に降ったとする説が主流だが、だとすれば、なぜ同時に降って来るものが決まって同じ1種類だけなのかという疑問が残るなど、この仕組みだけでは解明できないケースも多い。さながら物体が瞬間移動するテレポーテーションを連想させる現象であり、発生要因については今も調査が続けられている。

琥珀の間

種別 歴史の闇　地域 ロシア連邦

ソ連の侵攻前にドイツから忽然と消えた豪華絢爛な間

ロシアのエカテリーナ宮殿にある「琥珀の間」は、10万個ともいう琥珀をふんだんに使い、金や宝石の装飾が施された豪華絢爛な空間である。ただしこれは2003年に再現されたもので、オリジナルではない。本来は1716年にプロイセン王国フリードリヒ・ヴィルヘルム1世からロシアのピョートル大帝へと贈られ、同じくエカテリーナ宮殿に飾られていた。

1941年、宮殿を占拠したドイツ軍が解体して持ち出し、ケーニヒスベルク城に運び込まれたのだが、1945年のソ連軍の侵攻を前に再び持ち出されたという。ところがその後、琥珀の間の消息がふっつり途絶えてしまうのである。

ソ連が探したところ、ナチスが隠匿したという説が浮上した。ソ連が沈没させたハンブルク行の船に積まれていたとも、ベルリンに通じる秘密の地下通路を利用して運び出されたともいわれるが、証拠はない。

それよりも疑わしいのはケーニヒスベルクの美術館館長である。だが彼は、琥珀の間は焼失したと証言したのち行方をくらませてしまう。彼と共謀したとみられる東プロイセン大管区長官コッホも「私のコレクションがある場所に『琥珀の間』は存在する」という言葉を残して1986年にポーランドの刑務所で病死した。

その後、西ドイツ政府の支援を受けて琥珀の間を探していた人物が変死を遂げるなど、琥珀の間探しは危険な匂いを漂わせている。

果たしてロシアの秘宝はどこへ隠されたのだろうか。探索は命がけの様相を呈している。

1931年に撮影された琥珀の間のカラー写真。

カティンの森の虐殺

File No.266
本日のテーマ
都市伝説と陰謀論

種別 陰謀 地域 ロシア連邦

謎のヴェールに覆われた虐殺事件
その裏に隠された国際的な闇とは!?

ロシアのカティンの森といえば世にも恐ろしい虐殺事件の場所である。1940年4月と5月、ソ連の秘密警察が、その支配に従わないポーランドへの見せしめとしてポーランド人捕虜2万2000人を処刑と称して虐殺。その遺体をロシア西部のカティンの森に埋めた。

ところが翌年、独ソ戦が始まりポーランド全域がドイツの占領下に入ると、1943年にドイツによってカティンの森で大量の遺体が発見された。

ポーランドの亡命政権の依頼を受けた赤十字社の調査に対し、ソ連のスターリンはナチスの犯行だと主張。アメリカとイギリスも沈黙を貫いたため、そのまま事件の顛末はうやむやにされる。

だがこの背景には、アメリカとイギリスも政府がこの事件の隠蔽に協力した疑惑がある。イギリスのチャーチル首相はソ連がやったと認める発言をし、アメリカも遺体調査の結果、ソ連の犯行であるという暗号を受け取っていたのだ。にもかかわらず、彼らは対ドイツ戦線において重要な同盟国であるソ連に肩入れし、真相の隠蔽に協力したのである。

その結果、1990年にソ連が責任を認めるまで、事件の真相は歴史の闇の中に封印されることとなったのだ。

ポーランド兵士の虐殺の場となったカティンの森。

シャグバラーの石碑

種別 ミステリー遺産　地域 イギリス

ディケンズやダーウィンも解けなかった謎の8文字

シャグバラーは、イギリスの貴族や富裕層が受け継いできた広大な地所である。歴代の当主によって建てられた邸宅や美しい庭園がそこここに配されているのだが、その一角にある18世紀の中頃に建てられた石碑に刻まれた8つの文字が多くの人を悩ませてきた。

石碑はプッサンの絵画『アルカディアの牧童』を基にしたレリーフで飾られている。そもそも、この絵画にも謎が多いのだが、その土台にある「O・U・O・S・V・A・V・V」は、英語でもほかの言語でも全く意味をなさないのだ。当時の人々はこぞって謎解きに夢中になり、小説家のディケンズ、博物学者のダーウィン、陶芸作家のウェッジウッドなども挑戦したが意味を読み取ることはできなかった。

謎解きは現代も続いている。有力なのは、8つの文字は亡き妻を悼むラテン語の詩の頭文字を並べたものという説である。8つの文字の両側の一段下にはDとMの文字があるが、これはローマ時代の石碑によく見られる意匠で、「死者たちの魂に捧ぐ」という意味のラテン語を示すもの。石碑を建てさせたトマス・アンソンの亡き妻を悼む気持ちが込められているというのだ。

ほかにも、持ち主の一族の頭文字を並べたもの、シオン修道会の秘密に関する暗号、聖遺物の在り処を示す暗号など、様々な説が出ているが、謎は解けていない。

シャグバラーの石碑とその土台に刻まれた文字。その意味を解けた者はまだ誰もいない。

魔 女

種別 モンスター 地域 ヨーロッパ、アメリカ合衆国

悪魔と契約して 社会に不幸をもたらすとされた魔女

現代の魔女といえば、特徴的な帽子をかぶり箒に乗って空を飛ぶ姿が思い浮かぶだろう。長い鼻をした醜い老婆のケースもあれば美しい女性のケースもある。魔女は悪魔と契約し、深夜箒に跨って森や野で行なわれる魔女集会に出かけ、しばしば魔術を使って社会に疫病や凶作などの禍をもたらすとされた。

妖艶な魔女の姿を描いたルイス・リカルド・ファレーロの『サバトに赴く魔女たち』。

魔女は古代、アジアやアフリカのシャーマンのように自然と対話する呪術的な手法で魔法や儀式を行なったのが始まりとみられている。その後、占い師や巫女、薬剤師などとして活躍したが、不思議な力を持つ女性たちを一括して魔女と呼ぶようになったようだ。

古代は畏敬の念をもって見られていた魔女は、14～17世紀のヨーロッパでは一転、激しく忌避される存在となる。当時、社会不安が増大する中、この不安や混乱を悪魔の仕業とみなし、スケープゴートとして呪術的な力を使う魔女たちがやり玉にあげられたのである。魔女をあぶりだす魔女裁判や、有罪となった魔女を血祭りにあげる魔女狩りが盛んに行なわれた。魔女とみなされた人物は拷問、火刑などで命を落としたのである。

第39週 第3日目

イースター島のモアイ

種別 古代遺跡の謎　地域 チリ共和国イースター島

モアイはマナの力によって自力で移動していた!?

イースター島といえば、多くの人が「モアイ」を思い浮かべることだろう。イースター島には887体ものモアイ像が確認されていて、最も大きなものは20.65mにもおよぶ。驚くべきは、これらのモアイが、島の南東部にあるラノ・ララク火山火口の石切場で岩に直接彫り込む形で作られ、完成した状態で島の各地へ運ばれたということだ。重さが10t以上、巨大なものは20tを超えるというのに、どうやって運んだのだろうか。

島の伝説では、モアイはマナという謎の力で、自力で歩いたとされているが、そんな非科学的な話では納得できない。

そこで、丸太で作ったコロの上に乗せて運んだ、柔らかい芋類を運搬路に敷き詰めて運んだ、ロープで引っ張って運んだといった様々な説が出たのだが、残念なことにこれらの説はことごとく検証によって否定されてしまった。

こうして残ったのは、モアイは超自然的なマナの力で歩いたという伝説だ。島の伝承によれば、島にはマナの力の秘儀を伝承する神官がふたりいて、モアイは立ったまま、自ら回転しつつ、半円を描きながら前進したという。こうした記録に注目したイースター島の研究者フランシス・マジェールは、丈夫な縄で石像を巻き、縄の一方の端を支えながら、もう一方から引っ張るという方法に思い至る。モアイ自体を滑車のように使うことで、伝説の通りモアイは「回転しながら半円を描いて」進むのだ。21世紀になって行なわれた実証実験でも、5tのモアイを18人の手で運搬できることが証明されている。モアイ運搬の謎にまた一筋の光明が当たりつつある。

イースター島に立ち並ぶ
「モアイ」の巨像。

File No. 270
本日のテーマ
幽霊・呪い

ポルターガイスト現象

種別 幽霊 地域 世界

カメラに収められたポルターガイスト。ポルターガイスト現象の中でも、1970年代に男性の霊が家に取り憑いて引き起こしたエンフィールドのポルターガイストは有名だ。(写真：Mirrorpix／アフロ)

 古代から記録されている最もポピュラーな超常現象

心霊現象の代表的なものとして知られているのがポルターガイストだ。ドイツ語のpolter(騒々しい)とgeist(幽霊)を合わせて名づけられた言葉である。

その名の通り、ポルターガイストはやたら騒々しい。誰も手を触れていないのに、物が移動したり、物を叩く音が聞こえたり、なかには光を発したり、発火することもある。大きな火災にはならないが、人間に対し攻撃を加えてくることもある。

ポルターガイストは、予兆もなく突然発生するケースが多く、1～2時間程度続いてピタリとやむことが多いが、数年間にわたって同じ場所で続くこともある。

その歴史は非常に古く、古代ローマの時代まで遡ることができる。858年には東フランク王国の年代記『フルダ年代記』にも記録されているという。

長きにわたり人類を悩ませ続けているポルターガイストについて、多くの研究が行なわれているが、19世紀頃までは魔女か悪魔、死者の霊の仕業とされていた。19世紀末以降、死者の霊が霊媒に憑依されると考えられ、近年では生者の無意識な念力によっても発生するという説も挙げられるようになった。今もってはっきりした原因はわかっていないが、今後も確実に我々を悩ませ続けることであろう。

バミューダ・トライアングル

種別 自然の神秘　地域 カリブ海

船や飛行機が突然消息を絶つ魔の三角区域

大西洋のバミューダ諸島、プエルトリコ、マイアミを結んだ「バミューダ・トライアングル」と呼ばれる三角形の海域では、これまでに船と飛行機を合わせて200以上が消息不明となり、1000人以上にのぼる犠牲者を生んでいる。気象条件が悪くないにもかかわらず、船や飛行機がしばしば異常事態に陥り、原因不明のまま消息を絶つのだ。

この怪異現象を1964年に最初に発表したヴィンセント・ガティスは、行方不明となった船や飛行機は、四次元の穴に落ち込んだのではないかと推理した。ほかにも、飛行機の大半が消息を絶つ直前に計器の異常を訴えていたことから、地球の深部でのプレート同士のこすれ合い、もしくは海底の巨大な隕石が磁気異常を引き起こしているとする説がある。

また、近年では、メタンハイドレートが原因とする説を唱える識者が増えている。この海域では豊富なメタンハイドレートが存在しており、それに加え世界最大級の暖流であるガルフストリームが流れ込んでいる。これにより海底温度の上昇が起こって地層が破壊され、膨大なメタンガスが発生。ガスは海面に巨大な泡を作り出して船の浮力を低下させて沈めたり、上空高く舞い上がっては飛行機のエンジンプラグに引火してエンジンを爆発させたりするのではないかというのだ。

1945年12月5日にバミューダ・トライアングルでの訓練飛行中、消息を絶ったTBM3型アヴェンジャー雷撃機5機による編隊「フライト19」。パイロットは精鋭揃いであったが、無線の記録からは方向を見失っている様子がうかがえるという。

クロンボー城の巨人像

File No. 272
本日のテーマ
歴史のミステリー

種別 伝説　地域 デンマーク王国

デンマークの守護神、クロンボー城の地下牢を守る巨人像

デンマーク北部、スウェーデンとの国境に近いエーレスンド海峡を臨むように建つクロンボー城。その地下牢は薄暗く、王の侍医との不倫に走った、クリスティアン7世の王妃マチルダが閉じ込められた場所とされ、彼女の霊が出現するともいわれるいわくつきの場所である。

その地下室をさらに不気味にさせているのが、入り口に置かれた巨人像である。これは、スペインとの戦争でデンマークを勝利に導いた伝説の英雄「ホルガー・ダンスク」の像なのだが、なぜここに置かれているのか全くもって不明なのだ。

椅子に腰かけた巨人は足を軽く組み、腕を組んで、左手に剣を手にしている。顔はうつむいて目を閉じている姿は、まるで城に隠された秘密を探りに来た者を威圧するかのような存在感がある。事実、顔を覗き込んだら、像の目が開いてジロリと射すくめられたという伝説も。

何とも怖い像だが、デンマークが国家存亡の危機に陥った時には突如目を覚まして立ち上がり、先陣を切って戦うといわれている。

クロンボー城の地下に鎮座するホルガー・ダンスク像。

File No.273
本日のテーマ
都市伝説と陰謀論

リメンバー・パールハーバー

種別 陰謀 地域 アメリカ合衆国

日本軍の奇襲攻撃によって炎上するアメリカ太平洋艦隊の戦艦アリゾナ。

真珠湾攻撃はアメリカに仕向けられたものだった？

太平洋戦争の開戦は、日本海軍の機動部隊がハワイ、オアフ島の真珠湾にあるアメリカ太平洋艦隊の基地に先制攻撃を仕掛けたことである。戦艦4隻を沈没させるなど大損害を与えた奇襲攻撃だったが、実はアメリカのルーズベルト大統領は攻撃が行なわれるより早く、日本軍による奇襲攻撃計画の情報をつかんでいたという説がある。

当時、ヨーロッパが主戦場であった第2次世界大戦への参戦に否定的であったアメリカの世論を対日参戦へと導くためにあえて日本に先制攻撃をさせたというのだ。

アメリカの陸軍長官がルーズベルトから「日本から攻撃をさせるにはどうしたらいいか」と尋ねられたことや、海軍諜報局から日本に戦争を仕掛けさせる戦略が書かれたメモが存在したことなどから、ルーズベルトが日本の先制攻撃を望んでいたことは明らかだ。さらに攻撃の3日前には日本がハワイ周辺に関心を示しているという報告を受けていた。

アメリカがどこまで詳しい情報をつかんでいたかは不明だが、真珠湾攻撃は「想定内」だったのである。それどころかこのアメリカの戦略は予想以上の大きな成果をもたらした。

日本との開戦に消極的だったアメリカの世論は、真珠湾攻撃をきっかけに一気に転換。日本軍の宣戦布告なしでの奇襲を「卑怯」として、「リメンバー・パールハーバー」を合言葉にアメリカの対日参戦を後押し、日本との戦争を介して世界大戦に参戦する機運が高まったのである。

ロスリン礼拝堂

File No. 274
本日のテーマ
ミステリアス遺産

種別 ミステリー遺産　地域 イギリス

内部を埋め尽くす謎めいた彫刻は秘密結社の暗号なのか

スコットランドの荒涼たる大地に建つロスリン礼拝堂に一歩足を踏み入れると、技巧を凝らした石の彫刻が内部を埋め尽くしているのに驚くだろう。堂内のあちこちに口から植物を生やしたひげ面の男の顔があり、その数100体以上におよぶ。螺旋状の装飾を施した「徒弟の柱」は、師匠より腕のいい石工が制作し、その腕に嫉妬した師匠が石工を殺害したという恐ろしい来歴が伝えられる。

15世紀中頃にセント・クレア伯爵によって建てられたこの礼拝堂を謎めいたものとしているのが、彫刻群や閉ざされたままの地下室の存在である。なかでもセント・クレア伯爵が、秘密結社フリーメイソンもしくはテンプル騎士団のメンバーだったという説は、世の関心を集めた。これらの団体は豊富な財力や兵力を持っており、彫刻はその秘密を隠した暗号だというのだ。

だが彫刻については根拠がないとされ、礼拝堂全体も彫刻も不思議な印象を与えるのは、キリスト教がこの地に入る以前のケルト神話の影響が色濃いからだろう。口から植物を生やした彫刻は「グリーンマン」と呼ばれる豊穣のシンボルであって、テンプル騎士団やフリーメイソンとは無関係のようだ。

ただし、礼拝堂の地下室を発掘しようという案が持ち上がった際、セント・クレア家はこれを拒否している。地下室が発掘されないのは破損する可能性が高いからだというが、何かが隠されているのではないかと疑う人も多いようだ。

奇怪な彫刻で飾られるロスリン礼拝堂の内陣。

カスパール・ハウザー

種別 怪人 地域 ドイツ連邦共和国

19世紀のドイツに突然現われた謎の少年

1828年、ドイツのニュンベルグで身元不明のみすぼらしい少年が発見された。年は16歳前後と見られたが、保護された時、少年は文字を書けず、言葉も「シラナイ」「キヘイタイ」「ウマ」の3語しかしゃべれなかった。また、火をつかみかけたり、手づかみでものを食べたり奇妙な行動も目立ったという。少年が持っていた手紙から彼の名前がカスパール・ハウザーであることは判明したが、それ以外は何もわからない謎の少年だった。

教育を施されたカスパールは、数か月後には自らの奇妙な境遇を語り始める。彼は物心ついた時から暗く天井も低い地下牢で過ごし、食事は水とパンだけで暮らしていたという。まるで幽閉されていたような特異な過去はヨーロッパ中の関心を集めた。彼はイギリス人貴族に連れられてヨーロッパ中を回り、社交界で話題をさらう。

こうしてカスパールは時代の寵児となるも、1833年に公園で見知らぬ男に刺されるという非業の最期を遂げた。

カスパールの正体について、ナポレオンの遺児、バーデン大公の遺児説などが挙げられたが、彼自身の自作自演説もあり、その正体は今もって不明である。

1828年、ドイツのニュンベルグに現われた謎の青年カスパール・ハウザー。

アンティキティラ島の機械

File No. 276
本日のテーマ
古代文明

種別 オーパーツ　地域 ギリシャ共和国

古代ギリシャで製作された世界初のコンピューター

1901年、エーゲ海に浮かぶ小さな島アンティキティラ島の沖合で、古代の難破船の残骸が発見された。難破船からは青銅製の豪華な彫刻や宝石、アンティークコインなど多くの遺物が発見され、その中のひとつに青銅製の歯車式の道具「アンティキティラ島の機械」があった。発見当時は誰もその価値に気づかず、50年ほども放置されていたが、ある日、アテネ国立考古学博物館の館長が重要性に気づいたことで事態は一変。その後、1世紀にわたる研究の結果、驚くべきことがわかってきた。

なんとこの機械は少なくとも3種類のカレンダーで日数を計算し、オリンピックの時期を計算するメモリまで付いた超高度な天文観測器であることが判明したのだ。何千個もの歯がある青銅製のギアが少なくとも30個も使われているなど、非常に複雑な構造をしており、3500単語以上の長い文章が書かれていることも判明している。

機械が作られたのは、約2100年前のギリシャと判明しているものの、同様の精巧さを持つ機械は、14世紀のヨーロッパで歯車式の時計が登場するまで現われていない。そんな機械を、古代にどうやって作ったのだろうか？

アンティキティラ島の機械は非常に精巧な作りで、同様の機械が他にはひとつも発見されていないことも、大きな謎となっている。

凶運のスカイウェイ橋

種別 呪い　地域 アメリカ合衆国

事故が相次いで崩壊、自殺者も相次ぐ不吉な橋

アメリカのフロリダ州タンパ湾に、サンシャイン・スカイウェイという名の橋が架かっている。橋の姿はとても美しいのだが、実はこの橋は不吉な橋として有名だ。

現在の橋は1987年に開通したものだが、それまでは1954年に開通した橋が使われていた。架橋からわずか30年余りで新しい橋に付け替えられたのは、1980年に橋脚にダメージを与える事故が相次いだ末に橋が崩落するという事故が起こったためだ。

始まりは1月に沿岸警備隊と石油タンカーが橋の近くで衝突し、23人が死亡した事故だった。この時は橋に影響はなかったが、2月に貨物船が橋脚に激突。10日後にも航路を誤ったタンカーが激突した。止めとなったのが5月9日の事故。貨物船が橋の主要橋脚に激突して、道路が崩落するという大事故が発生したのである。バスや乗用車が海に落下して35人もの死者を出す大惨事となった。

短期間にこれほど事故が集中するのはにわかに信じ難い話であるが、もともとこの橋は建設当初から呪われていたという証言もある。実は建設中、コンクリートに転落した作業員がいたが、救出されないまま遺体は埋められたのだという。以後、橋では自殺が多発。新しい橋が完成した今でも、これまでに数百人もの人が橋から身を投げているという。

サンシャイン・スカイウェイ・ブリッジはエメラルド・グリーンのメキシコ湾の上に架かる美しい橋であるが、なぜか自殺が多発する。

クジラの集団座礁

File No. 278
本日のテーマ
宇宙・自然の神秘

種別 自然の神秘　地域 世界

病気か、自殺か…。クジラが座礁する謎

2017年1月16日、80頭を超えるオキゴンドウ（ハクジラの仲間）が、米国フロリダ州にあるエバーグレーズ国立公園の海岸に打ち上げられ死亡。2020年9月21日には、オーストラリアのタスマニア島で、約270頭のゴンドウクジラが座礁し、警察やボランティアが救助に当たった。このように、クジラが浅瀬や陸地に乗り上げて死んでしまう不可解な現象が世界各地で起きており、日本でも、2002年1月に鹿児島県大浦町で14頭のマッコウクジラが、同年4月には茨城県波崎町で84頭のカズハゴンドウが座礁しているのが発見されている。

原因については諸説あるが、昔から囁かれているのが「集団自殺」説だ。理由は間引きのためで、種が増え過ぎたストレスで集団座礁して種の数を一定に保とうとしているのではないかというわけである。また、耳に寄生虫が繁殖したためや、潜水艦などのソナーが原因で、音波反射機能が乱されたのではないかとする説もある。クジラ類は音波で仲間とコミュニケーションをとったり、障害物を感知したりしており、その音波反射機能が壊れたために座礁したというのである。また2020年には太陽嵐が磁場を狂わせるため、地球の磁場を利用して移動している可能性のあるコククジラの感覚を狂わせているのではないかという説も上がっている。

なぜクジラは集団座礁を繰り返すのか？ 解明には、今後の研究を待つばかりである。

1577年に起こったクジラの集団座礁を報じる銅版画。

File
No. 279
本日のテーマ
歴史のミステリー

第40週 第6日目

帰雲城の行方

種別 伝説　地域 日本

山津波の下に消えた帰雲城の跡。今も埋蔵金ばかりか城の跡も発見されていない。

 天正地震で一瞬にして消え去った白川郷の城と財宝伝説

合掌造りの里として世界遺産にもなっている岐阜県白川郷。実はその一角には戦国時代、一瞬にして消えてしまった幻の城、帰雲城址がある。

この城は15世紀半ば、内ヶ嶋為氏が築いた城である。内ヶ嶋氏は室町時代から白川郷を支配し、西飛騨で産出する金、銀、鉄などの鉱物資源を掌握して莫大な富を手に栄えていた。

本能寺の変後、内ヶ嶋氏は佐々成政に属していたが、やがて天下統一を進める羽柴秀吉との和睦がなり、その傘下に加わることとなった。それを祝う宴席を明日に控えた天正13年（1585）11月29日の夜半、推定M8クラスの天正大地震がこの地を襲う。地震によって帰雲山が崩壊し、岩石や土砂が山津波となって駆け下り、庄川をせきとめ、一瞬にして城下町もろとも帰雲城を飲み込んでしまった。城も町も土砂に埋もれ跡形もなく消え去ったばかりか、城にいた一族も全滅し、内ヶ嶋氏は一夜にして滅亡したのである。

ほどなくここ帰雲山には、内ヶ嶋氏が貯めこんでいた埋蔵金が埋もれているという噂が出回り、多くの人々が発掘を試みた。ところが、奇妙なことに、誰がどこを探しても埋蔵金どころか、町や城のあった痕跡すら全く見つからないまま現代に至る。帰雲城は財宝と共に歴史の彼方へと消えてしまったのだ。

ナチスの黄金列車

いまだトンネルに眠る、ナチスの埋蔵金伝説

ナチス・ドイツが隠した財宝のひとつとして、世界のトレジャー・ハンターが探し回っているのが「黄金列車」である。

ナチスはヨーロッパ中から宝飾品、絵画など様々な財宝を奪い集めた。ロシアの「琥珀の間」のように部屋を解体して運び出したケースもある。そしてこれらの財宝の多くがいまだ見つかっていないのが現状だ。

ナチスは大戦末期のソ連軍の侵攻前、列車を編成して財宝を避難させようとしたが、間に合わなかった財宝を周辺の国々の地下トンネルや坑道などに隠し、埋めたまま放置したという噂が存在するのだ。

この噂をもとに、2015年には地中探査用レーダーを使って調査を行なったところ、その黄金列車と思しき影が発見された。ポーランドのヴァウブジフ市の近郊の地下9m程度のところに長さ100m近くの列車のような構造物を発見したというのだ。

この地はドイツ軍の巨大な地下基地が造られた場所で、財宝を乗せた列車がこの地で消えたという伝承もあり、黄金列車の発見かと沸き立った。ポーランドの文化・国家遺産省の高官さえもが「おそらく宝石、芸術作品などを積んでいた列車だ」と指摘し、「99%その存在を確信している」と語るほどであったが、その後2週間発掘しても何も発見されずに終わった。

果たしてナチスの黄金列車はいまだどこかの地中に眠っているのだろうか。

ナチスの黄金列車は、終戦以降、多くの研究者によって捜索が行なわれたものの、発見には至っていない。

マンセル要塞

種別 ミステリー遺産　地域 イギリス

テムズ川にそびえる軍事廃墟が独立国に

まるで近未来SFのシーンのように、水中から突き出たいくつもの鉄塊。これは第２次世界大戦中に、イギリス軍がドイツ軍の飛行機を迎撃するために築いた砦なのである。テムズ川とマージー川の河口付近に建造された要塞と多数の海上トーチカには機関銃や高射砲が備えられ、150〜300人もの兵士が駐留して対空防衛にあたっていた。

設計者マウンセルの名にちなんでマンセル要塞と呼ばれたが、戦争終結後は放置され、荒れ果てる一方だった。窓ガラスは割れて壁面は錆び、トーチカを結んで空中に張り巡らされた通路は今にも崩れ落ちそうになるまで荒廃する。ところが1960年代の後半になると、ここを海賊ラジオ局が利用するようになった。場所がイギリス領海の外にあたり、イギリスの法律がおよばないことに目をつけたのである。

さらに1967年、元軍人のロイ・ベーツがここを占拠すると、なんと「シーランド公国」として独立を宣言したのである。もちろんイギリス政府は立ち退かせようとしたがベーツは応じず、国際社会もシーランド公国を国家として認めていない。しかし、建国者のロイ・ベーツが2012年に91歳で薨去（こうきょ）すると、マイケル・ベーツ公世子が２代目シーランド公国公に即位し世襲が行なわれて現在に至る。

近年では廃墟巡りをする人が増えており、人気スポットとなっている。

シーランド公国の領土は、テムズ川にそびえる軍事廃墟マンセル要塞である。

クラーケン

File No. 282 本日のテーマ UMAと怪人

種別 モンスター　地域 北ヨーロッパ

アンゴラ沖で報告されたクラーケン。

墨をまき散らして巨大な手足で船を海に引きずり込む

16世紀以降の北ヨーロッパで船乗りたちを震え上がらせたのが、北海に棲むという怪物クラーケンだ。タコやイカに似た巨大生物で、時には墨を吐き出してあたりの海を黒一色に染めてしまう。

さらに恐ろしいことに、長く太い手足を伸ばして船を縛り上げ、そのまま海中に引きずり込んでしまうのである。その時、嵐のような巨大な渦を巻き起こすため、運よくその手足から逃れられても海中へと吸い込まれてしまう。まさにこのクラーケンと出遭ったら最後、逃れる術はない。そのためかつては船が行方不明になると、クラーケンに襲われたと噂されたという。

18世紀、ノルウェーの神学者エリーク・ポントッピダンが著した『ノルウェー博物誌』に掲載されたクラーケンは、背中の周囲だけでも2kmくらいあるという異様な大きさで、全体像をつかむのすら難しく、島と間違う姿として説明されている。また、同著ではクラーケンは香気を発して魚を惹きつけ、これを捕食すると追記している。

その正体については巨大なタコやイカを怪物と見間違えたという説のほか、クジラや巨大クラゲ、さらにダイオウイカではないかともいわれる。

マヤの天文知識の謎

種別 古代遺跡の謎 地域 メキシコ合衆国

誤差は1万年にわずか1日。驚くべきマヤの暦法

マヤ文明は、紀元前1000年頃から16世紀頃まで、中米で栄えた文明だ。マヤ文明の遺跡は数多くあるが、その中のひとつ、ユカタン半島北部に位置する都市遺跡チチェン・イツァにあるのが、「ククルカンのピラミッド」と呼ばれるエル・カスティーリョである。

このピラミッドからは、当時の人々がいかに暦に精通していたかがうかがえる。ピラミッドの側面の階段の段数はそれぞれ91段。４面を合計すると364段で、最上階を足すと365となる。365というと１年の日数。つまり、彼等は１年が365日であることをすでに知っていたのだ。現在用いられている暦は、1582年に当時のヨーロッパの天文知識を駆使して制定されたグレゴリオ暦であるが、マヤの人々はそれよりも４～５世紀も早く正確な暦を算出していたことになる。また、階段の途中で９段のテラスに区切られていて、１面の段数は18段。これは、18か月を１年とみなすマヤの暦の考えに基づいたものである。

こうした知識は、カラコルという天文台の役割を果たす遺跡で行なっていた天体観測によって得たものとされているが、その精度は驚くほど高く、なんと誤差は１年で十数秒、１万年でもわずか１日でしかない。これほどの暦法をマヤの人々はどうやって身に着けたのか。今も謎のままである。

エル・カスティーリョは、高さ23m、底辺55mの正方形をした9層からなる階段状のピラミッドで、最上階にはククルカン神殿がある。

スーパーマンの呪い

File No.284
本日のテーマ
幽霊・呪い

種別 呪い 地域 アメリカ合衆国

 スーパーヒーロー映画の裏で続発した不幸

『スーパーマン』といえば、アメリカンコミックの代表作であり、何度も映画化され、世界中で人気を博したスーパーヒーローだ。しかし、そんなスーパーマンには不吉な噂が囁かれている。実は映画の『スーパーマン』の関係者が、次々と不幸に見舞われているのだ。

有名な話が、1950年代にスーパーマンを演じたジョージ・リーヴスの不幸だ。結婚式を控えた1959年6月16日、ショットガンによる射殺死体で発見されたのである。

1978年にスーパーマンを演じたクリストファー・リーヴも落馬事故で半身不随になったし、映画内で彼の幼少時代を演じたリー・クイグリーは14歳で有機溶媒の吸引事故で亡くなっている。

ほかにも、スーパーマンの父親のジョー・エル役を演じたマーロン・ブランドは異母妹の恋人を射殺する事件を起こしているし、『スーパーマンⅢ』で天才プログラマーを演じたリチャード・プライヤーが多発性硬化症を発症するなど、不幸が続出しているのである。

とはいえ、『スーパーマン』に関わりながら幸福を手にした人の方が多い。不幸に襲われた者と免れた者、果たしてその違いはどこにあったのだろうか。

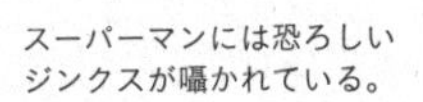
スーパーマンには恐ろしいジンクスが囁かれている。

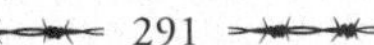

File No. 285
本日のテーマ
宇宙・自然の神秘

カタトゥンボの雷

種別 自然の神秘 地域 ベネズエラ

半年間もの間夜通し発生するカタトゥンボの雷。

半年間、夜通し雷が発生する「世界でいちばん雷が見られる村」

雷は、古代から恐怖の存在だった。その強力なパワーから、ギリシャ神話では最高神ゼウスが雷の神とされており、日本では雷神は風神と対になる神として畏怖されてきたのである。現代では、雷は大きく発達した積乱雲の中で、氷の粒や霰がぶつかり合って静電気が発生し、これが溜まると放電されて起きる現象であることは、科学的に解明されているが、それでも空を引き裂くように光る稲妻と、耳をつんざくような雷のとどろきに恐怖を感じる人が多いことに変わりはない。そんな怖い雷が夜通し続いたとしたら、どれほど恐怖を感じることだろう。

ところが、南米のベネズエラには、年間の半分以上、夜通し落雷現象が起きている村があるのだ。その場所はベネズエラ北西部、南米大陸最大の湖マラカイボ湖の南西部にあるカタトゥンボ川の河口部で、落雷の光が灯台のように見えることから、大航海時代には「カタトゥンボの灯台」と呼ばれていたという。

なぜカタトゥンボでは半年もの間、夜通し雷が発生するのか？　雷が起きる原因が解明されている現代においても、今だその原因はわかっていない。

ノアの洪水

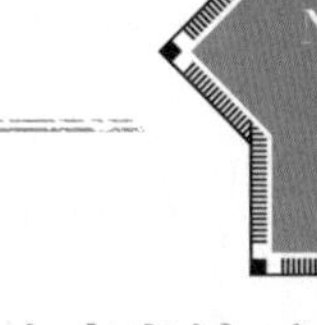

種別 伝説 地域 黒海沿岸

聖書の洪水伝説は古代の黒海で起こった事実だった!?

旧約聖書「創世記（そうせいき）」に書かれたノアの洪水伝説は、神の起こした大洪水により地上のすべての生き物が流されて滅ぶ一方、神の命で方舟に乗っていたノアとその家族だけが助かるという内容である。

長い間伝説と思われてきたこのノアの洪水であるが、19世紀に古代の洪水伝説を記した粘土板がメソポタミアで発見されて以降、史実だったとする説が現実味を帯びている。

当初伝説の舞台はメソポタミアとされていたが、近年、アメリカの海洋地質学者が黒海を舞台とする説を発表している。

1万年前、黒海と地中海を隔てる現在のボスポラス海峡は存在せず、ふたつの海の間には天然の堰があり、分断されていた。1万年前に最終氷期が終わると黒海の水は干上がり、次第に淡水化。沿岸に陸棚ができて人類が農耕を始めた。しかし約7000年前に堰が決壊して地中海の海水が一気に黒海に流れ込んだ。その量1日に500億kℓ！ 黒海沿岸に広がっていた人類の生活圏は、瞬く間に押し流され黒海の海底に沈んでいったのである。まさにノアの洪水を彷彿とさせる大洪水である。

しかもこれはまったくの空想ではない。黒海の地層では淡水の上に淡水と海水が混ざり合う汽水で生息する二枚貝、その上に海水性の貝に進化するという「動物相の交換」が起こっていた。これこそが淡水の黒海に地中海の海水が流れ込んだ証だという。

人類を押し流したノアの洪水は、黒海沿岸で本当にあった出来事かもしれない（『大洪水の情景』ジョセフ＝デジレ・クール）。

第41週 第7日目

リンカーン暗殺

種別 陰謀　地域 アメリカ合衆国

劇場で発生した大統領殺事件後の警察の不可解な動き

アメリカ合衆国第16代大統領エイブラハム・リンカーンは、ワシントンの劇場で観劇中、ジョン・ウィルクス・ブースという俳優に射殺された。時は1865年4月14日。南北戦争が北軍の勝利で終結してからわずか5日後の出来事だった。犯人のブースはその場から逃走したが、事件から10日余り経ってヴァージニア州の農場で発見され射殺された。

ところがこの事件はブースの死後直後から不可解な点がいくつも指摘されている。暗殺当日、リンカーンの警護は驚くほど手薄であり、犯人のブースの捜査についてもささいなミスで後手に回った。あげくの果てに警察は彼を射殺して、こもっていた納屋に火を放ち、その死体と所持品を灰にしてしまったのである。

そのため事件の黒幕が犯人もろとも真実をもみ消そうとしたのではないかと噂された。黒幕として疑われたのは捜査指揮をとった陸軍長官のエドゥイン・スタントン。彼はブースの日記を持っていないと証言しながらのちに法廷に提出。しかも事件部分と思われるページを破り去っていた。こうした状況から反リンカーン派の一員であったスタントンは、金で実行者のブースを雇い、暗殺成功後、ブースを始末したとも推測されたのだが、真相はどうだったのか。日記の空白ページさえ見つかれば、歴史に消えた黒幕に近づけるかもしれない。

リンカーン暗殺を報じる挿絵。リンカーンはジョン・ウィルクス・ブースによって観劇中に殺害された。

スター・チャイルド

種別 ミステリー遺産　地域 メキシコ合衆国

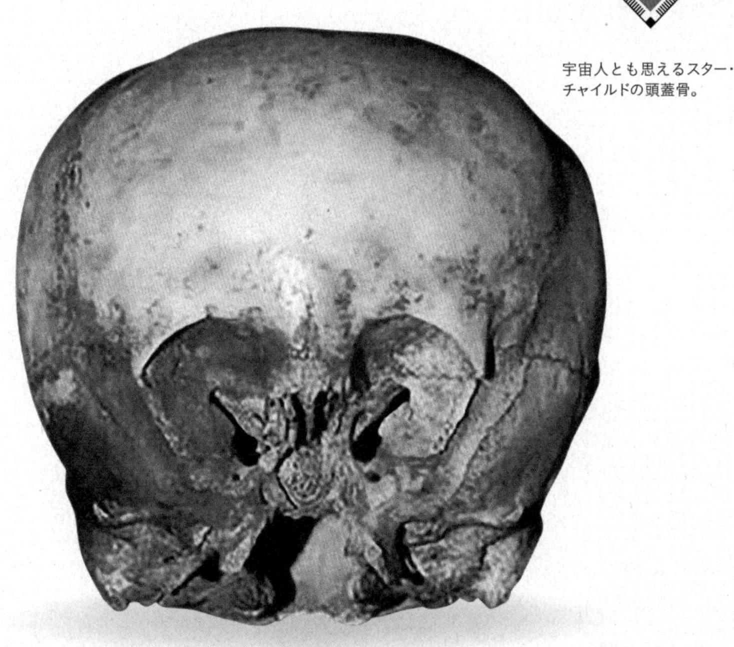

宇宙人とも思えるスター・チャイルドの頭蓋骨。

 大きな頭蓋骨は宇宙人と人間のハイブリッドだからか

メキシコ北西部チワワ州の洞窟で、900年ほど前の成人女性と５歳くらいの男児の骨が見つかった。目を引くのはなんといっても男児の頭蓋骨の形である。

頭蓋骨の上部が非常に大きく、脳の容量は推定1600㎤。現代の成人の脳の平均容量をはるかに超えるほどである。また眼窩は楕円形で浅く、頬から下は極端にすぼんでおり、ＳＦ映画に出てくる宇宙人の頭の形そっくりなのである。

まず原因として、病気による奇形が考えられた。また古代社会では、神性や美の典型として頭を変形させる風習があり、その結果としてこのような形になったとも考えられた。だが、どの調査も決め手には欠け、この子は宇宙人と地球の女性の間にできた子、スター・チャイルドではないかという説も、いまだ根強い。一緒に発見された成人女性の骨が、この子の母親で、発見されていない父親こそ宇宙人だというのだ。

発見された経緯については、人の居住した痕跡がない場所だから神殿とも、他の一般的な人骨と同じく洞窟に埋められ、それが露出していただけで神殿ではないとも、意見が分かれている。染色体や遺伝子の検査も行なわれているが、真相は明らかではない。

ラスプーチン

種別 怪人 地域 ロシア連邦

ロシアを操った人物は 毒も銃弾も跳ね返す不死身の怪僧

ラスプーチンは、神秘的な力をふるって帝政ロシア末期の宮廷で暗躍した怪僧である。皇帝ニコライ2世の皇太子アレクセイの血友病を鎮めたことで、皇帝一家から教皇のように崇められ、国を動かすほどの絶大な権力を握った。

そしてラスプーチンはその最期もまた、悪魔的と思われる生命力を見せたことでも知られている。

1916年、反ラスプーチン派の貴族ユスポフらはラスプーチンの暗殺を企て、彼を自宅のパーティに招くと、猛毒入りのケーキとワインをふるまう。ところがそれを口にしてもラスプーチンは平然としている。焦ったユスポフらは彼に銃弾を撃ち込むが、2発を心臓と肺に受けながらもラスプーチンは平気で起きあがったのである。

ユスポフらはさらに数発銃弾を撃ち込んだが、ラスプーチンはまだ死なない。さらに額へ銃弾を撃ち込まれたことでようやく動かなくなった。ユスポフらはラスプーチンをロープで縛りあげて真冬のネヴァ川に放り込んだ。

こうして数日後、ラスプーチンの遺体が引き揚げられたのだが、遺体を縛ったロープがほどかれており、検死の結果も溺死であった。凍てつく川の中でもまだラスプーチンは生き延びていて、ロープをほどこうとしていたのである。最後は力尽きたが、まさに不死身を思わせる超人力の持ち主であった。

帝政末期のロシア宮廷を牛耳った
怪僧ラスプーチン。

インカの石材加工術

File No.290 本日のテーマ 古代文明

種別 古代文明の謎　地域 ペルー共和国

カミソリさえ入らない精密な建設技術

標高3399mの高地にあったインカ帝国の首都のクスコは、1532年にスペイン人によって占領されたのだが、クスコに入ったスペイン人は、建造物の高い石材加工技術に衝撃を受けることとなる。「太陽の神殿」と呼ばれる皇帝の住居に至っては、同じ大きさに加工された石が、セメントなどの接着剤も使わず、「カミソリの刃一枚も通さない」といわれるほど寸分の隙もなく積み上げられていたのだ。

石槌や石斧、青銅ノミなどで石をある程度平面になるように加工したのち、それを重ねる石の上に移し、槌やノミで面がぴったり合うように石同士を削り、最後に砂や砥石で両面を磨き、ぴったり合わせるという方法が考えられるが、クスコの石組みの中には、多角形の石もあり、なかには12角形の石まであるのだ。

さらに、クスコの近くのサクサイワマン遺跡では、3層の石積みが左右にジグザグを描きながら360mもの長さにわたって続いている。使われている石は、大きなもので高さ5m、重さ数百tにもおよぶ。前述の方法で石同士がピッタリ合うまで何度も研磨しながら合わせるという方法では、大きすぎて不可能である。

インカの記録が残っていないせいもあり、どのような加工技術が用いられているのか、今もってわからない。

隙間なく積み上げられたサクサイワマン遺跡の石積み。その積み方の技術は謎に包まれている。

File No. 291
本日のテーマ
幽霊・呪い

第42週 第4日目

スレーター・ミル

種別 幽霊　地域 アメリカ合衆国

幼くして悲劇に襲われた子供たちの霊が彷徨うスレーター・ミル。

 子供たちの断末魔の声が響く産業工場

スレーター・ミルは、1793年にアメリカ合衆国ロードアイランド州に建てられた米国初の水力を用いた織物工場で、現在は産業博物館となっている。近年産業の工場と幽霊はあまりマッチしない気がするだろうが、実はスレーター・ミルは怪奇現象が起きることで有名な場所なのだ。

その怪奇現象というのが、工場内に響く子供たちの断末魔や泣き叫ぶ声だ。工場と子供とうのもまたミスマッチだが、当時は工場で多くの子供たちが働いていて、稼働中の機械の清掃や修理をさせられていたのである。

ごく初期の機械だったことも関係し、機械に巻き込まれたりなどして大けがを負ったり、時には死亡したりする事故が頻発していたのである。

そうした不慮の事故で命を落とした子供たちの霊が彷徨っているのだろう。敷地内の他の建物でも、来訪者を引っかく霊などが出るといわれ、ベッカという女の子の霊がL字型の占い棒で来訪者の質問に答えてくれるという。

File No. 292
本日のテーマ
宇宙・自然の神秘

レンソイス・マラニャンセス

種別 自然の神秘　地域 ブラジル

雨季に現われ、乾季になると消える湖の魚の謎

ブラジルの北東部、プレキサス川の河口に、真っ白に輝く広大な砂丘が広がっている。レンソンス・マラニャンセスという名の国立公園で、約15万5000haにもわたる広大さは、衛星写真でも確認できるほどだ。砂丘が真っ白に輝くのは、砂のほぼ100%が水晶の原料である石英という鉱物で、これが太陽光に反射して白く見えるからだ。

これだけでも十分美しいが、雨季になるとラゴーアと呼ばれる湖が数百個も出現し、より幻想的な姿を見せる。地底に溜まった地下水が地表に湧き出てくるものと考えられているが、この湖には大きな謎がある。ラゴーアにはメダカのような魚が泳いでいるのを目にすることができるのだが、乾季の間は水がないはず。水がなければ魚は生きられないわけで、実はこの魚がどこからやってくるのかわかっていない。しかも、乾季になって湖が消えると、魚もどこかへ消えてしまうのである。乾季の間、この魚がどこに生存しているのか、全くもって不明なのだ。

レンソイス・マラニャンセスの真っ白な砂とエメラルト・グリーンの湖が織りなす美しいコントラストは、見るものを魅了する。

アーサー王の正体

種別 ミステリアスな人物　地域 イギリス

ブリテン島を統一した伝説の英雄アーサー王が実在していた？

中世ヨーロッパの騎士たちが憧れたイギリスのアーサー王。彼は魔法の剣エクスカバーを操り、様々な冒険を重ねてやがてブリテン島を統一。アイルランドやスカンジナビア、フランスの一部までも支配する大帝国を築いた英雄である。

といってもアーサー王は実在の人物ではなく15世紀にトマス・マロリーが著作の中で創作した伝説上の人物だとされてきた。

ブリテン島に登場したケルトの英雄アーサー王は、果たして実在したのだろうか？

ところがこのアーサーが実在していた可能性があるという。

たとえば、830年頃には修道僧のネンニウスという人物が『ブリトン人の歴史』を著し、アーサー王の12の戦いを記述している。また、10世紀の『ウェールズ年代記』にアーサー王は538年に死亡したという記述があり、450年～9世紀頃とされるアーサー王の年代に一致する記述がみられる。さらにキャドベリーでは同じく5世紀頃の遺跡が発掘され、アーサー王が都としたキャメロットではないかという見解もある。

このようにアーサー王の実在を暗示する証はいくつもある。マロリーも過去の史実や言い伝えをもとにしたと話しており、誰かをモデルにして書いた可能性が高い。

ただし特定の人物ではなく、騎士たちの複数のエピソードを集めて作り上げたという説が有力視されている。

ダイアナ妃暗殺疑惑

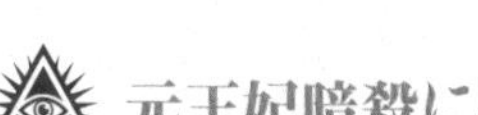

種別 陰謀　地域 イギリス

元王妃暗殺に暗躍した秘密結社の陰謀とは？

ダイアナ元英皇太子妃は1997年8月31日、突然の交通事故で同乗していた恋人のエジプトの大富豪ドディ・アルファイド氏とともにパリでこの世を去った。

しかし単なる事故だったのか、突然の悲劇に対し今もその疑惑が渦巻いている。彼女の乗った車は追いすがるパパラッチのバイクを振り切ってトンネルを突入した直後、中央分離帯の支柱に衝突した勢いで反対側の壁にぶつかって大破した。

しかしトンネル内で目撃された白いフィアット・ウノやフラッシュのような光を出した大型バイクが、事件直後忽然と姿を消している。また、爆発音を聞いたという証言もある。そして事件の約10か月前に彼女自身が、「私の車に事故を起こそうとしている」と書き残していた……。

そのため彼女は暗殺されたという説も根強い。犯人は、ダイアナとイスラーム教徒との結婚を嫌ったイギリス政府とMI6、または秘密結社のシオン修道会説がある。この修道会はイエスの血脈を守り、その末裔をヨーロッパ統合の王とするのが目的であるという。その血筋を受け継ぐダイアナは王として期待されたが、イスラーム教徒を恋人に選んだために裏切者として始末されたのだという説がある。

ダイアナ妃の死を悼む人々による献花。

第43週 第1日目

ホムンクルス

種別 ミステリー遺産 地域 ヨーロッパ

人工的に人間を作り出すのは悪魔の所業なのか

ホムンクルスを創り出している錬金術師。

ホムンクルスとは、ラテン語で「小さい人」という意味だが、人造人間もこう呼ばれる。キリスト教ほか多くの宗教では、人間を造るなど神を恐れぬ所業ゆえ禁忌とされている。

それは遺伝子やクローン技術の研究が盛んになった現代でもタブー視されることに変わりはない。

だがヨーロッパの錬金術師の中には、人造人間を生み出してしまった者がいるという。

16世紀スイス生まれのパラケルススが、男性の精液を瓶に入れ、腐った馬の内臓などと共に40日間発酵させたところ、精子は動きはじめ、やがて四肢が出て人間の形になったという。これに人間の血で作った秘薬を毎日与えて馬の体内と同じ温度を保つと、人間の子供の姿になるのだが、それは非常に小さく精霊に近いという。パラケルススはこれを著作『物性について』で発表している。

18世紀のイタリアでは、キュフシュタイン伯爵が身長30㎝ほどのホムンクルスを生み出すことに成功し、瓶に入れて連れ歩いたという。

ホムンクルスは、生まれつきあらゆる知識を身に着けている、体が小さくて弱い、フラスコの中でしか生きられない、あるいは成長すると人間以上に大きくなるなどと伝えられている。

パラケルスス

File No.296 本日のテーマ UMAと怪人

種別 怪人　地域 スイス連邦

医科学の父と呼ばれた天才錬金術師は悪魔と取引していた!?

ホムンクルスを創ることに成功したと発表したパラケルススは、16世紀のヨーロッパで医科学の父と賞賛され天才医師の名をほしいままにした人物でもある。だが、彼は天才医師の名の裏で実は怪しげな秘薬を開発した悪魔の医師でもあったといわれている。

パラケルススは幼い頃から錬金術や呪術に関心を持ち、医学の勉強の傍ら、アジアや中東、アフリカを歴訪し各地の知識や呪術を習得したという。やがて彼は硫黄、水銀、塩を物質界の根源と考え、金属化合物を医薬として利用するという画期的な方法に取り組む。

しかも彼の煎じた薬は魔法のように次々と奇跡を起こした。他の医師が見放した下半身麻痺の少女が彼の薬のおかげで奇跡的に歩けるようになるなど、その効果の例は枚挙にいとまがない。

こうした薬の斬新さと効果の高さは現実ではありえないとさえ思われるほどだったことから、彼は悪魔と取引して秘薬を入手したのではないかと噂される始末だった。

まさに悪魔の領域に足を踏み入れた天才医師だった。

フランドルの画家クエンティン・マサイスによって描かれたパラケルスス。

ファロス島の灯台

種別 古代遺跡の謎
地域 エジプト・アラブ共和国

世界七不思議のひとつに数えられる巨大灯台の姿とは!?

ファロス島の灯台は世界七不思議に数えられている古代の巨大建築物のひとつ。古代の文献によれば、紀元前299年頃、プトレマイオス1世がエジプト・アレクサンドリア湾岸のファロス島に20年かけて建てさせた灯台で、なんと130mにもおよぶ高さを誇っていたという。

回転して360度を照らせたという灯台の火は、火の背後に置かれた反射鏡に光を集めて投光され、濃霧の夜間でも50km以上離れた場所から見ることができたという。

しかし、この巨大灯台は、8世紀末前後に崩壊したとされていて、理由としては地震説が有力だが、はっきりしていない。いや、終焉の原因どころか、その後遺構が跡形もなく消滅したこともあって、実在すら疑われるようになってしまった。

そうしたなか、1968年にファロス半島の海底で、灯台の遺物らしきものが発見された。さらに1990年代初頭から、フランスの調査チームが本格的な調査を開始。1994年に海底から遺跡と断定できる2000点を超える彫像や建築資材の一部を発見するに至る。海底に散乱する遺物は皆、並外れた巨大さだったという。

こうして存在すら謎だったファロスの灯台が実在した可能性が高まってきた。さて、その実態はどんなものだったのか？　今後の調査が楽しみである。

灯台は3層構造で、1層は高さ71mの四角柱で天文台と兵士の駐屯所を兼ねた施設だったらしい。2層は高さ34mの八角柱、第3層は高さ9mの円柱。その上に円錐の屋根があった。

File No.298
本日のテーマ
幽霊・呪い

幽霊ブランコ

種別 幽霊 地域 アルゼンチン共和国

アルゼンチンの幽霊ブランコの怪奇現象は今も続いている。さて、犯人は風なのか、それとも幽霊なのだろうか。

犯人は風？ 勝手に動く不思議なブランコ

アルゼンチンのサンタフェ州フィルマットという町の児童公園に、不思議なブランコがある。3列に並んでブランコのうち、真ん中のひとつだけがまるで誰かが乗っているかのように勝手に動くのだ。人がブランコを止めても次第に揺れ始め、また元の通りに激しく前後に動く。

この不思議な現象が起きたのは2007年のこと。ブランコは、なんと数か月にもわたって動き続けたため、テレビやネットでも取り上げられて大きな話題となった。

ブランコを動かしているのは幽霊ではないかという説があるが、ASIOS著『「新」怪奇現象41の真相』には、ブランコは風が吹くことで振り子運動が起きる構造になっているため、誰も動かしていないにもかかわらず長時間にわたって動き続けるのが真相だと記されている。しかし、なぜ3つのうちの真ん中のブランコだけが動くのか、説明はできていない。

クシュヴィ・ラス

種別 自然の神秘　地域 ポーランド

地面から10〜50cmくらいの高さからグニャリと曲がる不思議な木々。

同じ方向に松の木がゆがんでいる不思議な森

ポーランド西部、ドイツ国境のオードラ川近くに、クシュヴィ・ラスという森がある。クシュヴィ・ラスとはポーランド語で「ゆがんだ森」を意味する名だ。

この森には多くの松の木が自生しているのだが、その中の100本あまりの松の木が、地面から10〜50cmくらいの高さからすべて同じ方向にグニャリと曲がっていて、その後、垂直に伸びているのだ。その名の通り、まさにゆがんだ森だ。

なぜこのような姿になったのかについては諸説あってはっきりしない。一説によれば、まだこの土地がドイツ領だった1930年頃に植樹されたもので、木材で船の部材か家具をつくるために人為的に曲げられたのだといわれている。

また、その頃に強い嵐があり、強烈な風の影響で曲がってしまったという説もあるが、1930年頃にこの地が大きな嵐に見舞われたという記録はない。

果たしてこの木は何を目的に曲げられたのか？　それとも、何らかの非人為的な力が加わり、このような姿になったのだろうか。

聖杯伝説

種別 伝説　地域 ヨーロッパ

14世紀に滅ぼされた テンプル騎士団が守り続けた「聖杯」の行方

ブリテン島の英雄アーサー王が探し求めたのがキリスト教の聖遺物「聖杯」である。これはキリストの「最後の晩餐」に使われた食器とも、磔となったキリストの血を受けた器ともされる。のちに聖杯はキリストの弟子ヨセフによってエルサレムからイギリスに伝えられた。アーサー王伝説ではアーサー王に仕える円卓の騎士のひとりガラハッドが聖杯を見つけ出し、聖杯はこのガラハッドとともに天へ昇ったという。

このように伝承では天に返ったとされている聖杯だが、実はこの世にまだ存在しているともいわれている。元々聖杯はエルサレムの神殿に置かれていたが、1世紀にローマ軍が侵攻した際、神殿の神官たちによってヨーロッパへと移されたという。やがてその神官たちの子孫が11世紀にテンプル騎士団を結成し、聖杯や財宝を守り続けていった。
1307年にテンプル騎士団は異端とみなされ壊滅の憂き目に遭う。だが、この時も聖杯だけは守られてテンプル騎士団に属していたセント＝クレアの礼拝堂に移されたというが、どこまで真実かわからない。

現在聖杯の行方は不明である。はたして天に返ったのか、それともまだ地上のどこかに存在しているのか。神のみぞ知るのかもしれない。

様々な物語に登場する聖杯は、今もどこかに隠されている!?

第43週 第7日目

薔薇十字団

種別 秘密結社　地域 ドイツ連邦共和国

近世の人々が熱狂した幻の秘密結社

近世のヨーロッパで「薔薇十字団」という組織が熱狂的な支持を集めていた。

この組織は人々の救済を目的に学者、錬金術師、秘密主義探究者などで構成された秘密結社。この存在を世に知らしめたのは17世紀にドイツで発表された『友愛団の名声』という謎の文書である。

そこにはクリスツィアン・ローゼンクロイツという謎の人物が、人々の救済のために東方で手に入れた科学と錬金術をもとに友愛組織「薔薇十字団」を結成したことが書かれていた。東方の知識と中世の神秘主義の融合はヨーロッパの人々の興味を大いに引いた。

ところが人々がこの組織に関心を抱いてもその実態をつかむことはできなかった。なぜならこの組織、どこにも存在していなかったのである。今ではこの文書そのものが作り話だったという説が有力で、科学と錬金術の融合を促そうとして書かれたものではないかといわれている。

しかし幻の薔薇十字団はいつしか伝説化し、薔薇十字団を自称する結社がいくつも現われた。現代でもアメリカに「薔薇十字の古代神秘結社」があり、通信講座で会員に秘伝の教義を教えている。

テオフィルス・シュヴァイクハルト『薔薇十字の目に見えない学院』。

セドレツ納骨堂

種別 ミステリー遺産 地域 チェコ共和国

あらゆるものが骸骨で装飾されたセドレツ納骨堂。

柱もシャンデリアも人骨製の礼拝堂はなぜ建てられた!?

人間の骨を建物にするなんて、とんでもないと思うかもしれない。だがヨーロッパには“人骨建築”という伝統があり、本物の人骨を使った礼拝堂や墓所がいくつも存在している。中でも屈指の完成度を誇るのが、チェコにあるセドレツ納骨堂である。

壁も天井も、人骨のあらゆる部分を使って、びっしりとしかも華麗に組み合せた装飾でびっしりと埋めつくされ、聖杯、シャンデリア、十字架までが人骨でできている。整然と並んだ頭蓋骨は、ぽっかり開いた眼窩でこちらを見ているかのようだ。だがこれは、誰かを怖がらせようというものではない。生と死の現実、神の教えを形にした真面目なものなのだ。

セドレツは、古くから聖地として知られ、ここに埋葬してほしいという希望者が後を絶たなかった。14世紀に全ヨーロッパでペストが大流行すると、さらに埋葬希望者が増え、墓地は拡大する一方。15世紀には、一度すべての人骨を掘り出して新たに地下墓所カタコンベが作られた。だがこの時までは、一般的な納骨堂だったのだ。

ではなぜ人骨で装飾される礼拝堂が登場したのか。

現在のようになったのは、19世紀にこの地を治めていたシュヴァルツェンベルク家が、彫刻家のリントに人骨を用いた内装を依頼したからである。リントは1万人分の人骨を活用して、この装飾を完成させた。この教会には、まだほかに3万人分の人骨が保管されているという。

第44週 第2日目

アレイスター・クロウリー

種別 怪人　地域 アメリカ合衆国

悪魔と交信？
黒魔術を駆使した20世紀最大の魔術師

鏡に映る自分の姿を消したり、前を歩いている人を金縛りにしたり……。そんな世界が目の前で繰り広げられると超自然的力は存在すると思えてくるだろう。

実際にそれを実践して「私は悪魔と交信できる」と公言したのが、20世紀における最悪の魔術師、悪魔ともいわれたアレイスター・クロウリーである。

キリスト教に反発していたクロウリーは黒魔術に足を踏み入れ、「銀の星」という黒魔術結社を組織すると、黒魔術を披露したり、悪魔を呼び出して病気を治させたりして多くの信奉者を獲得。やがて彼は500名の団員とともにシチリア島に「テレマ僧院」を開設する。

ここで行なわれたのは、乱交やヘロインパーティ、幼児を生贄にした黒ミサなどあらゆる黒魔術の実験だった。全員が麻薬に毒される中、自らの身を悪魔の生贄として捧げる、狂気的な世界が繰り広げられていたのだ。

しかしテレマ僧院の実態が発覚すると、クロウリーはイタリア政府によって国外へと追放される。その後は、諸国を転々としながら執筆活動を精力的に行ない、1947年に麻薬中毒で亡くなった。

クロウリーがその生涯の中でカウンターカルチャーに与えた影響は大きく、今も彼を賛美する人によって、黒魔術がいずこかで行なわれているという。

今もアレスター・クローリーの信奉者たちは黒魔術を行なっているという。

レムリア大陸

種別 古代文明の謎　地域 インド洋

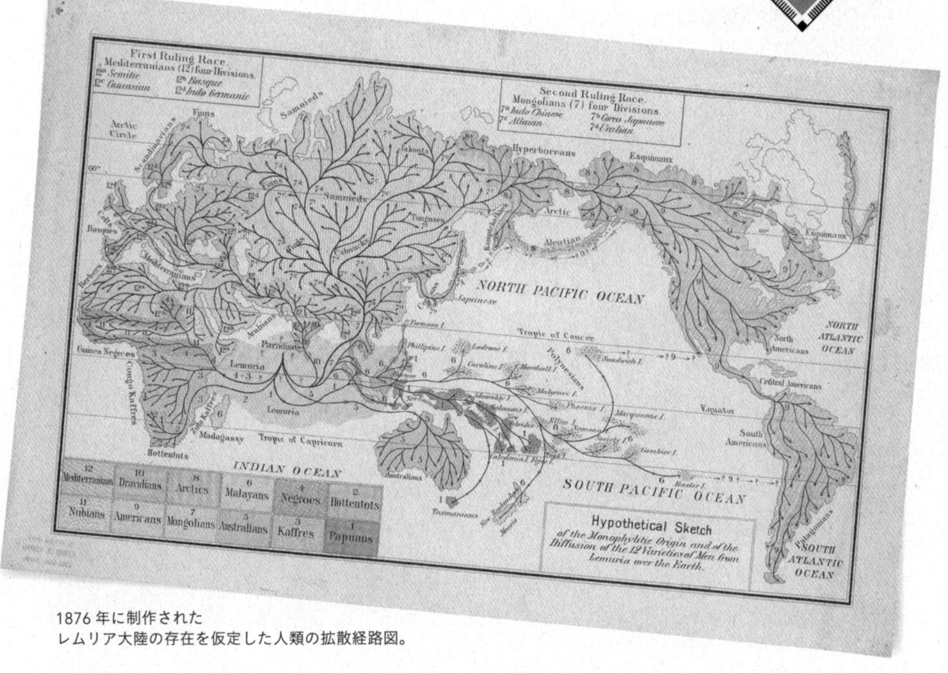

1876年に制作された
レムリア大陸の存在を仮定した人類の拡散経路図。

インド洋に巨大な存在していた巨大大陸の行方

アフリカ、マダガスカル、インド、東南アジア、インド洋周辺。これらはすべて海に隔たれた地域だが、すべての地域で珍種の動物レムール（キツネザル）の生息が確認されている。この分布の説明から19世紀後半にイギリスの動物学者フィリップ・スクレーターによって提唱されたのがレムリア大陸説だ。レムールがこれらの離れた地に存在しているのは、かつて現在のインドとマダガスカル、マレー半島などがひとつになった巨大な大陸がインド洋に存在していたからだ、というわけである。

だが、1912年、ドイツの地球物理学者アルフリート・ヴェゲナーが、かつては現在の大陸全部が繋がっていて、巨大な超大陸パンゲアがあり、中生代から分裂して移動し、最終的に現代のような姿になったという仮説を立て、のちにこれが証明されて定説となった。

こうして否定されたレムリア大陸であるが、その後、オカルトの世界で生き続けることになる。実はレムリア大陸が存在したのは太平洋だったとされ、一説によると、そこに暮らしていたのは現生人類よりも巨大で霊力が使える巨人族であり、世界各地で発見されている巨大な骨がその住民たちだったのではないかという。

第44週 第4日目

バードン・アグネス・ホール

種別 幽霊 地域 イギリス

三姉妹の末妹の霊が怪現象を引き起こしたバートン・アグネス・ホールの客間。

 妹の首が壁に埋め込まれた恐怖の館

イギリスのヨークシャー地方にバートン・アグネス・ホールと呼ばれる屋敷がある。16世紀に、父から莫大な遺産を譲られたグリフィス家の3姉妹が建設したものである。

しかし、完成を前にして不幸が起きた。末娘のアンがロマ民族の一団に暴行を受け、頭に大怪我を負って命を落としたのである。楽しみにしていた屋敷の完成を見ずにこの世を去ったアンは、死の間際、ふたりの姉に「私の首を切断してこの屋敷の壁に埋めてほしい。そうしてくれないと幽霊になって祟りを起こす」と言い残した。しかし、姉たちはそんなおぞましい願いを叶えることはできず、アンの遺体を墓地に埋葬したのである。

しかし、屋敷が完成すると、ドアが勝手に動いたり、階段を降りる足音やうめき声が聞こえたりといった怪奇現象が頻発。恐れた姉たちがアンの願いを叶えようと墓を掘り返したところ、頭が胴体から離れ、足元に転がっていたという。

その後、アンの首が壁に埋め込まれると、怪奇現象は止まった。その後、この屋敷に住んだ人が首を別の場所に移そうとしたこともあったが、怪奇現象が再び起きるため、結局壁に戻さざるを得なかったという。

アフリカの眼

種別 自然の神秘　地域 モーリタニア・イスラム共和国

宇宙からしか確認できない巨大な眼は自然の産物？

西アフリカ、モーリタニアの中央に巨大な「眼」がある。といっても、地球が目を開けているわけではない。現地の人から「アフリカの眼」「サハラの眼」とも呼ばれ、まるで目のように見える不思議な地形構造である。確かに宇宙空間から見れば、その姿はまさしく「目」そのものだ。いや、宇宙空間からでしか見えないといってもいいだろう。なにしろ直径50kmを超える巨大さゆえ、普通の航空写真では写しきれないからだ。

この不思議な目は何か？　発見当初は隕石の衝突によるクレーターだとする説があったが、岩石調査で否定され、現代では、地盤の隆起活動でできた岩棚の一部が、砂漠の厳しい環境の中で風化し、山と谷が環状に連続する形になったものと考えられており、リシャット構造と呼ばれている。

つまり、自然に生まれた独特の地形というわけだが、一体どのような作用があってここまで綺麗な環状になったのかについては、今もって詳細は不明のままだ。

アフリカの眼は自然の力で造られたとは思えない造形である。

酒呑童子

種別 狂気の人物　地域 日本

都を恐怖に陥れた邪悪な鬼の正体とは？

大江山の酒呑童子は、平安時代の京の都で姫君を次々とさらったため、朝廷から追討の命を受けた源頼光に退治された鬼である。首になっても頼光の兜に喰らいついたとされ、その首は首塚大明神に葬られたと伝わる。

この日本史上最も有名な鬼の正体は何者だったのか。これまでいくつもの説が出されてきた。御伽草子『伊吹童子』では近江国の柏原の地頭だった悪党の柏原弥三郎の息子とみなしている。山賊となって近隣を荒らし回った弥三郎は討伐されるが、彼の子を妊娠した娘は33か月後に男の子を生んだ。その子は生まれた時から髪の毛が肩まで長く、歯も生え揃っていたという。その男児はすぐに捨てられ、捨て童子となり、それが訛って酒呑童子になったというのである。都の外、朝廷の権力が及ばぬ地域に跋扈した悪党が「鬼」とされたようだ。

一方で酒呑童子は悪い鬼ではなく、天台宗を守る護法童子とみなす見解もある。比叡山の修行の場を守ってきた葛野家の先祖は浄鬼と名乗っており、先祖は鬼だった。天台宗を守るようになった護法童子の姿が酒呑童子の姿と似ているため、酒呑童子の原型ともいわれている。そのほか、鉱山労働者、ワインを飲んでいた西洋人、さらに人物や鬼ではなく疫病を擬人化したという説もある。

大江山の酒呑童子は源頼光主従に首を斬り落とされた後も、首だけが襲ってきたという。（歌川芳艶）

ピタゴラス教団

種別 秘密結社 地域 ギリシャ共和国

日の出を祝うピタゴラス教団の人々。

数字を秘術とした古代ギリシャの秘密結社

古代ギリシャのピタゴラスといえば現代でも知られた数学者、哲学者である。その彼が実は秘密結社「ピタゴラス教団」を組織していたのをご存じだろうか。

しかも彼はこの教団の思想を追求するために数学を研究していたのだという。

この教団の目的は人間内部と宇宙の調和。その思想の根底には数字の完全性と永遠の霊魂があった。つまり霊魂は不滅で輪廻するものと信じ、救われるためには人間内部と宇宙のリズム（数）の調和が必要と考えたのである。その数字の意味はたとえば1は完全な物、すなわち神を表わし、2はそれから離れた悪魔のシンボルとみなした。ほかにも足し算は奇数＋偶数＝奇数となることから、その結果を左右するのは奇数である。そして奇数は男性とされた。また、音楽の分野でも音程が数の比率をもとにしていることを発見し、西洋音楽史のうえでも基礎を築いた人々と位置付けられている。

このピタゴラス教団は政治的勢力になるほど拡大したが、紀元前5世紀半ばの暴動で活動は終焉する。その後、教団員たちは思想的な研究を続け、その恩恵は古代ギリシャ・ローマ哲学の霊知主義へと受け継がれたのである。

ムガル帝国のダイヤ

種別 ミステリー遺産　地域 ロシア連邦

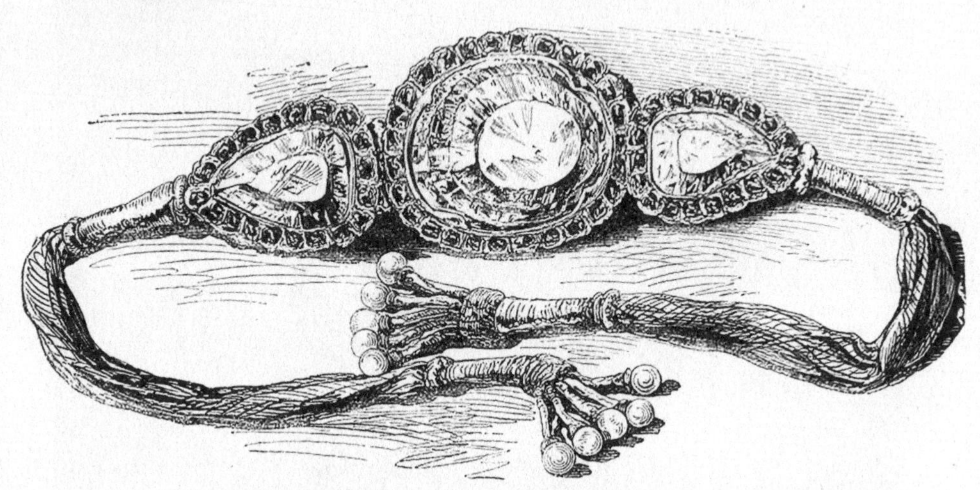
THE KOH-I-NOOR, OR MOUNTAIN OF LIGHT, IN ITS ORIGINAL SETTING.

所有者を次々に不幸に誘ったムガル帝国のダイヤ。

持ち主を死へ導く呪われた輝き

17世紀にインドで500カラットもあるダイヤモンドが発掘された。500カラットといえば鶏の卵ほどもある大きさ。しかし、これを所有した者は、次々に尋常ではない死を遂げた。

最初の持ち主だったムガル帝国の王子は、このダイヤをヒンドゥー教の寺院に納めると、「これを手に入れようとする者は呪われる」と宣言した。しかし、フランスの兵士がこれを盗み出して売り払うと、兵士も、買い取った船長も、これをまた買い取った宝石商も、酒や喧嘩のためと原因は様々ながら次々と不慮の死を遂げる。

この噂が広がり、買い手のつかなくなったダイヤは競売にかけられた。ロシアの貴族グレゴリー・オルロフは、これを買って女帝エカテリーナ2世に贈った後に破産して急死。ダイヤはロマノフ家のものになり、王権の象徴である笏(しゃく)に付けられたのだが、宝石の細工師、笏を管理する侍従、警備兵など、笏と関わっただけの者まで、変死する者が続出した。どういうわけかエカテリーナは変死しなかったが、その後、ロマノフ家の皇帝は3人が暗殺され、最後のニコライ2世に至っては革命の中で家族ともども銃殺され、ロマノフ朝は終焉を迎えてしまった。呪いを恐れてのことか、以後これを自分のものにしようとする者はおらず、現在はクレムリンの博物館に保管されているという。

カリオストロ伯

File No.310
本日のテーマ
UMAと怪人

種別 怪人　地域 イタリア共和国

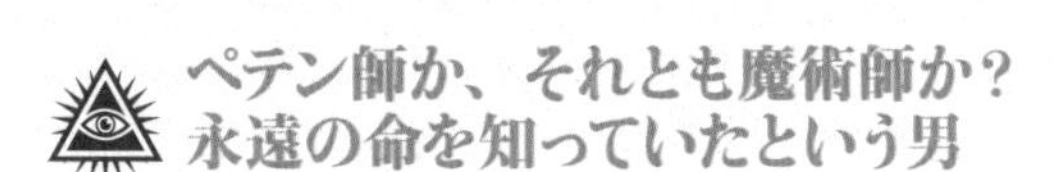

ペテン師か、それとも魔術師か？ 永遠の命を知っていたという男

18世紀、ヨーロッパを舞台にアルレンドロ・デ・カリオストロ伯という魔術師が一世を風靡したが、その正体はシチリア生まれのバルサモというペテン師だった。

若い頃、アラビアやエジプトで錬金術や魔術の知識を習得したバルサモは、ヨーロッパに戻るとカリオストロ伯爵と名乗る。そして妻のロレンツァと一緒に巧みな話術を駆使しながら、占いや降霊、さらに錬金術の秘伝を売り込んで魔術師としてヨーロッパ中を渡り歩いたのである。

なかでも注目されたのはエジプトのフリーメイソンを持ち込んだことだろう。その内容は秘儀のため明らかにされていないが、不老不死と美と純潔を取り戻す、つまり永遠の命を得るために魔術、秘儀を行なうものとされ、人気を博した。

フランスにおいてマリー・アントワネットの首飾り事件で逮捕された彼は、その後、教皇領のローマにエジプトのフリーメイソンの支部を設立しようとして、教会の怒りを買う。捕らえられて宗教裁判にかけられたのち、数年後に獄死した。

ところが彼の死後、妙な噂が流れ始める。永遠の命を持つ彼が死ぬはずがないというものだ。彼は脱獄して永遠を生きているともいわれた。

教会の怒りを買って逮捕された
稀代の詐欺師カリオストロ伯。

第45週 第3日目

モホス文明

種別 古代文明の謎 地域 ボリビア多民族国

アマゾン川の流れ。南米の大河にも古代文明が発達したことが証明されようとしている。

アマゾン川流域に知られざる第5の文明が栄えていた!

メソポタミア文明、エジプト文明、インダス文明、黄河文明は世界四大文明といわれる。この4つに共通しているのは、どれも大河のほとりに栄えたということだ。つまり、農耕に必要な沃地をもたらし、流通の幹線となる大河があれば文明が発達する可能性が高いということになる。しかし、世界最長にして最大流域を持つアマゾン川周辺では、古代文明が発達していないのはなぜだろう。

いや、実は発見されていなかっただけなのだ。近年になってアマゾン川流域から高度な古代文明の痕跡が次々と発見され、特にアマゾン上流のボリビアにあるモホス大平原では、高度な古代文明が発達していたことがわかってきたのである。

モホス文明の成立は紀元前810年、もしくは数千年さかのぼる可能性もあるとされていて、1200年頃には消滅してしまったと考えられている。モホス文明では灌漑事業が発達していたと考えられ、組織的な農耕文明が営まれていたようだ。当時は適度に乾燥しており、気温も現在より数度低く、住みやすく、農業にも適した環境だったのである。2000もの人造湖が治水のために開削され、大規模な魚の養殖まで行なわれていたらしい。最盛期には1000万もの人口を抱えていたという説もある。

それが突如として1200年頃に消滅してしまった理由としては、気候変動や火山の噴火、彗星の落下などが挙げられている。まだ不明な点も多いが、今後の調査で「第5の文明」の実態が、さらに明らかになっていくことだろう。

レミントンスパー駅

種別 幽霊　地域 イギリス

幽霊と人間が共存している不思議な駅

レミントンスパー駅は、1800年代後半に建てられたロンドンの歴史ある駅だ。実はこの駅には、ちょっと変わった職員がいる。駅の見廻りを担当するゴースト・バスター、ニック・リース氏だ。

実はレミントンスパー駅は、幽霊がよく目撃されることで有名な駅で、駅のプラットフォームや切符売場、オフィスなどあちこちで幽霊が出現している。そうした駅の中でも特に幽霊が多く目撃されているのは、現在使用されていない3番プラットフォームの地下室や、オフィスビルの最上階だという。彼らは書類を机から勝手に出したり、電気を点けたり消したりするなどのいたずらをしてその存在をアピールするのである。

ゴースト・バスターとしての仕事は、幽霊退治というより、幽霊にいたずらをしないよう説得する係なのだとか。レミントンスパー駅では、人間と幽霊が上手に共存しているようだ。

幽霊係のいるレミントンスパー駅。

File No. 313
本日のテーマ
宇宙・自然の神秘

第45週 第5日目

地球温暖化

種別 自然の神秘　地域 地球

極地の氷が減少する様子は地球温暖化の象徴的な姿として捉えられている。

ノーベル平和賞を受賞したIPCCの報告は嘘だらけ!?

地球は温暖化が進んでおり、危機的状況にあると指摘されている。どれぐらい危機的なのかを示したのが、1988年に世界気象機関と国連環境計画が設立した「気候変動に関する政府間パネル（IPCC）」という組織の報告書だ。IPCCは約5年ごとに報告書を発表しており、2007年の報告書によれば、温暖化の主犯は人為的な温室効果ガスであり、このままではヒマラヤの氷河は2035年までに全部溶け、アフリカの農業生産は2020年までに半減、アマゾンの熱帯雨林は40%以上が危機に瀕するという。またオランダは南極や北極の氷が溶けだしたことで、すでに国土の55%以上が海抜0m以下になったという。IPCCはこうした実績により同年にノーベル平和賞を受賞したのである。

こうして各国の温暖化対策に大きな影響を与えてきたIPCCだが、近年、IPCCの報告書の内容に疑問が呈されている。きっかけは、2009年11月17日、温暖化懐疑派のサイトにIPCCメンバーの電子メールが1000通以上も公表されたことだった。その中にIPCCの資料のデータが偽造されていた可能性のある内容が含まれていたのだ。これをきっかけに、IPCCの報告書には、嘘や誇張が含まれていることが次々と発見されたのである。

そもそも研究者の中には、地球は寒冷期と温暖期を定期的に繰り返しており、最近の温暖化は自然のサイクルだと唱える者もいるし、温暖化の原因は太陽の活動にあるとして、原因が二酸化炭素だとする説に疑問を挟む声もある。実際に、白亜紀の平均気温は現代より10℃近く高かったといわれるし、縄文時代でも現代より2～3℃平均気温が高かった。海面も3～5m高く、現代の川越あたりまで海が広がっていたのである。

果たして地球は、本当に人類が原因で温暖化しているのか？　それとも自然の流れなのか？　温暖化の研究が、今後、地球にとって良い方向に進むことを祈るばかりだ。

「畝傍（うねび）」消失事件

種別 歴史の闇　地域 日本

日本海軍の巡洋艦「畝傍」の海上消失ミステリー

1886年（明治19）10月、フランスで完成した3615tの日本海軍の巡洋艦「畝傍」が、ル・アーブル港から日本に向けて出発した。地中海からスエズ運河経由でインド洋を渡り、シンガポールに到着。そして12月3日に横浜へ向けて出港した。

ところが日本に到着予定の13日を過ぎても「畝傍」は姿を現わさなかった。日本では大騒ぎとなり、調査に出かけたが姿形が全く見えない。広範囲を捜索したが、1か月、半年と全く消息をつかめないまま日にちばかりが過ぎていった。そして翌年の10月公式に「畝傍」の亡失が発表されたのである。

何の痕跡も残さずに姿を消した巡洋艦を巡るミステリーは数多くの憶測を呼んだ。

海賊に襲われた、船内で暴動が起きたといった説のほか、ついには西南戦争で死んだはずの西郷隆盛が実は海外に逃れて生き延びており、「畝傍」に乗って戻ってくるという風説まで生まれた。現在では突然の荒天で横波を受けて瞬時に転覆したとする説が真実味を持って語られているが、どこにも証拠がない。畝傍は今もどこかを彷徨っているのだろうか。

1886年10月18日、ル・アーヴル港の岸壁を離れた防護巡洋艦「畝傍」。このあとシンガポールまでたどり着くも、消息を絶った。

辛亥革命

種別 秘密結社　地域 中華人民共和国

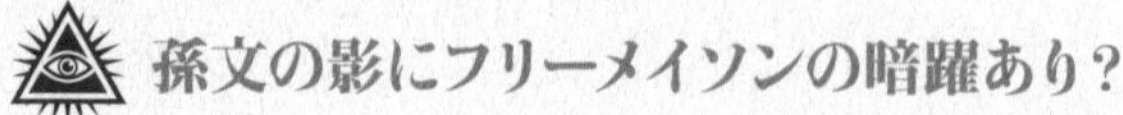

孫文の影にフリーメイソンの暗躍あり？

中国では20世紀初頭、清朝を倒し中華民国が成立する。その背後で一連の政変を操っていたのはフリーメイソンだったという説がある。1911年に辛亥革命を起こして清朝を倒しカリスマ革命家である孫文も、フリーメイソンの会員だったという。

彼は反清の秘密結社「三合会」の首領と親しく、そのつながりでメイソンとつながりを得たとも、ヨーロッパ留学中に縁をもったともいわれている。さらに孫文だけではない。孫文の弟子でのちに中華民国を率いた蒋介石と妻の宋美齢、その兄弟で大蔵省の宋子文らもフリーメイソンの一員となっていたとされる。そして蒋介石が監禁された西安事件では、宋美齢、宋子文、政府顧問のドナルド、対立していた中国共産党の周恩来との間で事件の話し合いがもたれた。この時蒋介石は解放されたが、この4人も会員だったのである。

革命家のほとんどが一員であったとすれば、フリーメイソンが革命を動かしていたともいえるだろう。その後革命家たちは抗日でタッグを組むこととなる。アメリカもフリーメイソンの国であることを踏まえると、第2次世界大戦の際、日本はフリーメイソンという見えざる敵に囲まれていたことになる。

1924年に撮影された晩年の孫文。

File No.316
本日のテーマ
ミステリアス遺産

『ユダの福音書』

種別 ミステリー遺産　地域 エジプト・アラブ共和国

ユダは裏切り者どころかイエスの忠実な弟子だった

イエス・キリストは、弟子のユダの裏切りによって、イエスを憎む者たちに引き渡されたと新約聖書にある。

この逸話から、ユダといえば裏切り者の代名詞であり、人々に忌み嫌われる存在となった。ところがユダはイエスに最も信頼されていた人物で、イエスの指示に従って裏切ったふりをしたのだという写本『ユダの福音書』が発見されている。

このような写本が存在するということは、早くも２世紀頃から一部では知られていた。しかし、マタイらの福音書とは違って新約聖書には収められず、異端として弾圧されて破棄されたと考えられる。

最期の晩餐において裏切ったユダ。その真意はキリストの預言を成就させることにあったのだろうか？

ところが1970年代にエジプトで発見されたパピルス写本が、この『ユダの福音書』だったのだ。あまりに衝撃的な内容ゆえ捏造が疑われたが、あらゆる科学的調査の結果、２世紀に編纂された写本であることが判明した。内容は、イエスとユダ、他の弟子たちとの対話で構成されていて、イエスがユダを信頼し、自分を引き渡すよう求めたことが記されているのだ。

ユダは、イエスが捕らえられた後、自殺したことになっているが、写本が本当なら死後も一身に憎悪を浴びることを知りつつイエスに従ったことになる。キリストの十字架も受難も、すべてが仕組まれていたことになり、西洋社会の学問すべてが大きく書き換えを迫られることになるかもしれない。

第46週 第2日目

ニコラ・フラメル

種別 怪人　地域 ヨーロッパ

 錬金術の秘密を解き明かしたという怪人物

化学的手段を用いて卑金属から貴金属を精錬する錬金術は、古代ギリシャにその起源を見ることができるが、古来、怪しい魔術であり、この技術を駆使する錬金術師も一種のペテン師とみられてきた。しかし14世紀、この錬金術に成功したといわれるのがパリの公証人ニコラ・フラメルである。

彼はある時、夢の中に現われていた不思議な本と出合う。それはユダヤ人の始祖アブラハムが書いた錬金術の本で、屠殺人と公証人を除き、この本を読むと呪われるとあった。公証人のフラメルは安心してこの研究に取り組むが、本には古い言葉や意味不明の記号ばかりが並び、何が書いているのか理解できない。

それから約20年にわたり彼は研究を重ねた。そして出会ったユダヤ密教研究家のアドバイスのおかげで1382年、半ポンドの鉛を純金に変え、錬金に成功したのである。

しかし彼はこれを3回程度実施しただけでつつましい生活を送って生涯を終えた。彼の死後、錬金術の秘密を知ろうと多くの人が彼の遺品を探したが、何も見つからなかったという。

一方ではフラメルは錬金術とともに不老不死の妙薬も発見し、最愛の妻とともに永遠の命を生きているともいわれている。事実、18世紀にパリでふたりを見たと証言する人々がいたという。

フランスで活動した錬金術師ニコラ・フラメルは、錬金術の秘密を解き明かしたという。

File No.318 本日のテーマ 古代文明

ピラミッドの建築法

種別 古代遺跡の謎　地域 エジプト・アラブ共和国

古代エジプトを象徴する巨大建築物のいまだ解明できない建築法

4500年以上も昔に建設されながら、今なお雄大な姿でそびえるエジプトのギザのピラミッド。その建築法については、いかにして150m近い高さまで1～40tもの巨石を積み上げげたのか、という謎があり、これまで多くの説が登場してきた。

近年では建築家のウーダン氏が唱えた内部と外部のスロープ併用説が有名。3分の1の高さまでは外部スロープを使い、残りは内部にトンネル状のスロープを造って運搬したという考えで、内部トンネルは角で向きを変え、らせん状に伸びていたと推測される。内部スロープの角では木造のクレーンを使ったとし、実際にピラミッドの角にクレーンの設置跡とみられるくぼみが残されている。

もうひとつ興味深いのが、素材は石ではなくコンクリートだとする説だ。フランス人の化学エンジニア、ジョゼル・ダヴィドヴィッツ氏が唱えたもので、コンクリートならばその場で作ればいいので、運び方など議論する必要もないというのである。実際、X線と顕微鏡を用いてピラミッドのサンプル調査をしたところ、コンクリート説を裏付ける結果も出ているという。

コンクリート説も飛び出したギザの三大ピラミッド。古代ローマでも岩を細かく砕き、生石灰と水を混ぜる方法でコンクリートを作っており、もしコンクリートだとすれば、強度に優れている点も納得できるのだ。

第46週 第4日目

『ポルターガイスト』の呪い

種別 呪い　地域 アメリカ合衆国

相次ぐ不幸に見舞われた『ポルターガイスト』シリーズ。これは本当に偶然なのだろうか。

出演者が次々と不幸に見舞われたホラー映画

ホラー映画やオカルト映画の製作現場では、怖い事件や悲惨な出来事が起きることがある。スティーブン・スピルバーグ脚本の映画『ポルターガイスト』シリーズの現場でも、まるで呪われているかのような不幸な出来事が頻発した。

1982年の第1作目では、長女役を演じたドミニク・ダンが、映画が公開された直後、ボーイフレンドに絞殺され、22歳でこの世を去った。

1986年公開の2作目では、悪魔の牧師役だったジュリアン・バックが癌でこの世を去り、呪術師を演じたウィル・サンプソンも翌年に病気で死亡した。

さらに、第1作から1988年の第3作まで末娘役で出演していたヘザー・オルークが、第3作の撮影が始まる直前に難病であることが発覚。2か月におよぶ撮影中は症状がおさまっていたが、撮影終了直後の1988年2月に急死した。まだ12歳だった。映画は彼女の死から4か月後に公開された『ポルターガイスト3』に、「少女の霊に捧ぐ……」というサブタイトルが付けられているのはこの悲劇のためである。

サイレント地震

File No.320
本日のテーマ
宇宙・自然の神秘

種別 自然の神秘　地域 世界

日本列島の地下では、台風によって地震が何度も起きていた!?

日本近海で発生する地震のひとつに「プレート境界地震」がある。日本列島が乗っている陸のプレート（岩板）の下に海のプレートが潜り込んで生まれるひずみに蓄積されたエネルギーが限界に達すると、ひずみを解消しようとプレートの境界が割れ、陸のプレートのゆがんだ部分が勢いよく跳ね返ってエネルギーを大放出する。こうして巨大地震が起きるのだ。

ただ、プレート境界地震には、以前から大きな謎があった。海のプレートは年に10cmにも達する速さで潜り込んでいるのに、発生する地震の数がはるかに少ないのだ。

この謎の答えが、地殻の移動を数cmの精度で測れるGPS（全地球測位システム）の開発により、遂に明らかになった。実は私たちの知らない間に、日本列島直下でM7.0クラスの地震が何度も起こっていたのである。ただ、断層が長い時間をかけてゆっくりとずれていくため、地上では揺れが感じられなかったというわけだ。つまり震度0の地震というわけで、これをサイレント地震という。

近年では、サイレント地震を引き起こす要因は台風だとする説も発表され、注目されている。台湾とアメリカの研究チームが発表したもので、台風が伴う低気圧による気圧の低下がサイレント地震の要因になるという。

一見無関係に思える地震と台風というふたつの自然現象の関係性の研究がさらに進めば、地震予知にも大きな進展がみられるかもしれない。

知られざる大地震が地中深くで起こっているようだ。

山下財宝

種別 伝説　地域 フィリピン共和国

日本の敗戦とともにフィリピンの地中深くに消えた日本軍の財宝伝説

日本軍の財宝を隠したとされる山下奉文大将。

所在不明の埋蔵金伝説は数多いが、フィリピンにも日本の財宝伝説が残されているという。それは太平洋戦争中、フィリピンで日本軍を指揮した山下奉文(ともゆき)大将が隠したとされる「山下財宝」である。

当時、山下らは各国から集めた金塊を日本に送ろうとしたが、すでに日本への航路がアメリカ軍によって遮断されており、輸送の手段を失っていた。そこで山下はこれらの金塊をフィリピンの山中奥深く埋めて隠したとされている。

ただしこれらは金塊ではなく、日本から物資調達のために送られた金貨で、福の字が描かれたマル福金貨だった説もあるものの、その額は現在の価格で1兆円をくだらないという人もいる。

日本の敗戦後に降伏勧告を受け入れた山下は、財宝のありかを告げることなくアメリカ軍に処刑されたため、その行方は永遠にわからなくなった。

しかしこの財宝を信じて発掘を試みる人は後を絶たず、投資詐欺も頻発した。そうしたなか、財宝を掘り当てたとされるのがフィリピンのマルコス元大統領である。1970年にはバギオの北70kmのロー谷にて黄金の仏像が発見されたが、これを没収したのも時の大統領マルコスであった。マルコスの逮捕後にはイメルダ夫人が「夫は山下財宝を掘り当てた」と述べている。だが、本当の資金源を隠すための言い逃れという説もあり、真偽のほどは不明である。

第46週 第7日目

人体発火

File No.322
本日のテーマ
都市伝説と陰謀論

種別 怪事件　地域 世界

人体から発火して人だけ燃える怪事件の謎

火のないところに煙は立たずということわざがあるが、世の中では火の気のないところで突然発火するという信じ難い現象が起こっている。

この「人体発火」は人間から突然発火し、その人を燃やして死に至らしめるのだ。しかも奇妙なことに他の物には燃え移らず、本人だけが焼き尽くされてしまうのである。

じつはこれは珍しいことではなく、20世紀に2000件以上も報告されているという。

1951年にアメリカ・フロリダ州で起こったメアリー・リーサー夫人の人体発火の場合、室内でアームチェアに座った状態で、体から突然火が出て焼死している。ところが周囲の家具は無傷で、彼女だけ焼失したのである。このほかにも説教中に胸のあたりに光が出て、炎上した牧師、ダンス中に燃え上がった女性など枚挙にいとまがない。

この不思議な現象について精神集中による高電圧の発生や人間磁石や磁場の力などが取り沙汰されたが、人体を焼き尽くすほどのエネルギーが発生するだろうか。

また、感情の発露とのメカニズムも不明である。

人体にはまだ人類が知る由もない秘密が隠されているのかもしない。

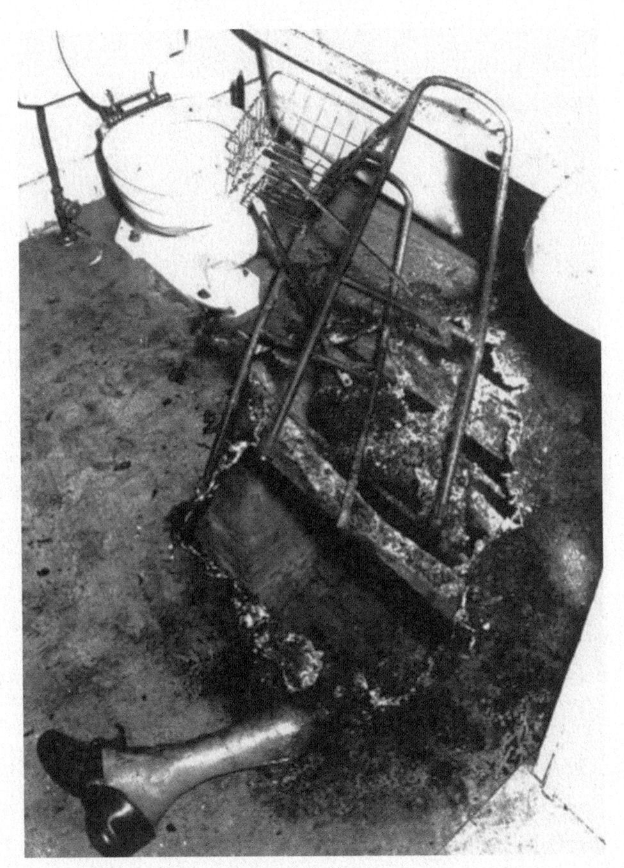

1966年12月5日、ペンシルベニア州の自宅の浴室で人体発火現象によって死亡したジョン・アーヴィング・ベントレーの遺体。

『マラキ書』

種別 ミステリー遺産　地域 ヴァチカン市国

歴代のローマ教皇を予言していたアイルランドの聖マラキ

教皇の歴史が間もなく終わろうとしているのだろうか？

どんな人物がローマ教皇に選出されるかは、現代でも国際ニュースで大々的に報道される。だが12世紀アイルランドの司教マラキは、当時から現代に至るまでのすべての教皇を予言していたという。

もっとも、マラキの予言が知られるようになったのは、16世紀末に『聖マラキの予言』『教皇の予言』などと呼ばれる書物が出てからのことである。修道士のウイオンがヴァチカンの保存庫でマラキの予言を見つけて書物とし、教皇庁に提出したという。予言はラテン語で、歴代教皇の就任前の姓名や家柄、出身地などの特徴を簡潔かつ抽象的に挙げている。当然ながら、ウイオンがマラキの名を騙って偽造したのではと疑われたが、ウイオンの時代をはるかに過ぎた教皇の特徴まで言い当てているのだから、偽造とは言い難い。

たとえば、110番目のヨハネ・パウロ2世は「太陽の労働によって」と示されている。これは、出身地であるポーランドのクラコウが、地動説を唱えたコペルニクスが天文学を学んだ町だからだという。111番目のベネディクト16世は、「オリーブの栄光」とある。これはベネディクト修道会が、オリーブの枝をシンボルとしていたからだという。

だが、その後は1代だけでマラキの予言は終わっている。しかもそこには、「7つの丘の町は破壊され、恐ろしい審判が人々を裁く」とあるのだ。7つの丘の町とはローマの別称で、世界の終わりとなる最後の審判が下されるというのだろうか。マラキの予言が当たらないことを願うばかりである。

バンイップ

種別 UMA　地域 オーストラリア連邦

アボリジニが語り継いできた水棲怪物

オーストラリアでは、先住民アボリジニの時代から湖に棲息するバンイップと呼ばれる怪物の存在が語り継がれてきた。アボリジニの間では死や不幸、厄災を呼ぶ存在として恐れられたという。その伝説はこの地に移住してきた人々にも受け継がれ、今では淡水に生きる怪物の総称としても呼ばれている。

バンイップの姿はアザラシ、カワウソなど様々な生き物に似ているともいわれるが、その生態はようとして知れないミステリアスな存在である。

ただ1846年に一度だけバンイップと思われる怪物を住民が殺害したことがあった。ところがその頭蓋骨を調べようとしたところ、博物館の地下からその頭蓋骨が忽然と姿を消してしまっていたのである。

誰が何のために持ち去ったのか、その行方はようとしてしれず、不気味な恐怖だけが募った。

その後もバンイップは何度か目撃されているが、その正体については謎のままである。

アボリジニの間で伝わる湖のUMAバンイップ。

メロエ文字

種別 古代文明の謎　地域 スーダン共和国

最古の黒人王国で使われていた謎の文字

スーダン共和国の北部、首都ハルトゥームからナイル川を180km遡ったヌビアの奥に、メロエという地域がある。この地は最古の黒人王国クシュの首都があった場所だ。クシュ王国は、紀元前9～紀元後4世紀まで栄えた国で、紀元前8世紀にはエジプトを征服し、北は地中海岸から南はウガンダ、東は現在のエチオピア国境まで支配した。

メロエの遺跡からは、エジプトのものよりかなり小ぶりで傾斜が急なピラミッドや神殿、浴場、貯水池などが発見されているが、未発掘の部分も多く、まだ200以上の遺跡が埋もれていると考えられている。

そのため謎の多いクシュ王国だが、その実態を知る大きな手掛かりになりそうなのが、メロエ文字だ。メロエ文字はクシュで使われていた独自の草書体の文字で、エジプトのヒエログリフを少しずつ改良してつくられたと考えられている。

だが、これまでヒエログリフとは反対の順番で読むということはわかったものの、いまだ解読されていないのである。メロエ文字が解読されれば、謎に包まれたクシュ王国の実態がかなり見えてくるかもしれない。

スーダン北部のサイ島で出土したメロエ文字が刻まれた石版。「カダイェの息子（または娘）ワレイェの追悼文」とされる（大英博物館所蔵）。

第47週 第4日目

ベイビーブルー

File No.326
本日のテーマ
幽霊・呪い

種別 呪術 地域 アメリカ合衆国

霊を呼び出す呪文

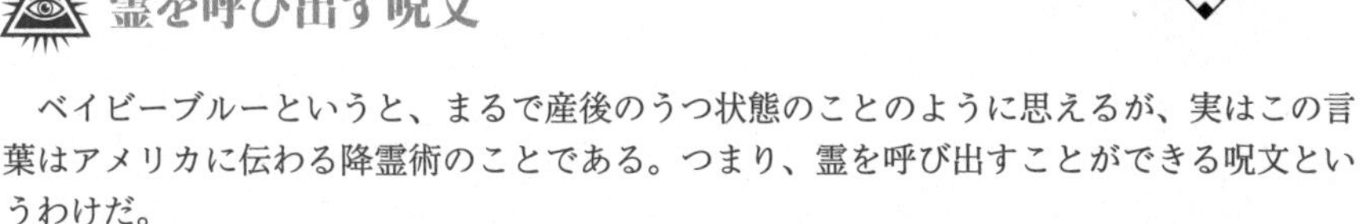

ベイビーブルーというと、まるで産後のうつ状態のことのように思えるが、実はこの言葉はアメリカに伝わる降霊術のことである。つまり、霊を呼び出すことができる呪文というわけだ。

では、具体的にどうすれば霊を呼び出せるかというと、夜トイレに行き、照明を消してドアに鍵をかける。次に鏡を見つめ、赤ん坊を抱いてあやすように腕を揺らしながら「ベイビーブルー、ベイビーブルー」と13回繰り返すのである。すると、赤ん坊を抱いた重みのようなものを感じ、それが次第に重くなるので、抱いていられなくなる前にこれをトイレに流し、個室から出る。このルールを守らないと、恐ろしい顔の女性が鏡の中に現われ、「私の赤ちゃんを返して！」と叫びながら襲ってくる。赤ちゃんを抱いたままだと殺されてしまうのでご用心。

同様の方法はバスルームでも行なえるが、この場合は、重さに耐えかねて赤ん坊を落とすと、鏡が割れて自分が死んでしまうという。

軽い気持ちで霊を呼び出すと取り返しのつかない事態になるかも……。

オレゴンの渦

種別 自然の神秘　地域 アメリカ合衆国

 物理の法則が通じない謎の怪奇スポット

アメリカ・オレゴン州に「オレゴンの渦（オレゴンボーテックス）」と呼ばれる場所がある。アメリカ開拓以前から地元住民たちに「禁断の地」と恐れられた場所だが、現在では地上の物理法則が通じない謎の怪奇スポットとなっている。直径50mの円形の場所に傾いたままの家が建っているのだが、その渦の中では重力が強くなり、立っている人は体が渦の中心に向かって傾いてしまうのである。めまいや吐き気どを覚える人もいるという。

さらに、箒やゴルフクラブ、杖などを立てて手を放すと、倒れることなく斜めに傾いたまま立ち続けるし、吊るした鉄球が斜めにぶら下がったり、片方を高くした板の上にボールを置くと、高い方に向かって転がっていくのである。

1943年以降、この謎について多くの研究者が取り組んでおり、重力や磁気の影響、磁場のゆがみ説、光による屈折説などが唱えられてきた。人間が心身に異常を覚えるのは、磁場の影響で三半規管が異常をきたすからだともいわれている。果たしてオレゴンの渦の現象はトリックなのか、それとも自然のなせる業なのか？

物理の法則が通じない謎の怪奇スポット「オレゴンの渦」。タバコの煙はらせん状を描いて漂い、空中に投げた紙もらせん状を描いて空を舞う。また、方位磁針は中心部でグルグル回転する。（写真：AP／アフロ）

八百比丘尼伝説

File No.328 本日のテーマ 歴史のミステリー

種別 伝説 地域 日本

福井県小浜市の空印寺に伝わる八百比丘尼の入定洞。（写真：山口範子／アフロ）

不老不死の生を手に入れ、800歳まで生きた人魚を食べた少女

人魚といえば、アンデルセンの童話『人魚姫』が有名だが、日本でも数多くの人魚伝説が伝えられてきた。

日本では人魚の肉を食べると不老不死を手に入れられるという伝説もあり、福井県には次のような不思議な比丘尼伝説が伝わっている。

ある時、小浜の長者が海の中にあるという蓬莱（ほうらい）の国から人魚の肉を持ち帰った。それを長者の18歳の娘が興味を抱いて食べてしまう。そのため娘は不老不死の肉体となったのである。

そして娘は、親兄弟や親しい人など周囲の人々が世を去った後も、18歳の娘の姿から変わらず生き続けていた。120歳になって周りは知らない人だらけになっても年をとらないことに絶望した娘は、出家して仏の道を説いて全国を回った。そして800歳になって小浜に戻ってくると洞窟の中に身を隠したという。永遠の生を得ることの虚しさを感じたのだろう。やがて死を待ち、入定（にゅうじょう）したと伝えられる。

今は小浜市には比丘尼の屋敷跡や終焉の地などの史跡が残り、全国各地に八百比丘尼にまつわる伝説が伝えられている。

フィラデルフィア計画

種別 未解決事件 地域 アメリカ合衆国

フィラデルフィア計画の実験に使用されたといわれる「エルドリッジ」。

 アメリカ軍によって行なわれた実験とその代償

今から70年以上も前に物体を不可視化しテレポートする実験が行なわれ、しかも成功していたという説がある。

それは1943年にアメリカが実行に移したフィラデイフィア計画である。海軍造船所にあったエルドリッジ号が人々の前から突然透明化されたように消え、320㎞離れたノーフォークの商人たちの前に現われた。しかし、時空を飛び越えるという行為の代償は大きく、エルドリッジ号が再びテレポートして戻った時には乗組員は船体に埋め込まれたり、重傷を負ったりと阿鼻叫喚の様相を呈していたという。

この不思議な現象はアインシュタインの統一場理論、すなわち重力場と電磁場の相互作用で説明できるともいわれたが、アメリカ海軍はこの事実を否定した。エルドリッジ号の隣の船で船体から磁気を抜く実験を行なっていただけだと主張している。

今ではフィラデルフィア計画は事実ではなかったとされる一方、いまだに信じる人も少なくない。この計画の真相こそが透明になっておらず、隠されたままなのである。

『快楽の園』と異端信仰

種別 ミステリー遺産　地域 スペイン王国

町の名士が描いた祭壇画は欲望に耽ける人々ばかり

ネーデルランドの画家、ヒエロニムス・ボスの描いた『快楽の園』は、３枚の大型パネルから成る祭壇画である。ボスは画家の一族に生まれて裕福な家の娘と結婚した町の名士で、親睦団体「聖母兄弟会」の一員として活動するという、非の打ちどころのない生涯を送った。だがこの絵には、からみ合う裸の男女、怪物、遊園地の乗り物のような物体がぎっしりと、何の脈絡もなく描き込まれているのだ。

見方によっては、左側はアダムとエバのいるエデンの園、右側は地獄という解釈もできる。だが、中央のパネルは描写があまりに奇異で、聖書に関わる題材が何もないことから、異端の教えを表現しているのではないかとも考えられてきた。

美術史家のヴィルヘルム・フレンガーによると、『快楽の園』は異端信仰を持つパトロンからの依頼で「千年王国の祭壇画」として描かれたものだという。絵画中、拷問を受けているのは騎士や僧侶など、アダム教の教えを否定する勢力なのだという。

しかし、ボスの没後も人気は高く、王侯貴族の間で所有されて評判となり、贋作が出回るほどだった。1591年にはスペインのフェリペ２世がわざわざ競売で買い取っている。スペインはカトリックの大国として異端信仰を厳しく取り締まっていたというのに、その国王がこれほど奇妙な絵を買い取ったというのが、また不思議である。スペイン王家はこれを手放すことなく、現在は王家のコレクションを中心としたプラド美術館が所蔵している。

ボスの異端信仰疑惑が沸き上がった『快楽の園』。

コンガマトー

種別 UMA 地域 北ローデシア

アフリカの怪鳥は翼竜の生き残りか？

コンガマトーはアフリカ各地に出没するという巨大な怪鳥である。翼を広げると1.5m～2.5mにもなり、牙がびっしり生えた長いくちばしを持つ。何とも気味の悪い姿をしているという。

原住民の間ではコンガマトーを見ると命を落とすとされ、呪いの鳥と言い伝えられてきた。実際に人を襲う生き物といわれ、1932年にはこの怪物に襲われたアメリカの動物学者アイヴァン・サンダーが2羽のうち1羽を打ち落として何とか命拾いしたという。撃ち落とされたコンガマトーは川に流れて姿を消した。

こうした複数の目撃談からコンガマトーの正体は空飛ぶ爬虫類で、恐竜とともに絶滅した中生代の翼竜の生き残りではないかといわれている。実際、住民たちに翼竜の復元図を見せると、口を揃えてコンガマトーと答えるようだ。

ただし翼竜が生き残っているはずがないという考えも根強く、オオコウモリが巨大化した新種ではないかという意見も挙げられているが、その正体についてはいまだ議論が続いている。

ジュラ紀に生息した翼竜ランフォリクス。
コンガマトーのようにくちばしの中には牙がびっしりと並んでいた。

シュメール人と異星人

種別 古代文明の謎 地域 イラク共和国

シュメール人が残した壁画。彼らは楔形のシュメール文字をはじめ、農耕、灌漑、建築、法律、幾何学、天文学、国家の民主的統治方法など、現代に繋がる文明のほとんどすべての基礎を作ったとされる。

シュメール文明は異星人が地球に残した遺産!?

シュメール人は、紀元前4000年頃、メソポタミア地方南部のティグリス・ユーフラテス川下流に突如出現し、メソポタミア文明の基礎となるシュメール文明を築いた民族だ。

しかし、シュメール人については謎だらけだ。まず民族系統が不明で、様々な場所で人骨が発掘されているのに、民族に共通する一定の特徴が見当たらないのである。

彼らがメソポタミアに出現したのも不思議だ。なぜならメソポタミアの自然環境は、当時も現代同様に乾燥、灼熱、度々の河川の氾濫など、定住に適さない地域だったからだ。そのような場所に、どうやってシュメール文明のような高度で人工的な都市文明を生み出すことができたのか。

さらに驚くのは、古代アッシリアの首都ニネヴェで発掘された粘土板文書の中にあった「ニネヴェの聖教」と呼ばれる「195兆9552億」という数字だ。これはなんと、太陽系に属する惑星、衛星、主要長周期彗星の公転、会合周期の公倍数にあたる、高度な科学的な数値なのである。こうした様々な謎から、実はシュメール人は異星人だったのではないかとする説がある。そうなると、シュメール文明は異星人が地球に残した遺産といえるのかもしれない。

ゾンビ

種別 呪術 地域 ハイチ共和国

ゾンビの肉を食べることに執心し人に襲いかかるイメージは映画で創られたものだ。

魔術師がつくったゾンビ・パウダーでゾンビのできあがり

ゾンビといえば、腐りかけた体で人間を襲う怪物をイメージするが、実はこれは映画『ナイト・オブ・ザ・リビングデッド』で創られたイメージが定着したものだ。しかし、実際のゾンビは全く違う。ゾンビはハイチに伝わる民間伝承で、ブードゥー教における刑罰の一種だという。重い罪を犯した罪人が制裁としてゾンビにされ、死後も使役されるのだ。

では、どうやってゾンビにするかというと、魔術師が調合したゾンビ・パウダーという粉を使う。ゾンビ・パウダーの主成分はテトロドトキシンというフグの毒で、昆虫トカゲ、ムカデ、タランチュラなどの生物をすり潰して混ぜた後に加熱し、トゲや針、毛などを持つ植物を粉状にして加えたものだという。

テトロドトキシンは猛毒なので、ゾンビ・パウダーは直接口に入れず、顔に吹き付けるなどしてターゲットの体内に吸収させる。これにより相手を脳死状態にさせて埋葬し、約72時間後に掘り起こす。ここで完全に死んでいれば失敗。息を吹き返せばゾンビの完成だ。長く埋葬されていた人間は酸素不足で脳に重度の後遺症が残り、その後に与えられる解毒剤にも脳内の神経伝達を妨げる植物が含まれているために、さらに意識が混濁するというわけである。つまり、ゾンビは生き返った人間だが、まともな精神を保つことができないため、主人のために働く奴隷になった状態なのだ。

球電（きゅうでん）

File No.334
本日のテーマ
宇宙・自然の神秘

種別 自然の神秘　地域 世界

 雷の後に空中を浮遊する謎の発光物体

球電とは、空中の低いところを移動していく球形の発光体のことだ。英語では「ボールライトニング」と呼ばれ、色は赤黄色や青白などで、直径は数cmから2～3mまでと、様々に報告されている。球電は雷雨の時やその直後に空中を移動していく球形の発光体で、人間が歩くのと同じくらいの速度で動くという。

19世紀の終わり頃、家畜小屋の前にいた子供が足で蹴ったところ、爆発してバラバラになったという報告もある。子供は無事だったが、その衝撃で家畜が何頭か犠牲になったというから、何らかのパワーを持っていることに間違いはないだろう。だが、火の球のようではあるが、近くに木材や金属があっても熱くなることはないので、高熱を発したり、磁力を持っていたりはしないと考えられている。

球電の目撃例は多いが、その正体については、プラズマではないか、雷によって発生する電磁波をエネルギーとして発生するものではないかなどの諸説あるものの、科学的データが乏しいため、今もって解明されてはいない。

1886年に報告された球電の絵。時に球電は人間の足の周りを転げまわったり、家の中に入って来ることもあるという。

第48週 第6日目

ハロウィン

種別 歴史の闇　地域 アイルランド共和国

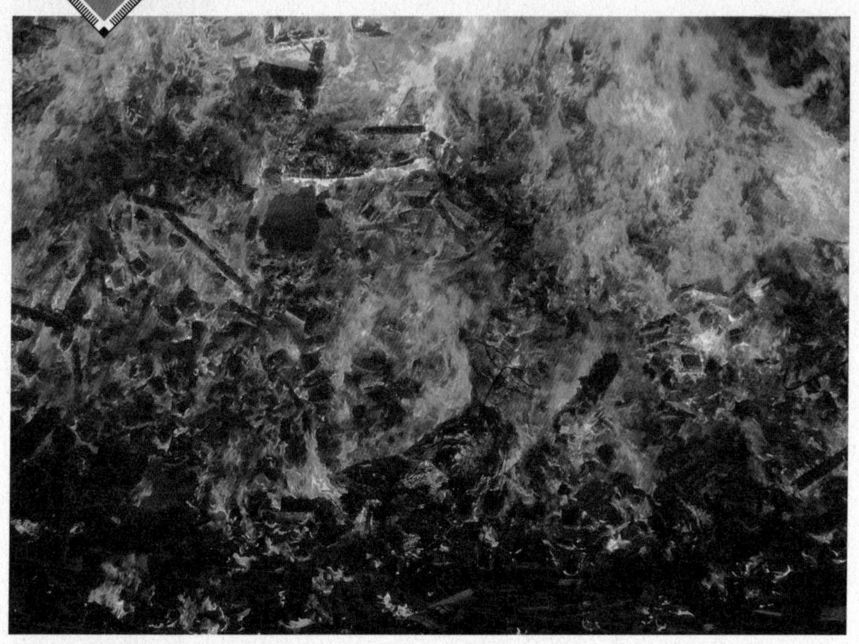
ハロウィンでは恐怖の儀式が行なわれていた。

 幽霊を祓うために行なわれた、恐怖の儀式とは？

仮面をかぶった子供たちが家々を回ってお菓子をねだる毎年10月31日のハロウィンは、日本では本来の意味を失って仮装パーティを楽しむお祭りと化して定着してしまった。

こんな楽しいお祭りが実は幽霊を祓うために、人間を生贄にする呪術的なお祭りだったと聞けば面食らう人もいるだろう。

ハロウィンは紀元前5世紀、アイルランドに居住していたケルト人の間で始まったお祭り「オール・ハローズ・イヴ」をルーツとする。古代ケルト人は10月31日の夜に死んだ人の魂が人や動物に取り憑くと考えていた。それを避けるためにその日は真っ暗な中を、悪魔やお化けなどに仮装して騒がしい音を立てながら歩き回ったのだ。

しかし、それだけではない。もっと恐ろしい儀式の実態が伝えられている。

仮装行列を終え、村外れに集まった人々は幽霊を追い払う儀式を執り行なうのだが、この時、すでに霊に取り憑かれた人をかがり火に投げ込み、生贄にしたというのである。これは霊へのみせしめでもあったが、生贄に選ばれた者の断末魔が響くすさまじい儀式であったのだ。

プティ・トリノアン

種別 未解決事件　**地域** フランス共和国 

17世紀にタイムスリップし、マリー・アントワネットを目撃したふたりの女性

プティ・トリノアンはヴェルサイユ宮殿の敷地内にある小宮殿で、ルイ16世の王妃マリー・アントワネットが最も愛した場所とされている。

20世紀以降、ここを訪れた人々がしばしば17世紀の幻影やマリー・アントワネットの亡霊を見たという報告が相次いだ。特にシャーロット・モーバリーとエレノア・ジョーダンというふたりの女性が『冒険』（共著）で記した体験談はとてもリアルだ。

1901年8月10日のこと。ヴェルサイユ宮殿を訪れたふたりが、プティ・トリノアンへ足を向けた際、緑の制服に三角帽をかぶったふたりの男に出会い、道を尋ねると丁寧に教えてくれた。教えられたとおりに進むと、そこで古風な衣装をまとった10代前半くらいの少女と母親らしき女性を見かけたという。ようやくプティ・トリノアンにたどり着くと、そこでは30歳くらいの美しい女性が芝生の上に座り、風景画を描いていたという。すると、「ここは入れませんよ」と男性の声がかかり、我に返ったという。

後日ふたりが文献や資料を調べると、彼らの衣装は18世紀のもので、出会った人々も当時実在した人物だった。しかも風景画を描いていたのは、マリー・アントワネットであったのである。

そのほかにも金色のドレスを着た女性や、ひと昔前の格好で荷車を挽く農民たちを見たという人たちもいた。また、現実には存在していない森に建つ家々を見たという人も。

彼らはタイムスリップをしたのか、それとも過去の出来事が現在に再生された幻影を見たのだろうか。ヴェルサイユには過去とつながる道があるのかもしれない。

マリー・アントワネットが目撃されたというプティ・トリアノン。

遮光器土偶と宇宙人

種別 ミステリー遺産　地域 日本

縄文時代の日本に宇宙人が飛来していたのか

青森県つがる市の亀ヶ岡は、江戸時代から大量の土器が出ることで知られていた。ここで出土し、異形の姿で強いインパクトを与えるのが、遮光器土偶である。

遮光器とは、イヌイットらが雪の反射から目を守るためにかけるゴーグルのようなもので、土器の人物は目の部分が極端に丸く大きく、まるで遮光器をかけているようなので遮光器土偶の名が付いた。しかもその衣服は体をゆるやかに大きく覆い、首まわり、腰まわりはことに頑丈そうで、宇宙服そっくりなのだ。胸のふたつの突起は気圧調整のダイヤルに酷似し、穴は空気を通すためにあるかのようだ。

遮光器土偶は、亀ヶ岡遺跡と同じく縄文時代晩期の遺跡である岩手県盛岡市の手代森遺跡、宮城県田尻町の恵比須田遺跡などでも発見されている。

また、北海道余市町のフゴッペ洞窟の岩面には、頭に突起があったり、両肩に翼のようなものが生えた人物がおよそ200体も描かれている。熊本県山鹿市のチブサン古墳内部にも、頭に3本のアンテナ状のものを立てた人物の壁画があるが、その頭上には7つの円紋があって、まるで両手をかかげて7つの円盤に合図を送っているように見える。

こうして俯瞰してみると、古代人たちは宇宙人と交流を持ち、文化を育んだのではないかと思えてくる。

青森県つがる市木造亀ヶ岡出土の遮光器土偶。その姿はまるで宇宙人!?

ジャック・オー・ランタン

File No.338 本日のテーマ UMAと怪人

種別 モンスター　地域 アイルランド共和国

ハロウィーンのシンボルとなったジャック・オー・ランタンは、悪魔に魂を売った盗賊がモデル。

 ハロウィンの起源となった悪鬼ジャック・オー・ランタン

ジャック・オー・ランタンといえば、ハロウィンの日、人の目や鼻、口のようにくりぬいたカボチャの中に火を灯した飾りとしておなじみである。実はこの飾りは、アイルランドの怪異の伝説を基にしたものである。

アイルランドのやくざ者ジャックはハロウィンの夜、悪魔に魂を奪われそうになったが、言葉巧みに悪魔をコインに化けさせてガマ口に閉じ込める。翌年は木に十字架を書いて悪魔が木から下りられないようにして悪魔の干渉をはねのけた。

ところがその翌年のハロウィンの日、今度はジャックが死んだ。しかし日頃の行ないが悪かったジャックは天国に行けず、やむなく地獄に向かうが、悪魔から干渉しないといわれ、石炭だけ与えられ突き返される。

そこでジャックはジャック・オー・ランタンと名乗る悪鬼となり、石炭を入れたカブをランタンにして地上を彷徨うようになったのである。

現在でもジャックは地上を彷徨い、沼沢地帯によく現われるという。ランタンの明かりで子供たちを道に迷わせ、沼地に引きずり込んで殺害するのだ。そのためアイルランドではジャック・オー・ランタンと出会った場合は目をつむり、耳をふさいでやり過ごすと良いと伝えている。

第49週 第3日目

ノアの箱舟

種別 古代文明の謎　地域 トルコ共和国

ノアの箱舟の漂流先とされる大アララト山（右）と小アララト山（左）。

箱舟が流れ着いたとされる伝説の山

旧約聖書の物語の中でも、創世記に登場する「ノアの箱舟」は特に有名だ。

神は堕落の一途をたどる人間に失望し、大洪水を起こして滅ぼそうとするが、義人ノアとその家族だけは助けようとする。

ノアは神の命を受けて箱舟を造り、世界中の動物をひとつがいずつ乗せて大洪水の中を150日間漂ったのち、アララト山に流れ着いたとある。

このアララト山と伝えられているのが、トルコ東端にある標高5165mの大アララト山と、標高3925mの小アララト山の2峰からなる火山である。

この山は神聖な山として古くから畏れられていたが、19世紀以降、登頂に挑む人が現われる。すると、箱舟らしきものを見たとか、木片を拾ったといった証言が出るようになり、1948年にはアララト山の南方30km、標高約2000mのアキャイラ連山で、船のような奇妙な地形が発見された。1959年にはトルコ空軍のパイロットが空撮に成功し、船形地形が捉えられたのである。しかも測量の結果、旧約聖書に架かれた箱舟のサイズと一致することもわかった。

しかし、その後の調査では残骸らしき遺物は出土せず、自然の隆起による地形とされてしまう。

それでも調査は続けられており、アキャイラ連山の地形を分子振動スキャナーで調査したところ、地中に巨大な船が存在したことを証明する反応を得たという報告もある。

果たして、今後箱舟の物証が発見される日は来るのだろうか。

ホーン岬の白い老人

種別 幽霊 地域 チリ共和国

何世紀にもわたって船を飲み込んできた恐怖の海

南米大陸の南端に、チリのホーン岬がある。この岬を境に太平洋と大西洋に分かれており、太平洋から大西洋に抜けるために各国の船舶が航行する海上交通の要である。

しかし、ホーン岬の沖合は、船乗りにとって本当に恐ろしい場所だ。南極からの冷たい空気と、南下してきた温かい空気が激しくぶつかり合い、1年中強い風が吹き荒れているからだ。その風の強さはまるで雪崩のよう。この海はその気候の荒さゆえ、何世紀にもわたって多くの船を海の藻屑と化してきたのである。

そんなホーン岬で船乗りが恐れているのが「白い老人」だ。荒れ狂う波間を、白い服を着て杖を引きずりながら追いかけてくる白い老人が現われ、ひとりでもその姿を見た船は沈むという伝説があるという。この海域では、太平洋と大西洋で海水面の高さが違うため、海は大荒れになりやすく、高波が起きやすい。波によって数十ｍの高さまで持ち上げられ、海面に叩きつけられると木造船はひとたまりもないだろう。恐怖に駆られた船乗りたちが、高い追い波の波頭を白い衣装をまとった老人と見間違えても不思議ではない。

海の藻屑と化す多くの船を見てきた交通の難所ホーン岬。白い老人が現われ、船を難破させるという。

魔鬼谷

種別 自然の神秘　地域 中華人民共和国

遊牧民の命を奪った謎の青白い光

中国・新疆ウイグル自治区に、標高5000m級の山々が連なる崑崙(こんろん)山脈がある。その崑崙山脈の東端、新疆ウイグル自治区を南北に流れるナリンゴル河の中流域に、険しい山々に囲まれた全長100kmほどの魔鬼谷がある。

この魔鬼谷は、夏になると奇怪な現象が頻繁に起きるため、地元の遊牧民ですら恐れて近づかない場所だという。

たとえば、ある暑い夏の日、魔鬼谷に暗雲が立ち込め、青白い光が閃いた。誰もが雷雲かと思ったが、一向に雷が鳴ることも雨が降ることもない。そのうちに谷から遊牧民の苦しむ声が次々と聞こえてきたのだ。村人たちが谷に降りてみると、そこには大勢の遊牧民と、家畜のヤクの遺体が転がっていたのである。しかし、遊牧民やヤクの遺体には、雷に打たれたような痕跡は全くなく、死因は全くわからなかった。

1985年、アメリカ人の科学者グループが中国と合同で魔鬼谷の不思議な現象についての調査を行なったが、調査は何も進まないうちに打ち切られた。谷に降りると、すべてのコンパスの針が狂ってグルグルと動き出したからである。この現象によって、地磁気に異常があるのではないかとする説も出ている。

さらに、標高5000mを超える山の付近で無線を使おうとしたところ、最新式の無線機で天候も良かったのに、雑音ばかりで交信できないという現象が起きた。ところが、どんよりとした曇り空の日になると、無線は問題なく鮮明に聞こえるようになったのだ。こうした状況については調査隊も首をひねるばかりで、魔鬼谷で起きる不思議な現象については、今も何ら解明されていない。

魔鬼谷で遊牧民に襲い掛かったものとは!?

アイリーン・モア島の事件

種別 歴史の闇 地域 イギリス

孤島にて、
3人が同時に消えた灯台守失踪のミステリー

大西洋のど真ん中に浮かぶフラナン諸島。この中で北にある最大の島アイリーン・モアは1900年、まさに世にも奇妙な事件が起きた島でもある。

それは12月15日、昨年建てられたばかりの灯台から突然光が消えたことから始まった。付近を航行していた「ヘスペラス号」のムーア船長が灯台に調査に行くと、灯台はもぬけの殻。中は何事もなかったかのように整然と保たれているが、3人の灯台守が何の痕跡も残さず姿を消していたのである。

消えた3人は突堤に出た時に大波にさらわれたのではないかと推測されたが、当日は穏やかな日でその可能性は少ない。また、突堤で足を滑らせた可能性もあるが、オイルスキン（油布製の衣服）が1着残っており、ひとりは灯台の中にいたと推測できることから、3人全員が落ちたとは考えられない。

そうしたなか、1947年に調査のため島へ行った新聞記者がある特異な現象に遭遇する。穏やかな日だったにもかかわらずふいに海面が大きく盛り上がり、20mもの高波となって突堤を襲ったのである。記者は3人がこのような高波に襲われたのではないかと推測したが、こうした高波も1回限りであり、3人同時にというのはやはり謎が残るという。

ミステリアスな失踪事件が起こったアイリーン・モア島の灯台。
（写真：Alamy／アフロ）

スウィーニー・トッド

種別 陰謀　地域 イギリス

裕福な客を殺害して金品を奪った床屋の伝説

19世紀中頃のロンドン、フリート街……。

その一角にある理髪店には、恐るべき殺人鬼スウィーニー・トッドが住んでいた。しかも床屋として働いているのだから始末が悪い。

理髪店の椅子には仕掛けがあり、身なりの良い裕福な客が座るとその椅子を回転させて地下へと落として殺害。床屋は客が身に着けていた金品を奪い取るのだ。時には仕事で使う剃刀で喉を掻っ切って殺害することもあったという。

哀れな客の死体は解体されてトッドの愛人であるパイ屋の女に売られ、ミートパイとなって売られていく。これで証拠隠滅は終わるのだ。

この恐るべき床屋はイギリスで19世紀に流行した安価な小説「ペニードレッドフル（1ペニーの恐ろしいもの）」の最初期の作品の主人公として大活躍した。この物語の中でトッドはその所業が明るみに出て、1802年、絞首刑に処せられる。

このように創作の中の登場人物と考えられているトッドだが、ジャーナリストであり作家のピーター・ヘイニングは、トッドは物語の登場人物ではなく、実在した殺人鬼だと主張した。しかし、それを証明するものは発見されていない。

果たして、ロンドンの連続殺人鬼はただの架空のキャラクターだったのだろうか。

それとも確かに実在したが、その証拠は彼が死体をパイにして隠滅していたように、消えてしまったのだろうか。

恐怖の床屋スウィーニー・ドット。

人魚のミイラ

種別 ミステリー遺産  地域 日本

美しくはなくても 不思議な力を持つのが日本の人魚

西洋の童話に出てくる人魚は可憐で美しいが、日本の人魚はどうだったのだろう。和歌山県の高野山のふもと、西光寺の刈萱堂には人魚のミイラが安置されている。

体長は65㎝ほどで、腰から下はウロコやヒレがあって人魚らしく見える。しかし、カッと開いた口からは牙がのぞいて上半身も大きくゆがみ、ミイラとはいえグロテスクな姿で、美しい西洋の人魚のイメージには程遠い。日本には、ほかにも10体近く人魚のミイラが伝えられている。いくつかを調査したところ、大きな魚の胴体に、木や竹、金属などを細工して合体させ、人魚らしく見せた人工物だった。実は日本では、江戸時代後期にこうしたものがたくさん作られた。長崎にやって来たオランダ人が、珍しがってそれを買っていったのだという。

日本には人魚の伝説がいくつもある。古くは異形ぶりから恐れられる存在だったが、危害を加えず逃がしてやったら津波が来るのを教えてくれたという逸話があるように、次第に人魚を見るといいことがある、ご利益があるとみなされるようになった。人魚の絵やミイラに、疫病退散、無病息災などを祈る習慣もあったようだ。

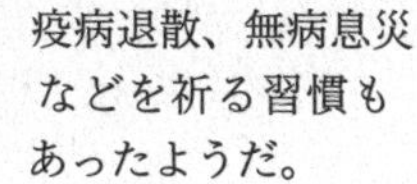

ジーナフォイロ

種別 UMA　地域 セネガル共和国

放射能を発射する不気味な赤い目の悪魔

魅入られたら最後、逃れることができないと人々を震え上がらせているのが、アフリカ西部のセネガルにいるという妖獣ジーナフォイロである。

その体長は約1.2mながら、時には建物ほどの大きさに巨大化する。空中を自在に飛び回るだけでなく、姿を消しどこにでも出入りできる超常能力を持つという。さらに吐き気を起させるほどの異臭を放つと伝わる。

しかもこの怪物に遭遇したら最後、不気味で凍てつくような赤い目に引き込まれ、人間はその場に硬直し呼吸困難に陥るという。

実際に遭遇した人物の報告例が、並木伸一郎氏の『ムー的都市伝説』に掲載されている。

1995年のある日、ロイド・グメイナーという人物が夜にジーナフォイロと遭遇し、意識を失った。その後、激しい頭痛や下痢が続いて入院して検査したところ、なんと放射能を浴びたかのような被爆症状に陥っていたという。幸いにも命を取りとめたものの、呼吸困難どころか、放射能をばらまくとなれば、恐ろしさはさらに増すことだろう。

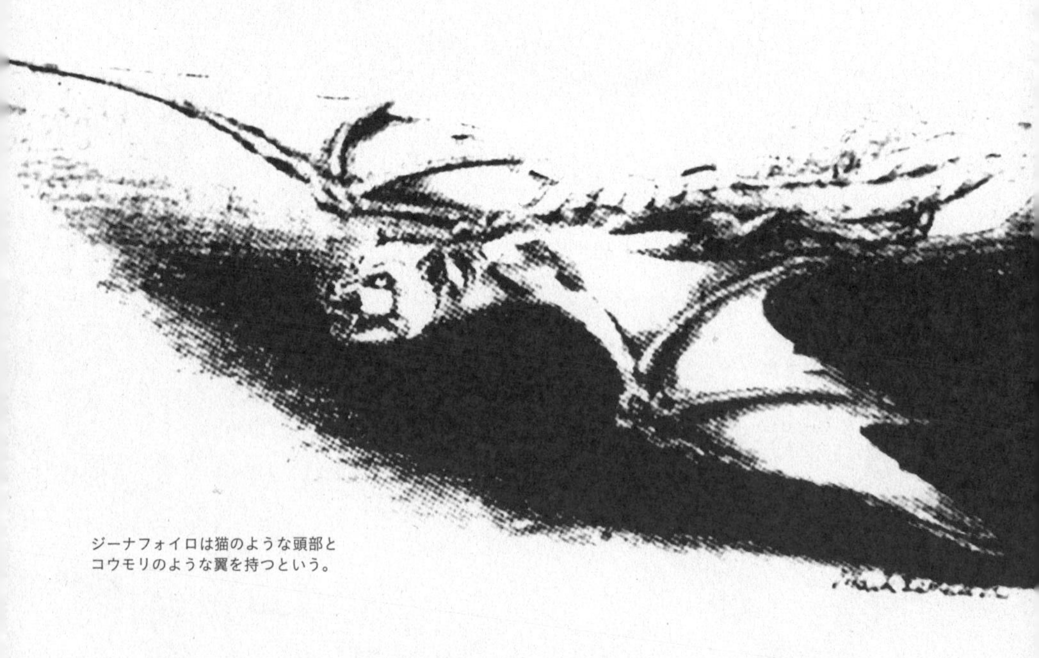

ジーナフォイロは猫のような頭部とコウモリのような翼を持つという。

ラピタ人

種別 消えた民族の謎　地域 太平洋

世界史上初の遠洋航海を行なったラピタ人は、たどり着いた島に先住民がいれば、コンタクトを最小限にして争いを避け、次の島へと渡っていった。一部は先住民と混血して定住し、現在のメラネシアに住む人々の祖先となったとみられる。

ポリネシア人の祖先ラピタ人は日本人とも強い繋がりがある!?

紀元前3600年頃、ニューギニアのビスマルク諸島にラピタ人が出現した。彼らは外洋性カヌーを自在に操って太平洋に乗り出し、ソロモン諸島、ヴァヌアツ、ニューカレドニア、フィジーといった具合に、東へ東へと進出。紀元前1世紀頃にはトンガ、サモアへ到着し、ポリネシア人の直接の祖先となったのである。

だがこのラピタ人、ビスマルク諸島に現われる前となると、どこにいたのか詳しくわかっていない。実はそれ以前のルーツがはっきりせず、様々な仮説がある。

まずはビスマルク諸島で自然発生したという説。次にマレー半島からインドネシア、中国南部あたりを起源とする説、そしてスラウェシやフィリピンなどインドネシア東部の島々を起源とする説などがある。さらに最近では、広く東シナ海一帯がホームランドだったとする説も出てきた。この説によると、骨格や入れ墨の風習などが日本の縄文人とも類似しているというのだ。もしかしたらラピタ人は日本人と強い繋がりがある人々だったのかもしれない。

ホランド・ハウスの幽霊

種別 幽霊 地域 アメリカ合衆国

1812年のホランド・ハウス。現在はケンジントン公園に移築され、イギリスらしいクラシカルで美しい建物として人気を博す。

帽子をかぶった自分の首を持って歩き回るホランド伯爵

イギリス・ロンドンのケンジントン宮殿はチャールズ皇太子と故ダイアナ妃が暮らし、現在一般公開されるケンジントン公園の奥に、ユースホステルとして使用されているホランド・ハウスという屋敷がある。実はここはロンドンで有名な幽霊屋敷なのだ。

ホランド・ハウスは、1622年に結婚したホランド伯爵が妻と暮らしていた屋敷だ。しかし、幸せな日々は長く続かず、1639年、清教徒革命が勃発。国王派と議会派による激しい内戦の末に、国王チャールズ1世と国王派は敗れて王政が一旦廃止された。戦後粛清の嵐が吹き荒れる中で国王派に属していたホランド伯爵は断頭台に送られた。

おしゃれな紳士だったホランド伯爵は、白いサテンのコート、銀の刺繍が施された帽子をかぶって断頭台に立ち、執行人に「処刑後も私の服を脱がさず、帽子も頭に載せてほしい」と頼んだという。処刑人はこの頼みを受け入れ、切り落とした頭に帽子を載せた。

その後、ホランド・ハウスは議会派に没収されたが、内戦終結後に夫人の手に戻された。その頃からホランド・ハウス内を白いサテンのコートを着て、帽子をかぶった首を抱えたホランド伯爵の姿がたびたび目撃されるようになったのだ。ユースホステルとして使われている今もホランド伯爵が現れるようで、その姿を目撃した宿泊客もいるという。

王家の谷

種別 自然の神秘　地域 エジプト・アラブ共和国

陵園の上空を飛ぶ飛行機を襲う、ファラオたちの怒り

エジプトを流れるナイル川の西岸約4km、テーベ（現在のルクソール）の北西に位置する岩窟墓群が王家の谷である。紀元前1567年に始まる古代エジプトの新王国時代の王とその一族の墓地で、現在までに24の王墓を含む62の墓が発見されている。

エジプト屈指の観光名所ともなっているが、この上空ではある不思議な現象が起こっている。1931年のこと、カイロを飛び立ったエジプト国内線の旅客機が王家の谷上空に差し掛かったところ、突如ラジオに雑音が混ざり、聞こえなくなってしまったのである。

こうした現象はたびたび起こっていたため、いつしか搭乗員の間では、旅客機が王家の谷の上空を飛ぶことで、ファラオの怒りに触れているのではないかという噂が流れ始めた。航空会社はオカルト的な発想を否定し、航空機のラジオをすべて新品と交換。あくまで迷信に過ぎないことを証明しようとした。

しかし、新品のラジオでも同じ現象が起こった。

航空会社も震えあがったパイロットの主張を受け入れざるを得ず、王家の谷は航路から外されることとなる。現代は小型機が撮影のために飛ぶなどしているのだが、果たして現代でも同じことが起こるのだろうか。

王家の谷の上空を騒音を出しながら飛ぶことは許されない。

海賊キッドの財宝

種別 伝説　地域 世界

伝説の海賊の宝のありかを示す地図をもとに探せるか？

スティーブンソンの小説『宝島』に登場する「フリント船長の財宝」は、「海賊キャプテン・キッドの財宝」がモデルといわれ、エドガー・アラン・ポーの小説『黄金虫』にもキッドの財宝が登場する。海賊キッドこと、ウィリアム・キッドは、1701年に処刑された海賊である。処刑の直前、10万ポンドを隠したと告白。これを契機として宝探しが始まった。

ただしこの宝には多くの人が懐疑的だった。キッドはもともと海賊取り締まりの責任者であったが、うまくいかず海賊に成り下がり、略奪したのは2船だけなのである。しかも戦利品は仲間たちと分け合ったというから10万ポンドも隠していたとは考えにくい。

ウィリアム・キッドが裁判で放った言葉が財宝伝説を生み出した。

眉唾と思われてきたキッドの財宝だが、1943年にキッドの宝のヒントらしきものが発見されて事態は一変する。「ウィリアムとサラ・キッドの箱」という文字が彫られた箱が見つかり、中からキッドの筆跡で、島の緯度と経度など財宝のありかを暗号化して書いた地図が見つかったのである。その島はシナ海にあると書かれており、カリブ海やカナダのオーク・アイランドなどが候補地とされたが、なんと日本の南西諸島の横当島やトカラ列島の宝島までもが宝の隠し場所として名が挙がったのである。宝島では1937年にアメリカの私立探偵から日本の外務省に発掘の協力依頼が届いたという。世界中に広がる財宝伝説であるが、いまだ財宝は見つかっていない。

リジー・ボーデン夫婦殺害事件

File No.350
本日のテーマ
都市伝説と陰謀論

種別 未解決事件　地域 アメリカ合衆国

娘リジーは犯人か無実か

リジー・ボーデン夫婦殺害事件は、名家の令嬢が両親を殺した疑いをかけられるという事件で、世間の野次馬根性に火をつけたためか、一大センセーションを巻き起こした。

事件は1892年8月4日の朝、アメリカ・マサチューセッツ州フォール・リヴァーで発生。不動産業と銀行業で財を成した町の名士アンドルー・ボーデンとその妻アビーが殺されたのである。

アビーは2階の客間で殺され、その後帰宅したアンドルーは1階の居間で殺されていた。そして11時過ぎにふたりの遺体が発見される。捜査した警察は当時32歳の二女リジーを犯人として逮捕した。外部からの侵入者の形跡がなく、犯行時刻に在宅していたリジーと家政婦のうち、リジーにだけアリバイがなかったからである。

しかもリジーには動機があった。アビーは継母であり、しかもふたりは仲が悪かったのだ。さらに事件当日アンドルーはリジーの反対を押し切って、アビーに家を与える署名をする予定だったという。しかし状況証拠しかなく、血が付いているはずの凶器も発見されなかったため、リジーは無罪となる。リジーは一躍悲劇のヒロインにまつりあげられたが、莫大な遺産を相続して派手な暮らしを始めると人々は再び彼女に疑惑の目を向けるようになる。しかし結局、犯人は捕まらず、真実は闇に葬られたままリジーも亡くなり、その家は観光名所となっている。

未解決事件の現場となったボーデン家。

ウエツフミ

種別 ミステリー遺産　地域 日本

神武天皇は初代天皇ではなく73代目だった!?

『古事記』『日本書紀』では初代天皇である神武（じんむ）天皇が、実はそのはるか前から続いていた王朝の73代目だった……。この仰天する内容を記しているのが『ウエツフミ』である。

『上記』『上津文』『上つ文』などとも書かれるウエツフミは、平安時代末の豊後（ぶんご）国（現在の大分県）の国主で、源頼朝の庶子とされる大友能直が全国から古書を収集して編纂したという。古代日本で用いられていたという豊国文字で書かれ、日本はウガヤフキアエズ王朝に始まり、その73代目である神武天皇が大和に遷都したという歴史や、天文学、医学、農業、民話などの記録が集められている。暦は太陰暦ではなく独自の太陽暦だったり、神々と鬼の戦いがリアルな描写で語られたりという面白さもある。

これが世に広がったのは明治時代で、大分県出身の士族・吉良義風が発表してからのことである。当初は、官庁や大分県令（現在の知事）だった森下景端も、発刊に力を貸した。だが、その内容が明治政府の意向とはそぐわないもので、真贋論争が起きたが決着はつかないままとなった。現代では、江戸時代後期の国学隆盛の際に書かれた偽書であろうと考えられている。

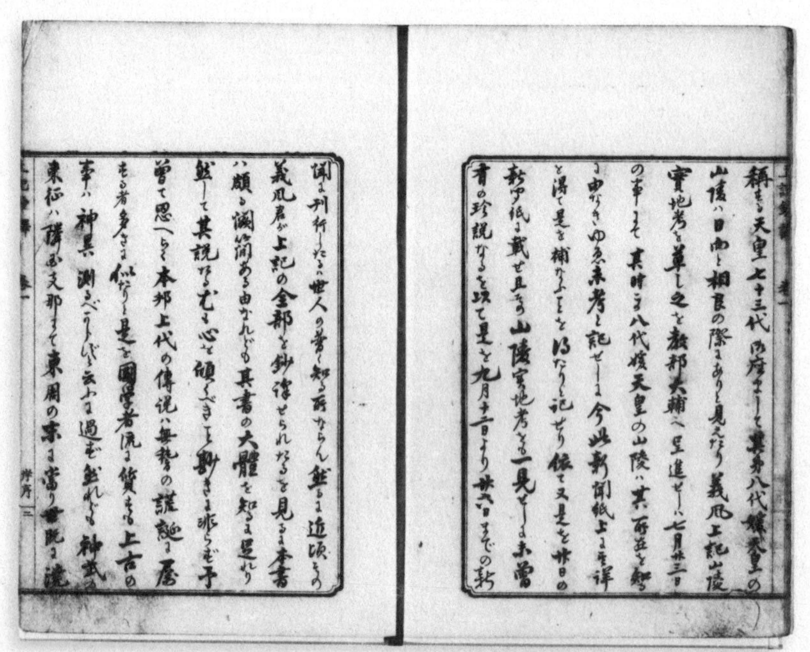

国立国会図書館所蔵の『上記鈔訳』。

ナハツェーラー

File No.352
本日のテーマ
UMAと怪人

種別 モンスター 地域 ドイツ連邦共和国、ポーランド

埋葬方法を誤って埋められた遺体は、死後、吸血鬼ナハツェーラーとなるという。

 棺の中から自分の肉体を食らって蘇る吸血鬼

ドイツのシュレジエン地方やバヴァリア地方、ポーランドに出没する吸血鬼として知られるのが、蘇った死体ナハツェーラーである。

ナハツェーラーとなる死体は、胞衣(えな)をまとって生まれてきた子供であったり、ドイツのアルトマルク地方では死者の舌の裏側に硬貨を入れるのを忘れられた死者だったりするという。

ナハツェーラーとなる遺体は棺の中で親指をもう片方の手で握り、左目だけを開けているのが特徴で、棺の中で自分の肉体を食らい、豚の姿になって墓から蘇る。

生き返った後は恐ろしいことに自分の家族を襲って血を吸ったり、自分の影を人の上に落としてその人間を殺したりする怪異となるのだ。

このナハツェーラーとして蘇る遺体の墓を知るには、何かを食べる咀嚼(そしゃく)音がする墓を探せばよい。そしてナハツェーラーを退治する場合は、その音を確かめたうえで棺を掘り返して死者の口の中にコインを詰めて首を切断し、屍衣に記された名前をすべて取り除いておけば生き返らないとされる。実際にこうしたまじないを施した遺体が、墓場跡から発見されることがある。

第51週 第3日目

エフェソスのアルテミス像

種別 古代文明の謎
地域 トルコ共和国

エフェソスのアルテミス像。

乳房がいっぱいある不思議な女神像

トルコにあるエフェソス遺跡は、紀元前1200年頃に移住を始めたギリシャ系のイオニア人たちによって築かれた街だといわれている。この遺跡の中でも名高いのがアルテミス神殿。現在は高さ20mほどもある巨大な石柱が1本残っているだけである。

この神殿には、特異な姿をした女神アルテミスが祀られていた。たとえば神殿近くの博物館に展示されているアルテミス像3体のうち最も大きな像の胸には、合計21個もの乳房がついているのだ。アルテミスというと、ギリシャ神話に登場する月と狩猟の女神であり、ギリシャ彫刻では狩人姿の美女として表現される。

それがなぜ異形の姿をしているのかというと、先住民の神である大地母神キベレと、ギリシャのアルテミスを同根の神として祀ったため。多くの乳房については、何とも奇妙な姿だが、実はこれは女神が多産のシンボルだからである。しかし、多産のシンボルといえば、普通は胸の数ではなく、大きさである。それなのに女神が多くの胸を持つのは、エフェソスではミツバチが国の象徴であり、重要な意味を持つ存在だったためで、女神像を女王蜂に見立て、胸に乳房ならぬミツバチの卵をたくさんつけているというわけである。

アナベル人形

種別 呪い 地域 アメリカ合衆国

悪霊が取り憑いた人形

1970年、大学で看護学を学んでいたドナという女性に贈られた人形が、いつの間にか位置が変わっているなどの怪奇現象を起こしたため、ドナはルームメイトとともに霊媒師に相談した。

すると霊媒師により、ドナらが住むアパートの敷地にかつてあった家に暮らしていたアナベルという少女の霊が人形に憑いていることが判明した。

ドナは人形に同情し部屋に置いていたが、友人のルーは人形を燃やすことを主張。以来、ルーの夢に人形が現われ、その首を絞めるようになる。さらにルーがドナの家を訪ねた際、人形に近づいたところ、胸に鋭い痛みを感じたため、服を脱ぐとツメ跡のような傷がついていたという。

危機感を覚えたドナは超常現象の研究家であるエド&ロレイン・ウォーレン夫妻に相談。夫妻は神父による悪魔祓いを行なったのち、自宅に人形を引き取ったが、人形は自宅でも勝手に居場所を変えるため、敷地内にあるオカルト博物館のガラスケースに閉じ込めた状態で安置した。

こうして現在もアナベル人形は博物館に展示されている。

オカルト博物館に展示されるアナベル人形。

ポンペイ最後の日

種別 自然の不思議　地域 イタリア共和国

カール・ブリューロフ『ポンペイ最後の日』。

 ヴェスビオ火山の噴火は、夏ではなく秋だった？

イタリア半島カンパニア州北西部、ヴェスビオ山の南麓に位置したポンペイは、西暦79年、ヴェスビオ山の噴火によって地図から消えた。大地を揺るがすような大爆音を皮切りに、ヴェスビオ山の山頂から巨大な火柱が吹き出し、町に熱風が押し寄せた。真っ赤に焼けた火山礫や軽石が雨のように降り注ぎ、有毒ガスを伴う高熱の火山ガスと火砕流が人々のとどまる家々に侵入。2000人もの人々が犠牲となった。6m以上降り積もった火山灰はその重みで建物を倒壊させ、ポンペイの町を飲み込んだのである。

この悲劇が起こった日については、知人の救助のためにポンペイへ赴いた大プリニウスが残した手紙に「8月24日の7時頃」とあったため、西暦79年8月24日とされ、映画などに登場するポンペイは、避暑に訪れたローマの貴族らで賑わう様子が描かれている。

ただ、この定説に矛盾がないわけではなかった。ポンペイ遺跡の発掘調査では、秋に実るはずの果物が枝についたままの状態で見つかっていたからだ。そのため、実際の噴火の日付は、もっと繰り下がるのではないかという主張もあったのだ。

この主張を裏付けるかのような発表が、2018年、イタリアの考古学者チームによってなされた。改修の途中で埋もれた家の壁に、木炭で「XVI KNov（11月の16日前）」、つまり、現在の日付では10月17日と記されていたのである。落書きした人物は改修工事を行なっていた労働者であろう。これがその日を示すものであれば、秋に実るはずの果物が枝についたままで発見されたことも説明がつく。

この発見を受けて、イタリアの文化観光相も、歴史書を書き換える可能性もあるとコメントしている。

ハロルド・ホルト失踪事件

種別 スキャンダル　地域 オーストラリア連邦

現職の首相が海の彼方に忽然と消えた謎の行方不明事件

1967年12月17日、オーストラリアの首相ハロルド・ホルトはヴィクトリア州チェビオット・ビーチで遊泳を楽しんでいた。ところが忽然と首相の姿が海の彼方へと消えさり、それきり首相は行方不明となったのである。その後の捜索でも遺体はおろか遺留品も見つからなかった。

現職の首相の失踪という特異な状況だけに謎が謎を呼んだが、最終的に、首相は健康状態が良くなかったにもかかわらず泳いで溺死したと決着した。しかし首相の支持率が急落していたため自殺、愛人と駆け落ちしたなど様々な憶測を呼んだ。

なかでも世に衝撃を与えたのが、失踪から15年後にジャーナリストが発表したスパイ説である。ホルトは実は中国のスパイとして活動しており、その行為が露見しそうになったため潜水艦に乗り込んで中国に逃れ、新たな人生を送っているというのである。首相がメルボルンのクイーンズ大学に在籍していた1930年代から中国（当時は中華民国）との関わりを強めていたのは周知の事実であり、この説を信じる人も少なくない。果たして彼はどこへ消えたのか。2005年に死亡認定されたが、その行方はわかっていない。

ハロルド・ホルトが姿を消したチェビオット・ビーチ。

第51週 第7日目

死の舞踏

種別 未解決事件　地域 ドイツ連邦共和国

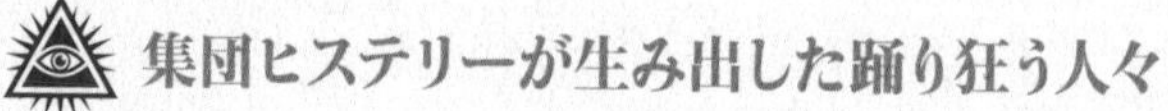

集団ヒステリーが生み出した踊り狂う人々

1518年7月、フランスのストラスブールで何とも理解のできない不可思議な現象が発生した。路上でフラウ・トロフェアという女性がいきなり狂ったように踊り始めたのだ。すると周りの人々がそれら引き寄せられるように激しく踊り始め、1週間後には100人もの住民が踊り始め、1か月後にはさらに4倍に膨れ上がった。

ストラスブールの当局も不満のガス抜きと考えたのか、気が済むまで躍らせるしかないと判断し、楽団を使ってはやし立てた。まるでフラッシュモブを思わせる現象だが、こちらは人々の意思に反して踊らされているようだったという。しかも人々は疲弊して死ぬまで踊り続け、9月にこの現象が収まった時には多くの人が亡くなっていたのである。

同様の事件はすでにヨーロッパで何件か起きていたが、どれもその理由は不明である。カルト教団の信者であるとか、けいれんを起こすカビのせいではないかなどと様々な説が提唱されたが、一種の集団ヒステリーだったともいわれている。飢餓で精神的にも追い詰められた住民たちが、トランス状態になり周りにつられるようにして踊り出したのではないかという説が有力視されるが、確証は得られていない。

突如人が踊り出してそれが次々に伝播し、死ぬまで踊るのを止めない社会現象は、踊りのペストと呼ばれ恐れられた。

File No.358
本日のテーマ ミステリアス遺産

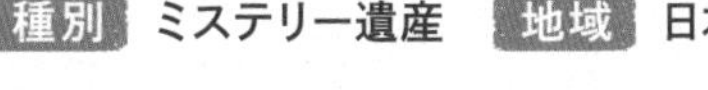

竹内文書

種別 ミステリー遺産　地域 日本

竹内巨麿が紡いだ壮大な古代日本史

武内宿禰は、『古事記』『日本書紀』で5代もの天皇に仕えたとされる伝説の人物である。そして1911（明治44）年、宗教団体「天津教」の開祖で、宿禰の子孫の竹内家に養子に入ったと自称する竹内巨麿が世に出したのが竹内文書である。

内容は超古代からの歴史で、漢字伝来以前の神代文字で書かれたものを、漢字とカナに再編したという。それによると世界の中心は常に日本で、3200億年前の宇宙の誕生と共に天皇家の始祖が出現し、2000億年前に生まれた5人の息子が、世界各地に降臨して人類の祖となった。天皇たちは、「天浮船」という空飛ぶ船で世界を回って文明を築き、モーセや釈迦、孔子などの聖人たちも日本にやって来て修行したという。キリストの墓は青森にあるというのも、竹内文書から始まったことである。

竹内巨麿は、これが真実だと強く主張し、一部の者たちもこれを支援した。しかし、いくら日本と天皇家を世界の中心としても、あまりに荒唐無稽なためか、政府は1930（昭和5）年に竹内を不敬罪で逮捕する。のちに無罪判決が下ったが、竹内文書は東京大空襲で焼失した。それでも竹内文書のファンは多く、『正統竹内文書』の存在があると噂されている。

日本神話において天上の神々が降臨したとされる伝承地のひとつ高千穂の雲海。

マッド・ガッサー

種別 怪人　地域 アメリカ合衆国

 民家に毒ガスを放つ黒ずくめの怪人

1933年から約10年間余り、アメリカでは謎の怪人による毒ガス事件が発生した。

その毒ガス事件を起こした怪人の名はマッド・ガッサー。長身で帽子をかぶり、全身黒づくめの姿がトレードマークの謎の怪人である。

1933年12月、事件はバージニア州の民家で、家のすき間から入り込んだガスを吸ったその家の娘が意識不明となったことに始まった。

家族も吐き気、頭痛、めまいなどに襲われている。この時逃げていく人影が目撃され、家の周りには女性用の靴跡が残されていた。

その後、毒ガスが発生し女性用の靴跡が残されるという同様の事件が相次いだため、人々は謎の犯人を怪人マッド・ガッサーと呼ぶようになった。

その後、マッド・ガッサーはイリノイ州にも出現する。1944年にイリノイ州のある民家の住民にしびれるような異変と嘔吐が起こった際、その直前に長身で帽子をかぶった全身黒づくめの怪人が逃げていく姿が目撃されていたのだ。この後も謎の毒ガス事件が続き、必ず黒い服を着た怪人の姿が報告された。

以後マッド・ガッサー出現の報告はなされていないが、果たして一連の毒ガス事件の犯人は何者だったのか、謎を秘めたまま毒ガス怪人は姿を消した。

海の民

種別 消えた民族の謎　地域 地中海東部

メディネト・ハブのラメセス３世葬祭殿にある彩色浮き彫りから推測される海の民の想像図。彼らはコルセット風の鎧と縁取りのあるスカート、ふさのついた兜を身に付け、長剣で武装していたとされる。

 世界で初めて鉄剣を大量生産して使用した謎の民族

エジプトのルクソールのメディネト・ハブで発見された碑文には、紀元前13世紀末頃から東地中海世界に「海の民」が侵入し、ヒッタイトをはじめ、多くの国が滅んだと記されている。

ヒッタイトといえば、小アジアのアナトリアを本拠にエジプトに匹敵する大帝国を築いていた強国である。そんな国を滅ぼしてしまった、「海の民」とは一体どのような人々なのか？　謎に包まれた部分が多い民族であるが、エジプトの史料には、部族名としてアカイワシャ、ダヌヌ、パラサティ、イリウチ、ルカ、シャルダナ、トゥルシャ、ダルダヌなど複数の名前が挙げられていることから、様々な民族の集合体だったと推測できる。

彼らは長剣と楯で武装していたようだが、この長剣は、テル・アル＝ファラで出土した鉄剣や旧約聖書の記述から、世界で初めて武器として実用化された鉄剣だったと考えられている。製鉄自体は、前述のヒッタイトによって始まったとされるが、鉄製の武器の使用はそれほど浸透していなかったとみられている。そのため、「海の民」こそ、鉄製の武器を大量生産して実用化した民族だったというわけだ。しかし、彼等はどのようにして鉄製の武器の大量生産法を会得したのか？　その謎は今もって解明されていない。

第52週 第4日目

イザベラ王妃の幽霊

種別 幽霊　地域 イギリス

王妃の霊が出没するというノーフォークのライジング城。

ライジング城に響きわたる王妃の笑い声

イギリスのノーフォークに残るライジング城には深夜、城郭の中でイザベラ王妃の幽霊の笑い声が響きわたるという。

イザベラ王妃とは14世紀、フランス王家に生まれ、イングランド王エドワード2世の王妃となった女性である。しかしイザベラ王妃は愛人と共謀して国王を退位に追い込むと最終的に王を殺害した。

そして事実上、女王として君臨し「フランスの牝狼」と呼ばれた女傑である。しかし息子のクーデターに遭い、ライジング城に軟禁されて生涯を終えた。

ライジング城はまさに彼女が幽閉された城である。彼女の無念が夜な夜な幽霊となって現われるのだろう。深夜の城内には王妃の笑い声が響きわたるという。また、捕らえられたノッティンガム城の地下通路にも彼女の幽霊が出ると噂される。

ただし彼女の幽霊は、地元では怖がられるというよりも愛される存在である。というのも地元では政治をおろそかにしていたエドワード2世は愚王として敬遠され、イザベラ王妃が取って代わった時には地元の住民は喜んだともいわれているからだ。

石油の枯渇

種別 自然の神秘 地域 世界

あと30年分しか残っていない！……といわれながら、まだ枯渇しない謎

1970年代頃、「石油はあと30年分くらいしか残っていない」といわれていたが、50年以上経過した現在でも変わらずに採掘が続けられ、世界に供給されている。

石油はもともと太古の動植物の死骸などが、地中深くで圧縮されて生成されたものとされてきた。

だが近年、石油は地中で無限に生成されているのではないかという「無機起源説」が唱えられている。地球誕生の頃に生じた炭素化合物が、地中のマントルの高温・高圧下で化学反応を起こして石油が生成され、近くの割れ目を通って染み出し、油田を作っているものとする考え方である。また、海底から噴き出す熱水にも有機物を石油に変える作用があることが近年わかってきている。こうした油田はカリフォルニア湾や紅海、ニュージーランドのブレンチー湾などで見ることができる。さらに静岡県の相良油田の土壌に住む細菌は石油が存在しなくても、二酸化炭素から石油を作り出してしまうらしい。

このように石油は生成のメカニズムはすらわかっておらず、現在の埋蔵量すらもはっきりしないのである。

採掘が続く油田。

第52週 第6日目

アポカリプティックサウンド

種別 伝説　地域 世界

世界で鳴り響く謎の音の正体は終末の予兆か!?

突如、天から金属の摩擦音のような高いノイズや断末魔のような金切り声、教会の鐘の音が合わさった怪音が鳴り響いたら気味悪く感じるだろう。その不気味な音はアポカリプティックサウンドと呼ばれ、終末を告げる音ではないかと恐れられている。

終末の音とは新約聖書の「ヨハネの黙示録」にある「最後の審判が始まる時、7人の天使がラップを吹き鳴らす」という記述に由来する、この世界の終わりを知らせる音。当然誰も聞いたことはないが、近年冒頭のような怪音が次々に報告され、それこそがアポカリプティックサウンドでないかというのだ。

この謎の音は2011年8月11日にキエフで発生したのを皮切りに、ベラルーシ、カナダ、アメリカ、翌年にはハンガリーなどで鳴り響き、住民たちをおびえさせた。

この音の正体についてある地球物理学者は、太陽の活動が激しくなり、太陽フレア（爆発）の回数とエネルギーの放出量が増えた結果、空からうねりの音を発生させたのではないかと指摘する。このほかに地殻内部にたまったエネルギーが地球の磁場を変化させ、電離層と大気圏の境界で起こした物理的変化が異音となったとする説もある。

地球に何か異変が生じ、その軋みの音なのだろうか。地球の異音が終末の音にならないことを願うばかりである。

奏楽の天使が描かれる『ヘントの祭壇画』の右パネルと左パネル。終末の日、世界には天使の歌声が響きわたるという。

ロンドン塔の王子

種別 陰謀　　地域 イギリス

リチャード3世とロンドン塔から消えたふたりの王子

イギリス中世史最大の闇とされるのが、エドワード4世のふたりの王子をリチャード3世が抹殺したとされる事件である。

1483年にエドワード4世が没すると、その遺児である12歳のエドワード5世が即位した。しかし、その叔父でエドワード4世の弟にあたるグロスター公リチャードが、エドワード5世とその弟で9歳のヨーク公リチャードを私生児として退けると、自身が国王に即位。そしてふたりをロンドン塔に幽閉してしまった。

その数か月後、王子たちの姿がロンドン塔から見えなくなり、そのまま歴史の舞台から消え去ったのである。

ロンドン塔に消えたふたりの王子を描いたジョン・エヴァレット・ミレイの『ふたりの王子』。

まもなくふたりの王子は殺されたという疑惑が持ち上がり、人々は真っ先にリチャード3世に疑いの目を向けた。事件から30年後にはトマス・モアが、リチャード3世が殺させたものと主張。事件から200年近くが経過した1674年にはロンドン塔の地下で少年のものと思われるふたつの頭蓋骨が発見されている。

ただしふたりの王子の存在が邪魔だったのはリチャード3世だけではない。1485年のボズワースの戦いでリチャード3世を討ち、ふたりの王子の姉と結婚することで王位を得たヘンリー7世もそのひとりだろう。彼はエドワード4世らヨーク家とばら戦争で王位を争ったランカスター家の分家筋にあたり、エドワード5世が生きていた場合、彼が王位に就く資格は失われてしまうのだ。そこで、ヘンリー7世はリチャード3世を悪役に仕立てて、目障りなふたりの王子を始末したというわけだ。

王子たちはその後どうなったのか、今もその亡霊が手を携えてロンドン塔を彷徨い歩く姿が目撃されるという。

マンドレーク

種別 ミステリー遺産　地域 ヨーロッパ

 耳にした者を死に至らしめる恐怖の声

中世、魔女の秘儀に欠かせないとされたのが「マンドレーク（英名：マンドラゴラ）」という植物である。ヨーロッパに自生する実在の薬草で、毒性が強く幻覚作用をもたらすのだ。

いくつも根別れしている根っこの形状は、人間の体のようで、顔にあたる部分は無念さを思わせる表情にも見えるという。

不気味な様相と共に、放置された死体の下にこの植物の花が咲くなど、腐肉を養分として育つともいわれる。そうした伝承も邪悪な雰囲気を高める一因となった。

悪しきものとしての極めつけが「マンドレーク」は人が近づくと縮み、触れると命取りになるという伝承である。

地中深く張り巡らされた根は容易に引き抜くことはできず、無理に引き抜こうものなら恐ろしい叫び声を発し、その声を耳にした者はもがき苦しんで死ぬという。マンドレークには肥やしとなった死者の怨念が込められているのかもしれない。

『健康全書』に描かれたマンドレイク。根が人の頭になっている。

グレムリン

種別 モンスター　地域 イギリス

グレムリンは様々ないたずらを仕掛けて人々を困らせる小鬼である。

 飛行機に現れていたずらする妖精

1984年のアメリカ映画に『グレムリン』というのがあった。

モグワイというぬいぐるみのような生き物が、夜12時過ぎに食べ物を食べるとモンスターに変貌するという映画だ。

あくまで映画のキャラクターだと思っている人も多いだろうが、実はグレムリンはイギリスで語り継がれている怪異な生き物で、第1次世界大戦の最中にイギリスの軍用機に現われた妖精のこと。機械にいたずらをして不調にさせたなどと伝えられている。最近では飛行機だけでなく工場などにも姿を現わしていたずらをしているようだ。

第2次世界大戦中に目撃された証言によれば、角が生えていて、黒い革の長靴を履いた身長15㎝ほどの妖精だとも、身長30㎝ほどの人間そっくりの妖精だともいわれている。

いたずらするのは困ったものだが、最近では遭難しそうな飛行機に現われ、操縦士に正しいルートを教えたり、指示した事例もあるというから、どうやら親切なグレムリンもいるようである。

さくいん

● アイルランド共和国

●アメリカ合衆国

●アルジェリア民主人民共和国

●アルゼンチン共和国

●イギリス

●イスラエル国

●イタリア共和国

さくいん

さくいん

さくいん

監修者紹介

朝里 樹（あさざと・いつき）

怪異妖怪愛好家・作家。1990 年、北海道に生まれる。2014 年、法政大学文学部卒業。日本文学専攻。現在公務員として働くかたわら、在野で怪異・妖怪の収集・研究を行う。
主な著書に『日本現代怪異事典』『世界現代怪異事典』（以上、笠間書院）、『日本のおかしな現代妖怪図鑑』『歴史人物怪異談事典』(以上、幻冬舎) など。

【参考文献】

『世界怪異現象百科』ジョン・スペンサー、アン・スペンサー著、桐生操監修（原書房）

『世界現代怪異事典』朝里樹（笠間書院）

『絶対に行けない世界の非公開区域99 ガザの地下トンネルから女王の寝室まで』ダニエル・スミス著、ナショナル・ジオグラフィック編、小野智子訳（日経ナショナル・ジオグラフィック社）

『絶対に見られない世界の秘宝99 テンプル騎士団の財宝からアマゾンの黄金都市まで』ダニエル・スミス著、ナショナル・ジオグラフィック編、小野智子訳（日経ナショナル・ジオグラフィック社

『絶対に明かされない世界の未解決ファイル99 ファティマ第三の預言からチュパカブラまで』ダニエル・スミス著、ナショナル・ジオグラフィック編、小野智子訳（日経ナショナル・ジオグラフィック社

『英国幽霊案内』ピーター・アンダーウッド著、南條竹則訳（メディアファクトリー）

『ホントにあった呪いの都市伝説』山田敏太郎（コズミック出版）

『ストレンジワールド PART1』フランク・エドワーズ、中場一典・今村光一訳（曙出版）

『最新禁断の異次元事件』並木伸一郎（学研プラス）

『ムー的都市伝説』並木伸一郎（学研プラス）

『最強の都市伝説』並木伸一郎（経済界）

『世界不思議百科』コリン・ウィルソン、ダモン・ウィルソン、関口篤訳（青土社）

『荒俣宏の世界ミステリー遺産』荒俣宏（祥伝社）

『世界謎物語』ダニエル・コーエン著、岡達子訳（社会思想社）

『世界の謎と不思議百科』J&A・スペンサー、金子浩一訳（扶桑社）

写真協力 | アフロ、Adobe Stock
本文イラスト | やまでらわかな
装丁・本文デザイン | 柿沼みさと
編集 | ロム・インターナショナル
田口 卓

1日1話、つい読みたくなる世界のミステリーと怪異366

第1刷　2021年6月30日

監　修　朝里 樹
発行者　小宮英行
発行所　株式会社 徳間書店
〒141-8202　東京都品川区上大崎 3-1-1
目黒セントラルスクエア
電　話　編集 03-5403-4350　販売 049-293-5521
振　替　00140-0-44392

印刷所　株式会社 廣済堂
製本所　ナショナル製本協同組合

ISBN 978-4-19-865308-8